LE CURÉ DE VILLAGE

VILLAGE

Honoré de Balzac

À Hélène

La moindre barque n'est pas lancée à la mer, sans que les marins ne la mettent sous la protection de quelque vivant emblème ou d'un nom révéré ; soyez donc, madame, à l'imitation de cette coutume, la patronne de cet ouvrage lancé dans notre océan littéraire, et puisse-t-il être préservé de la bourrasque par ce nom impérial que l'Église a fait saint, et que votre dévouement a doublement sanctifié pour moi.

DE BALZAC.

I

Véronique

Dans le Bas-Limoges, au coin de la rue de la Vieille-Poste et de la rue de la Cité, se trouvait, il y a trente ans, une de ces boutiques auxquelles il semble que rien n'ait été changé depuis le moyen âge. De grandes dalles cassées en mille endroits, posées sur le sol qui se montrait humide par places, auraient fait tomber quiconque n'eût pas observé les creux et les élévations de ce singulier carrelage. Les murs poudreux laissaient voir une bizarre mosaïque de bois, et de briques, de pierres et de fer tassés avec une solidité due au temps, peut-être au hasard. Le plancher, composé de poutres colossales, pliait depuis plus de cent ans sans rompre sous le poids des étages supérieurs. Bâtis en colombage, ces étages étaient à l'extérieur couverts en ardoises clouées de manière à dessiner des figures géométriques, et conservaient une image naïve des constructions bourgeoises du vieux temps. Aucune des croisées encadrées de bois, jadis brodées de sculptures aujourd'hui détruites par les intempéries de l'atmosphère, ne se tenait d'aplomb : les unes donnaient du nez, les autres rentraient, quelques-unes voulaient se disjoindre ; toutes avaient du terreau apporté on ne sait comment dans les fentes creusées par la pluie, et d'où s'élançaient au printemps quelques fleurs légères, de timides plantes grimpantes, des herbes grêles. La mousse veloutait les toits et les appuis. Le pilier du coin, quoiqu'en maçonnerie composite, c'est-à-dire de pierres mêlées de briques et de cailloux, effrayait le regard par sa courbure ; il paraissait devoir céder quelque jour sous le poids de la maison dont le pignon surplombait d'environ un demi-pied. Aussi l'autorité municipale et la grande voirie firent-elles abattre cette maison après l'avoir achetée, afin d'élargir le carrefour. Ce pilier, situé à l'angle des deux rues, se recommandait aux amateurs d'antiquités limousines par une jolie niche sculptée où se voyait une vierge, mutilée pendant la Révolution. Les bourgeois à prétentions archéologiques y remarquaient les traces de la marge en pierre destinée à recevoir les chandeliers où la piété publique allumait des cierges, mettait ses ex-voto et des fleurs. Au fond de la boutique, un escalier de bois vermoulu conduisait aux deux étages supérieurs surmontés d'un grenier. La maison, adossée aux deux maisons voisines, n'avait point de profondeur, et ne tirait son jour que des croisées. Chaque étage ne contenait que deux petites chambres, éclairées chacune par une croisée, donnant l'une sur la rue de la Cité, l'autre sur la rue de la Vieille-Poste. Au moyen âge, aucun artisan ne fut mieux logé. Cette maison avait évidemment appartenu jadis à des faiseurs d'haubergeons, à des armuriers, à des couteliers, à quelques maîtres dont le métier ne haïssait pas le plein air ; il était impossible d'y voir clair sans que les volets ferrés fussent enlevés sur chaque face où, de chaque côté du pilier, il y avait une porte, comme dans beaucoup de magasins situés au coin de deux rues. À chaque porte, après le seuil en belle pierre usée par les siècles, commençait un petit mur à hauteur d'appui, dans lequel était une rainure répétée à la poutre d'en haut sur laquelle reposait le mur de chaque façade. Depuis un temps immémorial on glissait de grossiers volets dans cette rainure, on les assujettissait par d'énormes bandes de fer boulonnées ; puis, les deux portes une fois closes par un mécanisme semblable, les marchands se trouvaient dans leur maison comme dans une forteresse. En examinant l'intérieur que, pendant les premières vingt années de ce siècle, les Limousins virent encombré de ferrailles, de cuivre, de ressorts, de fers de roues, de cloches et de tout ce que les démolitions donnent de métaux, les gens qu'intéressait ce débris de la vieille ville, y remarquaient la place d'un tuyau de forge, indiqué par une longue traînée de suie, détail qui confirmait les conjectures des archéologues sur la destination primitive de la boutique. Au premier étage, était une chambre et une cuisine ; le second avait deux chambres. Le grenier servait de magasin pour les objets plus délicats que ceux jetés pêle-mêle dans la boutique. Cette maison, louée d'abord, fut plus tard achetée par un nommé Sauviat, marchand forain, qui, de 1792 à 1796, parcourut les campagnes dans un rayon de cinquante lieues autour de l'Auvergne, en y échangeant des poteries, des plats, des assiettes, des verres, enfin les choses nécessaires aux plus pauvres ménages, contre de vieux fers, des cuivres, des plombs, contre tout métal sous quelque forme qu'il se déguisât. L'Auvergnat donnait une casserole en terre brune de deux sous pour une livre de plomb, ou pour deux livres de fer, bêche cassée, houe brisée, vieille marmite fendue ; et, toujours juge en sa propre cause, il pesait lui-même sa ferraille. Dès la troisième année, Sauviat joignit à ce commerce celui de la chaudronnerie. En 1793, il put acquérir un château vendu nationalement, et le dépeça ; le gain qu'il fit, il le répéta sans doute sur plusieurs points de la sphère où il opérait ; plus tard, ces premiers essais lui donnèrent l'idée de proposer une affaire en grand à l'un de ses compatriotes à Paris. Ainsi, la Bande Noire, si célèbre par ses dévastations, naquit dans la cervelle du vieux Sauviat, le marchand forain que tout Limoges a vu pendant vingt-sept ans dans cette pauvre boutique au milieu de ses cloches cassées, de ses fléaux, de ses chaînes, de ses potences, de ses gouttières en plomb tordu, de ses ferrailles de toute espèce ; on doit lui rendre la justice de dire qu'il ne connut jamais ni la célébrité, ni l'étendue de cette association ; il n'en profita que dans la proportion des capitaux qu'il avait confiés à la fameuse maison Brézac. Fatigué de courir les foires et les villages, l'Auvergnat s'établit à Limoges, où il avait, en 1797, épousé la fille d'un chaudronnier veuf, nommé Champagnac. Quand mourut le beau-père, il acheta la maison où il avait établi d'une manière fixe son commerce de ferrailleur, après l'avoir encore exercé dans les campagnes pendant trois ans en compagnie de sa femme. Sauviat atteignait à sa cinquantième année quand il épousa la fille au vieux Champagnac, laquelle, de son côté, ne devait pas avoir moins de trente ans. Ni belle, ni jolie, la Champagnac était née en Auvergne, et le patois fut une séduction mutuelle ; puis, elle avait cette grosse encolure qui permet aux femmes de résister aux plus durs travaux ; aussi accompagna-t-elle

Sauviat dans ses courses. Elle rapportait du fer ou du plomb sur son dos, et conduisait le méchant fourgon plein de poteries avec lesquelles son mari faisait une usure déguisée. Brune, colorée, jouissant d'une riche santé, la Champagnac montrait, en riant, des dents blanches, hautes et larges comme des amandes ; enfin elle avait le buste et les hanches de ces femmes que la nature a faites pour être mères. Si cette forte fille ne s'était pas plus tôt mariée, il fallait attribuer son célibat au *sans dot* d'Harpagon que pratiquait son père, sans avoir jamais lu Molière. Sauviat ne s'effraya point du sans dot ; d'ailleurs un homme de cinquante ans ne devait pas élever de difficultés, puis sa femme allait lui épargner la dépense d'une servante. Il n'ajouta rien au mobilier de sa chambre, où, depuis le jour de ses noces jusqu'au jour de son déménagement, il n'y eut jamais qu'un lit à colonnes, orné d'une pente découpée et de rideaux en serge verte, un bahut, une commode, quatre fauteuils, une table et un miroir, le tout rapporté de différentes localités. Le bahut contenait dans sa partie supérieure une vaisselle en étain dont toutes les pièces étaient dissemblables. Chacun peut imaginer la cuisine d'après la chambre à coucher. Ni le mari, ni la femme ne savaient lire, léger défaut d'éducation qui ne les empêchait pas de compter admirablement et de faire le plus florissant de tous les commerces. Sauviat n'achetait aucun objet sans la certitude de pouvoir le revendre à cent pour cent de bénéfice. Pour se dispenser de tenir des livres et une caisse, il payait et vendait tout au comptant. Il avait d'ailleurs une mémoire si parfaite, qu'un objet, restât-il cinq ans dans sa boutique, sa femme et lui se rappelaient, à un liard près, le prix d'achat, enchéri chaque année des intérêts. Excepté pendant le temps où elle vaquait aux soins du ménage, la Sauviat était toujours assise sur une mauvaise chaise en bois adossée au pilier de sa boutique ; elle tricotait en regardant les passants, veillant à sa ferraille et la vendant, la pesant, la livrant elle-même si Sauviat voyageait pour des acquisitions. À la pointe du jour on entendait le ferrailleur travaillant ses volets, le chien se sauvait par les rues, et bientôt la Sauviat venait aider son homme à mettre sur les appuis naturels que les petits murs formaient rue de la Vieille-Poste et rue de la Cité, des sonnettes, de vieux ressorts, des grelots, des canons de fusil cassés, des brimborions de leur commerce qui servaient d'enseigne et donnaient un air assez misérable à cette boutique où souvent il y avait pour vingt mille francs de plomb, d'acier et de cloches. Jamais, ni l'ancien brocanteur forain, ni sa femme, ne parlèrent de leur fortune ; ils la cachaient comme un malfaiteur cache un crime, on les soupçonna longtemps de rogner les louis d'or et les écus. Quand mourut Champagnac, les Sauviat ne firent point d'inventaire, ils fouillèrent avec l'intelligence des rats tous les coins de sa maison, la laissèrent nue comme un cadavre, et vendirent eux-mêmes les chaudronneries dans leur boutique. Une fois par an, en décembre, Sauviat allait à Paris, et se servait alors de la voiture publique. Aussi, les observateurs du quartier présumaient-ils que pour dérober la connaissance de sa fortune, le ferrailleur opérait ses placements lui-même à Paris. On sut plus tard que, lié dans sa jeunesse avec un des plus célèbres marchands de métaux de Paris, Auvergnat comme lui, il faisait prospérer ses fonds dans la caisse de la maison Brézac, la colonne de cette fameuse association appelée la Bande Noire, qui s'y forma, comme il a été dit, d'après le conseil de Sauviat, un des participants.

Sauviat était un petit homme gras, à figure fatiguée, doué d'un air de probité qui séduisait le chaland, et cet air lui servait à bien vendre. La sécheresse de ses affirmations et la parfaite indifférence de son attitude aidaient ses prétentions. Son teint coloré se devinait difficilement sous la poussière métallique et noire qui saupoudrait ses cheveux crépus et sa figure marquée de petite vérole. Son front ne manquait pas de noblesse, il ressemblait au front classique prêté par tous les peintres à saint Pierre, le plus rude, le plus *peuple* et aussi le plus fin des apôtres. Ses mains étaient celles du travailleur infatigable, larges, épaisses, carrées et ridées par des espèces de crevasses solides. Son buste offrait une musculature indestructible. Il ne quitta jamais son costume de marchand forain : gros souliers ferrés, bas bleus tricotés par sa femme et cachés sous des guêtres en cuir, pantalon de velours vert bouteille, gilet à carreaux d'où pendait la clef en cuivre de sa montre d'argent attachée par une chaîne en fer que l'usage rendait luisant et poli comme de l'acier, une veste à petites basques en velours pareil au pantalon, puis autour du cou une cravate en rouennerie usée par le frottement de la barbe. Les dimanches et jours de fête, Sauviat portait une redingote de drap marron si bien soignée, qu'il ne la renouvela que deux fois en vingt ans.

La vie des forçats peut passer pour luxueuse comparée à celle des Sauviat, ils ne mangeaient de la viande qu'aux jours de fêtes carillonnées. Avant de lâcher l'argent nécessaire à leur subsistance journalière, la Sauviat fouillait dans ses deux poches cachées entre sa robe et son jupon, et n'en ramenait jamais que de mauvaises pièces rognées, des écus de six livres ou de cinquante-cinq sous, qu'elle regardait avec désespoir avant d'en changer une. La plupart du temps, les Sauviat se contentaient de harengs, de pois rouges, de fromage, d'œufs durs mêlés dans une salade, de légumes assaisonnés de la manière la moins coûteuse. Jamais ils ne firent de provisions, excepté quelques bottes d'ail ou d'oignons qui ne craignaient rien et ne coûtaient pas grand-chose ; le peu de bois qu'ils consommaient en hiver, la Sauviat l'achetait aux fagotteurs qui passaient, et au jour le jour. À sept heures en hiver, à neuf heures en été, le ménage était couché, la boutique fermée et gardée par leur énorme chien qui cherchait sa vie dans les cuisines du quartier. La mère Sauviat n'usait pas pour trois francs de chandelle par an.

La vie sobre et travailleuse de ces gens fut animée par une joie mais une joie naturelle, et pour laquelle ils firent leurs seules dépenses connues. En mai 1802, la Sauviat eut une fille. Elle s'accoucha toute seule, et vaquait aux soins de son ménage cinq jours après. Elle nourrit elle-même son enfant sur sa chaise, en plein vent, continuant à vendre la ferraille pendant que sa petite tétait. Son lait ne coûtant rien, elle laissa téter pendant deux ans sa fille qui ne s'en trouva pas mal. Véronique devint le plus bel enfant de la basse-ville, les passants s'arrêtaient pour la voir. Les voisines aperçurent alors chez le vieux Sauviat quelques traces de sensibilité, car on l'en croyait entièrement privé. Pendant que sa femme lui faisait à dîner, le marchand gardait entre ses bras la petite, et la berçait en lui chantonnant des refrains auvergnats. Les ouvriers le virent parfois immobile, regardant Véronique endormie sur les genoux de sa mère. Pour sa fille, il adoucissait sa voix rude, il essuyait ses mains à son pantalon avant de la prendre. Quand Véronique essaya de marcher, le père se pliait sur ses jambes et se mettait à quatre pas d'elle en lui tendant les bras et lui faisant des mines qui contractaient joyeusement les plis métalliques et profonds de sa figure âpre et sévère. Cet homme de plomb, de fer et de cuivre redevint un homme de sang, d'os et de chair. Était-il le dos appuyé contre son pilier, immobile comme une statue, un cri de Véronique l'agitait ; il sautait à travers les ferrailles pour la trouver, car elle passa son enfance à jouer avec les débris de châteaux amoncelés dans les profondeurs de cette vaste boutique, sans se blesser jamais ; elle allait aussi jouer dans la rue ou chez les voisins, sans que l'œil de sa mère la perdît de vue. Il n'est pas inutile de dire que les Sauviat étaient éminemment religieux. Au plus fort de la Révolution, Sauviat observait le dimanche et les fêtes. À deux fois, il manqua de se faire couper le cou pour être allé entendre la messe d'un prêtre non assermenté. Enfin, il fut mis en prison, accusé justement d'avoir favorisé la fuite d'un évêque auquel il sauva la vie. Heureusement le marchand forain, qui se connaissait en limes et en barreaux de fer, put s'évader ; mais il fut condamné à mort par contumace, et, par parenthèse, ne se présenta jamais pour la purger, il mourut mort. Sa femme partageait ses pieux sentiments. L'avarice de ce ménage ne cédait qu'à la voix de la religion. Les vieux ferrailleurs rendaient exactement le pain bénit, et donnaient aux quêtes. Si le vicaire de Saint-Étienne venait chez eux pour demander des secours, Sauviat ou sa femme allaient aussitôt chercher sans façons ni grimaces ce qu'ils croyaient être leur quote-part dans les aumônes de la paroisse. La Vierge mutilée de leur pilier fut toujours, dès 1799, ornée de buis à Pâques. À la saison des fleurs, les passants la voyaient fêtée par des bouquets rafraîchis dans des cornets de verre bleu, surtout depuis la naissance de Véronique. Aux processions, les Sauviat tendaient soigneusement leur maison de draps chargés de fleurs, et contribuaient à l'ornement, à la construction du reposoir, l'orgueil de leur carrefour.

Véronique Sauviat fut donc élevée chrétiennement. Dès l'âge de sept ans, elle eut pour institutrice une sœur grise auvergnate à qui les Sauviat avaient rendu quelques petits services. Tous deux, assez obligeants tant qu'il ne s'agissait que de leur personne ou de leur temps, étaient serviables à la manière des pauvres gens, qui se prêtent eux-mêmes avec une sorte de cordialité. La sœur grise enseigna la lecture et l'écriture à Véronique, elle lui apprit l'histoire du peuple de Dieu, le Catéchisme, l'Ancien et le Nouveau-Testament, quelque peu de calcul. Ce fut tout, la sœur crut que ce serait assez, c'était déjà trop. À neuf ans, Véronique étonna le quartier par sa beauté. Chacun admirait un visage qui pouvait être un jour digne du pinceau des peintres empressés à la recherche du beau idéal. Surnommée *la petite Vierge*, elle promettait d'être bien faite et blanche. Sa figure de madone, car la voix du peuple l'avait bien nommée, fut complétée par une riche et abondante chevelure blonde qui fit ressortir la pureté de ses traits. Quiconque a vu la sublime petite Vierge de Titien dans son grand tableau de la Présentation au Temple, saura ce que fut Véronique en son enfance : même candeur ingénue, même étonnement séraphique dans les yeux, même altitude noble et simple, même port d'infante.

À onze ans, elle eut la petite vérole, et ne dut la vie qu'aux soins de la sœur Marthe. Pendant les deux mois que leur fille fut en danger, les Sauviat donnèrent à tout le quartier la mesure de leur tendresse. Sauviat n'alla plus aux ventes, il resta tout le temps dans sa boutique, montant chez sa fille, redescendant de moments en moments, la veillant toutes les nuits, de compagnie avec sa femme. Sa douleur muette parut trop profonde pour que personne osât lui parler, les voisins le regardaient avec compassion, et ne demandaient des nouvelles de Véronique qu'à la sœur Marthe. Durant les jours où le danger atteignit au plus haut degré, les passants et les voisins virent pour la seule et unique fois de la vie de Sauviat des larmes roulant longtemps entre ses paupières et tombant le long de ses joues creuses ; il ne les essuya point, il resta quelques heures comme hébété, n'osant point monter chez sa fille, regardant sans voir, on aurait pu le voler.

Véronique fut sauvée, mais sa beauté périt. Cette figure, également colorée par une teinte où le brun et le rouge étaient harmonieusement fondus, resta frappée de mille fossettes qui grossirent la peau, dont la pulpe blanche avait été profondément travaillée. Le front ne put échapper aux ravages du fléau, il devint brun et demeura comme martelé. Rien n'est plus discordant que ces tons de brique sous une chevelure blonde, ils détruisent une harmonie préétablie. Ces déchirures du tissu, creuses et capricieuses, altérèrent la pureté du profil, la finesse de la coupe du visage, celle du nez, dont la forme grecque se vit à peine, celle du menton, délicat comme le bord d'une porcelaine blanche. La maladie ne respecta que ce qu'elle ne pouvait atteindre, les yeux et les dents. Véronique ne perdit pas non plus l'élégance et la beauté de son corps, ni la plénitude de ses lignes, ni la grâce de sa taille. Elle fut à quinze ans une belle personne, et ce qui consola les Sauviat, une sainte et bonne fille, occupée, travailleuse, sédentaire. À sa convalescence, et après sa première communion, son père et sa mère lui donnèrent pour habitation les deux chambres situées au second étage. Sauviat, si rude pour lui et pour sa femme, eut alors quelques soupçons du bien-être ; il lui vint une vague idée de consoler sa fille d'une perte qu'elle ignorait encore. La privation de cette beauté qui faisait l'orgueil de ces deux êtres leur rendit Véronique encore plus chère et plus précieuse. Un jour, Sauviat apporta sur son dos un tapis de hasard, et le cloua lui-même dans la chambre de Véronique. Il garda pour elle, à la vente d'un château, le lit en damas rouge d'une grande dame, les rideaux, les fauteuils et les chaises en même étoffe. Il meubla de vieilles choses, dont le prix lui fut toujours inconnu, les deux pièces où vivait sa fille. Il mit des pots de réséda sur l'appui de la fenêtre, et rapporta de ses courses tantôt des rosiers, tantôt des œillets, toutes sortes de fleurs que lui donnaient sans doute les jardiniers ou les aubergistes. Si Véronique avait pu faire des comparaisons, et connaître le caractère, les mœurs, l'ignorance de ses parents, elle aurait su combien il y avait d'affection dans ces petites choses ; mais elle les aimait avec un naturel exquis et sans réflexion. Véronique eut le plus beau linge que sa mère pouvait trouver chez les marchands. La Sauviat laissait sa fille libre de s'acheter pour ses vêtements les étoffes qu'elle désirait. Le père et la mère furent heureux de la modestie de leur fille, qui n'eut aucun goût ruineux. Véronique se contentait d'une robe de soie bleue pour les jours de fêtes, et portait les jours ouvrables une robe de gros mérinos en hiver, d'indienne rayée en été. Le dimanche, elle allait aux offices avec son père et sa mère, à la promenade après vêpres le long de la Vienne ou aux alentours. Les jours ordinaires, elle demeurait chez elle, occupée à remplir de la tapisserie, dont le prix appartenait aux pauvres, ayant ainsi les mœurs les plus simples, les plus chastes, les plus exemplaires. Elle ouvrait parfois du linge pour les hospices. Elle entremêla ses travaux de lectures, et ne lut pas d'autres livres que ceux que lui prêtait le vicaire de Saint-Étienne, un prêtre de qui la sœur Marthe avait fait faire la connaissance aux Sauviat.

Pour Véronique, les lois de l'économie domestique furent d'ailleurs entièrement suspendues. Sa mère, heureuse de lui servir une nourriture choisie, lui faisait elle-même une cuisine à part. Le père et la mère mangeaient toujours leurs noix et leur pain dur, leurs harengs, leurs pois fricassés avec du beurre salé, tandis que pour Véronique rien n'était ni assez frais ni assez beau. – Véronique doit vous coûter cher, disait au père Sauviat un chapelier établi en face et qui avait pour son fils des projets sur Véronique en estimant à cent mille francs la fortune du ferrailleur. – Oui, voisin, oui, répondit le vieux Sauviat, elle pourrait me demander dix écus, je les lui donnerais tout de même. Elle a tout ce qu'elle veut, mais elle ne demande jamais rien. C'est un agneau pour la douceur ! » Véronique, en effet, ignorait le prix des choses ; elle n'avait jamais eu besoin de rien ; elle ne vit de pièce d'or que le jour de son mariage, elle n'eut jamais de bourse à elle ; sa mère lui achetait et lui donnait tout à souhait, si bien que pour faire l'aumône à un pauvre, elle fouillait dans les poches de sa mère. « – Elle ne vous coûte pas cher, dit alors le chapelier. – Vous croyez cela, vous ! répondit Sauviat. Vous ne vous en tireriez pas encore avec quarante écus par an. Et sa chambre ! elle a chez elle pour plus de cent écus de meubles, mais quand on n'a qu'une fille, on peut se laisser aller. Enfin, le peu que nous possédons sera tout à elle. – Le peu ? Vous devez être riche, père Sauviat. Voilà quarante ans que vous faites un commerce où il n'y a pas de pertes. – Ah ! l'on ne me couperait pas les oreilles pour douze cents francs ! » répondit le vieux marchand de ferraille.

À compter du jour où Véronique eut perdu la suave beauté qui recommandait son visage de petite fille à l'admiration publique, le père Sauviat redoubla d'activité. Son commerce se raviva si bien, qu'il fit dès lors plusieurs voyages par an à Paris. Chacun devina qu'il voulait compenser à force d'argent ce que, dans son langage, il appelait les déchets de sa fille. Quand Véronique eut quinze ans, il se fit un changement dans les mœurs intérieures de la maison. Le père et la mère montèrent à la nuit chez leur fille, qui, pendant la soirée, leur lisait, à la lueur d'une lampe placée derrière un globe de verre plein d'eau, la Vie des Saints, les Lettres édifiantes, enfin tous les livres prêtés par le vicaire. La vieille Sauviat tricotait en calculant qu'elle regagnait ainsi le prix de l'huile. Les voisins pouvaient voir de chez eux ces deux vieilles gens, immobiles sur leurs fauteuils comme deux figures chinoises, écoutant et admirant leur fille de toutes les forces d'une intelligence obtuse pour tout ce qui n'était pas commerce ou foi religieuse. Il s'est rencontré sans doute dans le monde des jeunes filles aussi pures que l'était Véronique ; mais aucune ne fut ni plus pure, ni plus modeste. Sa confession devait étonner les anges et réjouir la sainte Vierge. À seize ans, elle fut entièrement développée, et se montra comme elle devait être. Elle avait une taille moyenne, ni son père ni sa mère n'étaient grands ;

mais ses formes se recommandaient par une souplesse gracieuse, par ces lignes serpentines si heureuses, si péniblement cherchées par les peintres, que la Nature trace d'elle-même si finement, et dont les moelleux contours se révèlent aux yeux des connaisseurs, malgré les linges et l'épaisseur des vêtements, qui se modèlent et se disposent toujours, quoi qu'on fasse, sur le nu. Vraie, simple, naturelle, Véronique mettait en relief cette beauté par des mouvements sans aucune affectation. Elle sortait son plein et entier effet, s'il est permis d'emprunter ce terme énergique à la langue judiciaire. Elle avait les bras charnus des Auvergnates, la main rouge et potelée d'une belle servante d'auberge, des pieds forts, mais réguliers, et en harmonie avec ses formes. Il se passait en elle un phénomène ravissant et merveilleux qui promettait à l'amour une femme cachée à tous les yeux. Ce phénomène était peut-être une des causes de l'admiration que son père et sa mère manifestèrent pour sa beauté, qu'ils disaient être divine, au grand étonnement des voisins. Les premiers qui remarquèrent ce fait furent les prêtres de la cathédrale et les fidèles qui s'approchaient de la sainte table. Quand un sentiment violent éclatait chez Véronique, et l'exaltation religieuse à laquelle elle était livrée alors qu'elle se présentait pour communier doit se compter parmi les vives émotions d'une jeune fille si candide, il semblait qu'une lumière intérieure effaçât par ses rayons les marques de la petite vérole. Le pur et radieux visage de son enfance reparaissait dans sa beauté première. Quoique légèrement voilé par la couche grossière que la maladie y avait étendue, il brillait comme brille mystérieusement une fleur sous l'eau de la mer que le soleil pénètre. Véronique était changée pour quelques instants : la petite Vierge apparaissait et disparaissait comme une céleste apparition. La prunelle de ses yeux, douée d'une grande contractilité, semblait alors s'épanouir, et repoussait le bleu de l'iris, qui ne formait plus qu'un léger cercle. Ainsi cette métamorphose de l'œil, devenu aussi vif que celui de l'aigle, complétait le changement étrange du visage. Était-ce l'orage des passions contenues, était-ce une force venue des profondeurs de l'âme qui agrandissait la prunelle en plein jour, comme elle s'agrandit ordinairement chez tout le monde dans les ténèbres, en brunissant ainsi l'azur de ces yeux célestes ? Quoi que ce fût, il était impossible de voir froidement Véronique, alors qu'elle revenait de l'autel à sa place après s'être unie à Dieu, et qu'elle se montrait à la paroisse dans sa primitive splendeur. Sa beauté eût alors éclipsé celle des plus belles femmes. Quel charme pour un homme épris et jaloux que ce voile de chair qui devait cacher l'épouse à tous les regards, un voile que la main de l'amour lèverait et laisserait retomber sur les voluptés permises ! Véronique avait des lèvres parfaitement arquées qu'on aurait crues peintes en vermillon, tant y abondait un sang pur et chaud. Son menton et le bas de son visage étaient un peu gras, dans l'acception que les peintres donnent à ce mot, et cette forme épaisse est, suivant les lois impitoyables de la physiognomonie, l'indice d'une violence quasi-morbide dans la passion. Elle avait au-dessus de son front, bien modelé, mais presque impérieux, un magnifique diadème de cheveux volumineux, abondants et devenus châtains.

Depuis l'âge de seize ans jusqu'au jour de son mariage, Véronique eut une attitude pensive et pleine de mélancolie. Dans une si profonde solitude, elle devait, comme les solitaires, examiner le grand spectacle de ce qui se passait en elle : le progrès de sa pensée, la variété des images, et l'essor des sentiments échauffés par une vie pure. Ceux qui levaient le nez en passant par la rue de la Cité pouvaient voir par les beaux jours la fille des Sauviat assise à sa fenêtre, cousant, brodant ou tirant l'aiguille au-dessus de son canevas d'un air assez songeur. Sa tête se détachait vivement entre les fleurs qui poétisaient l'appui brun et fendillé de ses croisées à vitraux retenus dans leur réseau de plomb. Quelquefois le reflet des rideaux de damas rouge ajoutait à l'effet de cette tête déjà si colorée ; de même qu'une fleur empourprée, elle dominait le massif aérien si soigneusement entretenu par elle sur l'appui de sa fenêtre. Cette vieille maison naïve avait donc quelque chose de plus naïf : un portrait de jeune fille, digne de Mieris, de Van Ostade, de Terburg et de Gérard Dow, encadré dans une de ces vieilles croisées quasi détruites, frustes et brunes que leurs pinceaux ont affectionnées. Quand un étranger, surpris de cette construction, restait béant à contempler le second étage, le vieux Sauviat avançait alors la tête de manière à se mettre en dehors de la ligne dessinée par le surplomb, sûr de trouver sa fille à la fenêtre. Le ferrailleur rentrait en se frottant les mains, et disait à sa femme en patois d'Auvergne : « – Hé ! la vieille, on admire ton enfant ! »

En 1820, il arriva, dans la vie simple et dénuée d'événements que menait Véronique, un accident qui n'eut pas eu d'importance chez toute autre jeune personne, mais qui peut-être exerça sur son avenir une horrible influence. Un jour de fête supprimée, qui restait ouvrable pour toute la ville, et pendant lequel les Sauviat fermaient boutique, allaient à l'église et se promenaient, Véronique passa, pour aller dans la campagne, devant l'étalage d'un libraire où elle vit le livre de Paul et Virginie. Elle eut la fantaisie de l'acheter à cause de la gravure, son père paya cent sous le fatal volume, et le mit dans la vaste poche de sa redingote. « – Ne ferais-tu pas bien de le montrer à monsieur le vicaire ? lui dit sa mère pour qui tout livre imprimé sentait toujours un peu le grimoire. – J'y pensais ! » répondit simplement Véronique.

L'enfant passa la nuit à lire ce roman, l'un des plus touchants livres de la langue française. La peinture de ce mutuel amour, à demi biblique et digne des premiers âges du monde, ravagea le cœur de Véronique. Une main, doit-on dire divine ou diabolique, enleva le voile qui jusqu'alors lui avait couvert la Nature. La petite vierge enfouie dans la belle fille trouva le lendemain ses fleurs plus belles qu'elles ne l'étaient la veille, elle entendit leur langage symbolique, elle examina l'azur du ciel avec une fixité pleine d'exaltation ; et des larmes roulèrent alors sans cause dans ses yeux. Dans la vie de toutes les femmes, il est un moment où elles comprennent leur destinée, où leur organisation jusque-là muette parle avec autorité ; ce n'est pas toujours un homme choisi par quelque regard involontaire et furtif qui réveille leur sixième sens endormi ; mais plus souvent peut-être un spectacle imprévu, l'aspect d'un site, une lecture, le coup d'œil d'une pompe religieuse, un concert de parfums naturels, une délicieuse matinée voilée de ses fines vapeurs, une divine musique aux notes caressantes, enfin quelque mouvement inattendu dans l'âme ou dans le corps. Chez cette fille solitaire, confinée dans cette noire maison, élevée par des parents simples, quasi rustiques, et qui n'avait jamais entendu de mot impropre, dont la candide intelligence n'avait jamais reçu la moindre idée mauvaise ; chez l'angélique élève de la sœur Marthe et du bon vicaire de Saint-Étienne, la révélation de l'amour, qui est la vie de la femme, lui fut faite par un livre suave, par la main du Génie. Pour toute autre, cette lecture eût été sans danger ; pour elle, ce livre fut pire qu'un livre obscène. La corruption est relative. Il est des natures vierges et sublimes qu'une seule pensée corrompt, elle y fait d'autant plus de dégâts que la nécessité d'une résistance n'a pas été prévue.

Le lendemain, Véronique montra le livre au bon prêtre qui en approuva l'acquisition, tant la renommée de Paul et Virginie est enfantine, innocente et pure. Mais la chaleur des tropiques et la beauté des paysages ; mais la candeur presque puérile d'un amour presque saint avaient agi sur Véronique. Elle fut amenée par la douce et noble figure de l'auteur vers le culte de l'Idéal, cette fatale religion humaine ! Elle rêva d'avoir pour amant un jeune homme semblable à Paul. Sa pensée caressa de voluptueux tableaux dans une île embaumée. Elle nomma par enfantillage, une île de la Vienne, sise au-dessous de Limoges, presque en face le faubourg Saint-Martial, l'Île-de-France. Sa pensée y habita le monde fantastique que se construisent toutes les jeunes filles, et qu'elles enrichissent de leurs propres perfections. Elle passa de plus longues heures à sa croisée, en regardant passer les artisans, les seuls hommes auxquels, d'après la modeste condition de ses parents, il lui était permis de songer. Habituée sans doute à l'idée d'épouser un homme du peuple, elle trouvait en elle-même des instincts qui repoussaient toute grossièreté. Dans cette situation, elle dut se plaire à composer quelques-uns de ces romans que toutes les jeunes filles se font pour elles seules. Elle embrassa peut-être avec l'ardeur naturelle à une imagination élégante et vierge, la belle idée d'ennoblir un de ces hommes, de l'élever à la hauteur où la mettaient ses rêves, elle fit peut-être un Paul de quelque jeune homme choisi par ses regards, seulement pour attacher ses folles idées sur un être, comme les vapeurs de l'atmosphère humide, saisies par la gelée, se cristallisent à une branche d'arbre, au bord du chemin. Elle dut se lancer dans un abîme profond, car si elle eut souvent l'air de revenir de bien haut en montrant sur son front comme un reflet lumineux ; plus souvent encore, elle semblait tenir à la main des fleurs cueillies au bord de quelque torrent suivi jusqu'au fond d'un précipice. Elle demanda par les soirées chaudes le bras de son vieux père, et ne manqua plus une promenade au bord de la Vienne où elle allait s'extasiant sur les beautés du ciel et de la campagne, sur les rouges magnificences du soleil couchant, sur les pimpantes délices des matinées trempées de rosée. Son esprit exhala dès lors un parfum de poésie naturelle. Ses cheveux qu'elle nattait et tordait simplement sur sa tête, elle les lissa, les boucla. Sa toilette connut quelque recherche. La vigne qui croissait sauvage et naturellement jetée dans les bras du vieil ormeau fut transplantée, taillée, elle s'étala sur un treillis vert et coquet.

Au retour d'un voyage que fit à Paris le vieux Sauviat, alors âgé de soixante-dix ans, en décembre 1822, le vicaire vint un soir, et après quelques phrases insignifiantes : « – Pensez à marier votre fille, Sauviat ! dit le prêtre. À votre âge, il ne faut plus remettre l'accomplissement d'un devoir important. – Mais Véronique veut-elle se marier ? demanda le vieillard stupéfait. – Comme il vous plaira, mon père, répondit-elle en baissant les yeux. – Nous la marierons, s'écria la grosse mère Sauviat en souriant. – Pourquoi ne m'en as-tu rien dit avant mon départ, la mère ? répliqua Sauviat. Je serai forcé de retourner à Paris. »

Jérôme-Baptiste Sauviat, en homme aux yeux de qui la fortune semblait constituer tout le bonheur, qui n'avait jamais vu que le besoin dans l'amour, et dans le mariage qu'un mode de transmettre ses biens à un autre soi-même, s'était juré de marier Véronique à un riche bourgeois. Depuis longtemps, cette idée avait pris dans sa cervelle la forme d'un préjugé. Son voisin, le chapelier, riche de deux mille livres de rente, avait déjà demandé pour son fils, auquel il cédait son établissement, la main d'une fille aussi célèbre que l'était Véronique dans le quartier par sa conduite exemplaire et ses mœurs chrétiennes. Sauviat avait déjà poliment refusé sans en parler à Véronique. Le lendemain du jour où le vicaire, personnage important aux yeux du ménage Sauviat, eut parlé de la nécessité de marier Véronique de laquelle il était le directeur, le vieillard se rasa, s'habilla comme pour un jour de fête, et sortit sans rien dire ni à sa fille ni à sa femme. L'une et l'autre comprirent que le père allait chercher un gendre. Le vieux Sauviat se rendit chez monsieur Graslin.

Monsieur Graslin, riche banquier de Limoges, était comme Sauviat un homme parti sans le sou de l'Auvergne, venu pour être commissionnaire, et qui, placé chez un financier en qualité de garçon de caisse, avait, semblable à beaucoup de financiers, fait son chemin à force d'économie, et aussi par d'heureuses circonstances. Caissier, à vingt-cinq ans, associé dix ans après de la maison Perret et Grossetête, il avait fini par se trouver maître du comptoir après avoir désintéressé ces vieux banquiers, tous deux retirés à la campagne et qui lui laissèrent leurs fonds à manier, moyennant un léger intérêt. Pierre Graslin, alors âgé de quarante-sept ans, passait pour posséder au moins six cent mille francs. La réputation de fortune de Pierre Graslin avait récemment grandi dans tout le

Département, chacun avait applaudi à sa générosité qui consistait à s'être bâti, dans le nouveau quartier de la place des Arbres, destiné à donner à Limoges une physionomie agréable, une belle maison sur le plan d'alignement, et dont la façade correspondait à celle d'un édifice public. Cette maison, achevée depuis six mois, Pierre Graslin hésitait à la meubler ; elle lui coûtait si cher qu'il reculait le moment où il viendrait l'habiter. Son amour-propre l'avait entraîné peut-être au-delà des lois sages qui jusqu'alors avaient gouverné sa vie. Il jugeait avec le bon sens de l'homme commercial, que l'intérieur de sa maison devait être en harmonie avec le programme de la façade. Le mobilier, l'argenterie, et les accessoires nécessaires à la vie qu'il mènerait dans son hôtel, allaient, selon son estimation, coûter autant que la construction. Malgré les dires de la ville et les lazzi du commerce, malgré les charitables suppositions de son prochain, il resta confiné dans le vieux, humide et sale rez-de-chaussée où sa fortune s'était faite, rue Montantmanigne. Le public glosa ; mais Graslin eut l'approbation de ses deux vieux commanditaires, qui le louèrent de cette fermeté peu commune. Une fortune, une existence comme celles de Pierre Graslin devaient exciter plus d'une convoitise dans une ville de province. Aussi plus d'une proposition de mariage avait-elle été, depuis dix ans, insinuée à monsieur Graslin. Mais l'état de garçon convenait si bien à un homme occupé du matin au soir, constamment fatigué de courses, accablé de travail, ardent à la poursuite des affaires comme le chasseur à celle du gibier, que Graslin ne donna dans aucun des pièges tendus par les mères ambitieuses qui convoitaient pour leurs filles cette brillante position. Graslin, ce Sauviat de la sphère supérieure, ne dépensait pas quarante sous par jour, et allait vêtu comme son second commis. Deux commis et un garçon de caisse lui suffisaient pour faire des affaires, immenses par la multiplicité des détails. Un commis expédiait la correspondance, un autre tenait la caisse. Pierre Graslin était, pour le surplus, l'âme et le corps. Ses commis, pris dans sa famille, étaient des hommes sûrs, intelligents, façonnés au travail comme lui-même. Quant au garçon de caisse, il menait la vie d'un cheval de camion. Levé dès cinq heures en tous temps, ne se couchant jamais avant onze heures, Graslin avait une femme à la journée, une vieille Auvergnate qui faisait la cuisine. La vaisselle de terre brune, le bon gros linge de maison étaient en harmonie avec le train de cette maison. L'Auvergnate avait ordre de ne jamais dépasser la somme de trois francs pour la totalité de la dépense journalière du ménage. Le garçon de peine servait de domestique. Les commis faisaient eux-mêmes leur chambre. Les tables en bois noirci, les chaises dépaillées, les casiers, les mauvais bois de lit, tout le mobilier qui garnissait le comptoir et les trois chambres situées au-dessus, ne valaient pas mille francs, y compris une caisse colossale, toute en fer, scellée dans les murs, léguée par ses prédécesseurs, et devant laquelle couchait le garçon de peine, avec deux chiens à ses pieds. Graslin ne hantait pas le monde où il était si souvent question de lui. Deux ou trois fois par an, il dînait chez le Receveur-général, avec lequel ses affaires le mettaient en relations suivies. Il mangeait encore quelquefois à la Préfecture ; il avait été nommé membre du Conseil-général du Département, à son grand regret. « – Il perdait là son temps », disait-il. Parfois ses confrères, quand il concluait avec eux des marchés, le gardaient à déjeuner ou à dîner. Enfin il était forcé d'aller chez ses anciens patrons qui passaient les hivers à Limoges. Il tenait si peu aux relations de société, qu'en vingt-cinq ans, Graslin n'avait pas offert un verre d'eau à qui que ce soit. Quand Graslin passait dans la rue, chacun se le montrait, en se disant : « Voilà monsieur Graslin ! » C'est-à-dire voilà un homme venu sans le sou à Limoges et qui s'est acquis une fortune immense ! Le banquier auvergnat était un modèle que plus d'un père proposait à son enfant, une épigramme que plus d'une femme jetait à la face de son mari. Chacun peut concevoir par quelles idées un homme devenu le pivot de toute la machine financière du Limousin, fut amené à repousser les diverses propositions de mariage qu'on ne se lassait pas de lui faire. Les filles de messieurs Perret et Grossetête avaient été mariées avant que Graslin eût été en position de les épouser, mais comme chacune de ces dames avait des filles en bas âge, on finit par laisser Graslin tranquille, imaginant que, soit le vieux Perret ou le fin Grossetête avait par avance arrangé le mariage de Graslin avec une de leurs petites-filles. Sauviat suivit plus attentivement et plus sérieusement que personne la marche ascendante de son compatriote, il l'avait connu lors de son établissement à Limoges ; mais leurs positions respectives changèrent si fort, du moins en apparence, que leur amitié, devenue superficielle, se rafraîchissait rarement. Néanmoins, en qualité de compatriote, Graslin ne dédaigna jamais de causer avec Sauviat quand par hasard ils se rencontrèrent. Tous deux ils avaient conservé leur tutoiement primitif, mais en patois d'Auvergne seulement. Quand le Receveur-général de Bourges, le plus jeune des frères Grossetête, eut marié sa fille, en 1823, au plus jeune fils du comte de Fontaine, Sauviat devina que les Grossetête ne voulaient point faire entrer Graslin dans leur famille. Après sa conférence avec le banquier, le père Sauviat revint joyeux dîner dans la chambre de sa fille, et dit à ses deux femmes : « – Véronique sera madame Graslin. – Madame Graslin ? s'écria la mère Sauviat stupéfaite. – Est-ce possible ? dit Véronique à qui la personne de Graslin était inconnue mais à l'imagination de laquelle il se produisait comme se produit un des Rothschild à celle d'une grisette de Paris. – Oui, c'est fait, dit solennellement le vieux Sauviat. Graslin meublera magnifiquement sa maison ; il aura pour notre fille la plus belle voiture de Paris et les plus beaux chevaux du Limousin, il achètera une terre de cinq cent mille francs pour elle, et lui assurera son hôtel ; enfin Véronique sera la première de Limoges, la plus riche du département, et fera ce qu'elle voudra de Graslin ! »

Son éducation, ses idées religieuses, son affection sans bornes pour son père et sa mère, son ignorance empêchèrent Véronique de concevoir une seule objection ; elle ne pensa même pas qu'on avait disposé d'elle sans elle. Le lendemain Sauviat partit pour Paris et fut absent pendant une semaine environ.

Pierre Graslin était, vous l'imaginez, peu causeur, il allait droit et promptement au fait. Chose résolue, chose exécutée. En février 1822, éclata comme un coup de foudre dans Limoges une singulière nouvelle : l'hôtel Graslin se meublait richement, des voitures de roulage venues de Paris se succédaient de jour en jour à la porte et se déballaient dans la cour. Il courut dans la ville des rumeurs sur la beauté, sur le bon goût d'un mobilier moderne ou antique, selon la mode. La maison Odiot expédiait une magnifique argenterie par la malle-poste. Enfin, trois voitures, une calèche, un coupé, un cabriolet, arrivaient entortillées de paille, comme des bijoux. – Monsieur Graslin se marie ! Ces mots furent dits par toutes les bouches dans une seule soirée, dans les salons de la haute société, dans les ménages, dans les boutiques, dans les faubourgs, et bientôt dans tout le Limousin. Mais avec qui ? Personne ne pouvait répondre. Il y avait un mystère à Limoges.

Au retour de Sauviat, eut lieu la première visite nocturne de Graslin, à neuf heures et demie. Véronique, prévenue, attendait, vêtue de sa robe de soie bleue à guimpe sur laquelle retombait une collerette de linon à grand ourlet. Pour toute coiffure, ses cheveux, partagés en deux bandeaux bien lissés, furent rassemblés en mamelon derrière la tête, à la grecque. Elle occupait une chaise de tapisserie auprès de sa mère assise au coin de la cheminée dans un grand fauteuil à dossier sculpté, garni de velours rouge, quelque débris de vieux château. Un grand feu brillait à l'âtre. Sur la cheminée, de chaque côté d'une horloge antique dont la valeur était certes inconnue aux Sauviat, six bougies dans deux vieux bras de cuivre figurant des sarments, éclairaient et cette chambre brune et Véronique dans toute sa fleur. La vieille mère avait mis sa meilleure robe. Par le silence de la rue, à cette heure silencieuse, sur les douces ténèbres du vieil escalier, apparut Graslin à la modeste et naïve Véronique, encore livrée aux suaves idées que le livre de Bernardin de Saint-Pierre lui avait fait concevoir de l'amour.

Petit et maigre, Graslin avait une épaisse chevelure noire semblable aux crins d'un houssoir, qui faisait vigoureusement ressortir son visage rouge comme celui d'un ivrogne émérite, et couvert de boutons âcres, saignants ou prêts à percer. Sans être ni la lèpre ni la dartre, ces fruits d'un sang échaudé par un travail continu, par les inquiétudes, par la rage du commerce, par les veilles, par la sobriété, par une vie sage, semblaient tenir de ces deux maladies. Malgré les avis de ses associés, de ses commis et de son médecin, le banquier n'avait jamais su s'astreindre aux précautions médicales qui eussent prévenu, tempéré cette maladie, d'abord légère et qui s'aggravait de jour en jour. Il voulait guérir, il prenait des bains pendant quelques jours, il buvait la boisson ordonnée ; mais emporté par le courant des affaires, il oubliait le soin de sa personne. Il pensait à suspendre ses affaires pendant quelques jours, à voyager, à se soigner aux Eaux ; mais quel est le chasseur de millions qui s'arrête ? Dans cette face ardente, brillaient deux yeux gris, tigrés de fils verdâtres partant de la prunelle, et semés de points bruns ; deux yeux avides, deux yeux vifs qui allaient au fond du cœur, deux yeux implacables, pleins de résolution, de rectitude, de calcul. Graslin avait un nez retroussé, une bouche à grosses lèvres lippues, un front cambré, des pommettes rieuses, des oreilles épaisses à larges bords corrodés par l'âcreté du sang ; enfin c'était le satyre antique, un faune en redingote, en gilet de satin noir, le cou serré d'une cravate blanche. Les épaules fortes et nerveuses, qui jadis avaient porté des fardeaux, étaient déjà voûtées ; et, sous ce buste excessivement développé s'agitaient des jambes grêles, assez mal emmanchées à des cuisses courtes. Les mains maigres et velues montraient les doigts crochus des gens habitués à compter des écus. Les plis du visage allaient des pommettes à la bouche par sillons égaux comme chez tous les gens occupés d'intérêts matériels. L'habitude des décisions rapides se voyait dans la manière dont les sourcils étaient rehaussés vers chaque lobe du front. Quoique sérieuse et serrée, la bouche annonçait une bonté cachée, une âme excellente, enfouie sous les affaires, étouffée peut-être, mais qui pouvait renaître au contact d'une femme. À cette apparition, le cœur de Véronique se contracta violemment, il lui passa du noir devant les yeux ; elle crut avoir crié ; mais elle était restée muette, le regard fixe.

– Véronique, voici monsieur Graslin, lui dit alors le vieux Sauviat.

Véronique se leva, salua, retomba sur sa chaise, et regarda sa mère qui souriait au millionnaire, et qui paraissait, ainsi que Sauviat, si heureuse, mais si heureuse que la pauvre fille trouva la force de cacher sa surprise et sa violente répulsion. Dans la conversation qui eut lieu, il fut question de la santé de Graslin. Le banquier se regarda naïvement dans le miroir à tailles onglées et à cadre d'ébène. « – Je ne suis pas beau, mademoiselle », dit-il. Et il expliqua les rougeurs de sa figure par sa vie ardente, il raconta comment il désobéissait aux ordres de la médecine, il se flatta de changer de visage dès qu'une femme commanderait dans son ménage, et aurait plus soin de lui que lui-même.

– Est-ce qu'on épouse un homme pour son visage, pays ! dit le vieux ferrailleur en donnant à son compatriote une énorme tape sur la cuisse.

L'explication de Graslin s'adressait à ces sentiments naturels dont est plus ou moins rempli le cœur de toute femme. Véronique pensa qu'elle-même avait un visage détruit par une horrible maladie, et sa modestie chrétienne la fit revenir sur sa première impression. En entendant un sifflement dans la rue, Graslin descendit suivi de Sauviat inquiet. Tous deux remontèrent promptement. Le garçon de peine apportait un premier bouquet de fleurs, qui s'était fait attendre. Quand le banquier montra ce monceau de fleurs exotiques dont les parfums envahirent la chambre et qu'il l'offrit à sa future, Véronique éprouva des émotions bien contraires à celles que lui avait causées le premier aspect de Graslin, elle fut comme plongée dans le monde idéal et fantastique de la nature tropicale. Elle n'avait jamais vu de camélias blancs, elle n'avait jamais senti le cytise des Alpes, la citronnelle, le jasmin des Açores, les volcamérias, les roses musquées, toutes odeurs divines qui sont comme l'excitant de la tendresse, et qui chantent au cœur des hymnes de parfums. Graslin laissa Véronique en proie à cette émotion. Depuis le retour du ferrailleur, quand tout dormait dans Limoges, le banquier se coulait le long des murs jusqu'à la maison du père Sauviat. Il frappait doucement aux volets, le chien n'aboyait pas, le vieillard descendait, ouvrait à son pays, et Graslin passait une heure ou deux dans la pièce brune, auprès de Véronique. Là, Graslin trouva toujours son souper d'Auvergnat servi par la mère Sauviat. Jamais ce singulier amoureux n'arriva sans offrir à Véronique un bouquet composé des fleurs les plus rares, cueillies dans la serre de monsieur Grossetête, la seule personne de Limoges qui fût dans le secret de ce mariage. Le garçon de peine allait chercher nuitamment le bouquet que faisait le vieux Grossetête, lui-même. En deux mois, Graslin vint cinquante fois environ ; chaque fois il apporta quelque riche présent : des anneaux, une montre, une chaîne d'or, un nécessaire, etc.

Ces prodigalités incroyables, un mot les justifiera. La dot de Véronique se composait de presque toute la fortune de son père, sept cent cinquante mille francs. Le vieillard gardait une inscription de huit mille francs sur le Grand-livre achetée pour soixante mille livres en assignats par son compère Brézac, à qui, lors de son emprisonnement, il les avait confiées, et qui la lui avait toujours gardée, en le détournant de la vendre. Ces soixante mille livres en assignats étaient la moitié de la fortune de Sauviat au moment où il courut le risque de périr sur l'échafaud. Brézac avait été, dans cette circonstance, le fidèle dépositaire du reste, consistant en sept cents louis d'or, somme énorme avec laquelle l'Auvergnat se remit à opérer dès qu'il eut recouvré sa liberté. En trente ans, chacun de ces louis s'était changé en un billet de mille francs, à l'aide toutefois de la rente du Grand-livre, de la succession Champagnac, des bénéfices accumulés du commerce et des intérêts composés qui grossissaient dans la maison Brézac. Brézac avait pour Sauviat une probe amitié, comme en ont les Auvergnats entre eux. Aussi quand Sauviat allait voir la façade de l'hôtel Graslin, se disait-il en lui-même :

« Véronique demeurera dans ce palais ! » Il savait qu'aucune fille en Limousin n'avait sept cent cinquante mille francs en mariage, et deux cent cinquante mille francs en espérance. Graslin, son gendre d'élection, devait donc infailliblement épouser Véronique.

Véronique eut tous les soirs un bouquet qui, le lendemain parait son petit salon et qu'elle cachait aux voisins. Elle admira ces délicieux bijoux, ces perles, ces diamants, ces bracelets, ces rubis qui plaisent à toutes les filles d'Ève ; elle se trouvait moins laide ainsi parée. Elle vit sa mère heureuse de ce mariage, et n'eut aucun terme de comparaison ; elle ignorait d'ailleurs les devoirs, la fin du mariage ; enfin elle entendit la voix solennelle du vicaire de Saint-Étienne lui vantant Graslin comme un homme d'honneur, avec qui elle mènerait une vie honorable. Véronique consentit donc à recevoir les soins de monsieur Graslin. Quand, dans une vie recueillie et solitaire comme celle de Véronique, il se produit une seule personne qui vient tous les jours, cette personne ne saurait être indifférente : ou elle est haïe, et l'aversion justifiée par la connaissance approfondie du caractère la rend insupportable ; ou l'habitude de la voir blase pour ainsi dire les yeux sur les défauts corporels. L'esprit cherche des compensations. Cette physionomie occupe la curiosité, d'ailleurs les traits s'animent, il en sort quelques beautés fugitives. Puis on finit par découvrir l'intérieur caché sous la forme. Enfin les premières impressions une fois vaincues, l'attachement prend d'autant plus de force, que l'âme s'y obstine comme à sa propre création. On aime. Là est la raison des passions conçues par de belles personnes pour des êtres laids en apparence. La forme, oubliée par l'affection, ne se voit plus chez une créature dont l'âme est alors seule appréciée. D'ailleurs la beauté, si nécessaire à une femme, prend chez l'homme un caractère si étrange, qu'il y a peut-être autant de dissentiment entre les femmes sur la beauté de l'homme qu'entre les hommes sur la beauté des femmes. Après mille réflexions, après bien des débats avec elle-même, Véronique laissa donc publier les bans. Dès lors, il ne fut bruit dans tout Limoges que de cette aventure incroyable. Personne n'en connaissait le secret, l'énormité de la dot. Si cette dot eût été connue, Véronique aurait pu choisir un mari ; mais peut-être aussi eût-elle été trompée ! Graslin passait pour s'être pris d'amour. Il vint des tapissiers de Paris, qui arrangèrent la belle maison. On ne parla dans Limoges que des profusions du banquier : on chiffrait la valeur des lustres, on racontait les dorures du salon, les sujets des pendules ; on décrivait les jardinières, les chauffeuses, les objets de luxe, les nouveautés. Dans le jardin de l'hôtel Graslin, il y avait, au-dessus d'une glacière, une volière délicieuse, et chacun fut surpris d'y voir des oiseaux rares, des perroquets, des faisans de la Chine, des canards inconnus, car on vint les voir. Monsieur et madame Grossetête, vieilles gens considérés dans Limoges, firent plusieurs visites chez les Sauviat accompagnés de Graslin. Madame Grossetête, femme respectable, félicita Véronique sur son heureux mariage. Ainsi l'Église, la Famille, le Monde, tout jusqu'aux moindres choses fut complice de ce mariage.

Au mois d'avril, les invitations officielles furent remises chez toutes les connaissances de Graslin. Par une belle journée, une calèche et un coupé attelés à l'anglaise de chevaux limousins choisis par le vieux Grossetête, arrivèrent à onze heures devant la modeste boutique du ferrailleur, amenant, au grand émoi du quartier, les anciens patrons du marié et ses deux commis. La rue fut pleine de monde accouru pour voir la fille des Sauviat, à qui le plus renommé coiffeur de Limoges avait posé sur ses beaux cheveux la couronne des mariées, et un voile de dentelle d'Angleterre du plus haut prix. Véronique était simplement mise en mousseline blanche. Une assemblée assez imposante des femmes les plus distinguées de la ville attendait la noce à la cathédrale, où l'Évêque, connaissant la piété des Sauviat, daignait marier Véronique. La mariée fut trouvée généralement laide. Elle entra dans son hôtel, et y marcha de surprise en surprise. Un dîner d'apparat devait précéder le bal, auquel Graslin avait invité presque tout Limoges. Le dîner, donné à l'Évêque, au Préfet, au Président de la Cour, au Procureur-général, au Maire, au Général, aux anciens patrons de Graslin et à leurs femmes, fut un triomphe pour la mariée qui, semblable à toutes les personnes simples et naturelles, montra des grâces inattendues. Aucun des mariés ne savaient danser, Véronique continua donc de faire les honneurs de chez elle, et se concilia l'estime, les bonnes grâces de la plupart des personnes avec lesquelles elle fit connaissance, en demandant à Grossetête, qui se prit de belle amitié pour elle, des renseignements sur chacun. Elle ne commit ainsi aucune méprise. Ce fut pendant cette soirée que les deux anciens banquiers annoncèrent la fortune, immense en Limousin, donnée par le vieux Sauviat à sa fille. Dès neuf heures, le ferrailleur était allé se coucher chez lui, laissant sa femme présider au coucher de la mariée. Il fut dit dans toute la ville que madame Graslin était laide, mais bien faite.

Le vieux Sauviat liquida ses affaires, et vendit alors sa maison à la Ville. Il acheta sur la rive gauche de la Vienne une maison de campagne située entre Limoges et le Cluzeau, à dix minutes du faubourg Saint-Martial, où il voulut finir tranquillement ses jours avec sa femme. Les deux vieillards eurent un appartement dans l'hôtel Graslin, et dînèrent une ou deux fois par semaine avec leur fille, qui prit souvent leur maison pour but de promenade. Ce repos faillit tuer le vieux ferrailleur. Heureusement Graslin trouva moyen d'occuper son beau-père. En 1825, le banquier fut obligé de prendre à son compte une manufacture de porcelaine, aux propriétaires de laquelle il avait avancé de fortes sommes, et qui ne pouvaient les lui rendre qu'en lui vendant leur établissement. Par ses relations et en y versant des capitaux, Graslin fit de cette fabrique une des premières de Limoges ; puis il la revendit avec de gros bénéfices, trois ans après. Il donna donc la surveillance de ce grand établissement, situé précisément dans le faubourg Saint-Martial, à son beau-père qui, malgré ses soixante-douze ans, fut pour beaucoup dans la prospérité de cette affaire et s'y rajeunit. Graslin put alors conduire ses affaires en ville et n'avoir aucun souci d'une manufacture qui, sans l'activité passionnée du vieux Sauviat, l'aurait obligé peut-être à s'associer avec un de ses commis, et à perdre une portion des bénéfices qu'il y trouva tout en sauvant ses capitaux engagés. Sauviat mourut en 1827, par accident. En présidant à l'inventaire de la fabrique, il tomba dans une charasse, espèce de boîte à claire-voie où s'emballent les porcelaines ; il se fit une blessure légère à la jambe et ne la soigna pas ; la gangrène s'y mit, il ne voulut jamais se laisser couper la jambe et mourut. La veuve abandonna deux cent cinquante mille francs environ dont se composait la succession de Sauviat, en se contentant d'une rente de deux cents francs par mois, qui suffisait amplement à ses besoins, et que son gendre prit l'engagement de lui servir. Elle garda sa petite maison de campagne, où elle vécut seule et sans servante, sans que sa fille pût la faire revenir sur cette décision maintenue avec l'obstination particulière aux vieilles gens. La mère Sauviat vint voir d'ailleurs presque tous les jours sa fille, de même que sa fille continua de prendre pour but de promenade la maison de campagne d'où l'on jouissait d'une charmante vue sur la Vienne. De là se voyait cette île affectionnée par Véronique, et de laquelle elle avait fait jadis son Île-de-France.

Pour ne pas troubler par ces incidents l'histoire du ménage Graslin, il a fallu terminer celle des Sauviat en anticipant sur ces événements, utiles cependant à l'explication de la vie cachée que mena madame Graslin. La vieille mère, ayant remarqué combien l'avarice de Graslin pouvait gêner sa fille, s'était longtemps refusée à se dépouiller du reste de sa fortune ; mais Véronique, incapable de prévoir un seul des cas où les femmes désirent la jouissance de leur bien, insista par des raisons pleines de noblesse, elle voulut alors remercier Graslin de lui avoir rendu sa liberté de jeune fille.

La splendeur insolite qui accompagna le mariage de Graslin avait froissé toutes ses habitudes et contrarié son caractère. Ce grand financier était un très petit esprit. Véronique n'avait pas pu juger l'homme avec lequel elle devait passer sa vie. Durant ses cinquante-cinq visites, Graslin n'avait jamais laissé voir que l'homme commercial, le travailleur intrépide qui concevait, devinait, soutenait les entreprises, analysait les affaires publiques en les rapportant toutefois à l'échelle de la Banque. Fasciné par le million du beau-père, le parvenu se montra généreux par calcul ; mais s'il fit grandement les choses, il fut entraîné par le printemps du mariage, et par ce qu'il nommait sa folie, par cette maison encore appelée aujourd'hui l'hôtel Graslin. Après s'être donné des chevaux, une calèche, un coupé, naturellement il s'en servit pour rendre ses visites de mariage, pour aller à ces dîners et à ces bals, nommés *retours de noces*, que les sommités administratives et les maisons riches rendirent aux nouveaux mariés. Dans le mouvement qui l'emportait en dehors de sa sphère, Graslin prit un jour de réception, et fit venir un cuisinier de Paris. Pendant une année environ, il mena donc le train que devait mener un homme qui possédait seize cent mille francs, et qui pouvait disposer de trois millions en comprenant les fonds qu'on lui confiait. Il fut alors le personnage le plus marquant de Limoges. Pendant cette année, il mit généreusement vingt-cinq pièces de vingt francs tous les mois dans la bourse de madame Graslin. Le beau monde de la ville s'occupa beaucoup de Véronique au commencement de son mariage, espèce de bonne fortune pour la curiosité presque toujours sans aliment en province. Véronique fut d'autant plus étudiée qu'elle apparaissait dans la société comme un phénomène ; mais elle y demeura dans l'attitude simple et modeste d'une personne qui observait des mœurs, des usages, des choses inconnues en voulant s'y conformer. Déjà proclamée laide, mais bien faite, elle fut alors regardée comme bonne, mais stupide. Elle apprenait tant de choses, elle avait tant à écouter et à voir, que son air, ses discours prêtèrent à ce jugement une apparence de justesse. Elle eut d'ailleurs une sorte de torpeur qui ressemblait au manque d'esprit. Le mariage, ce dur métier, disait-elle, pour lequel l'Église, le Code et sa mère lui avaient recommandé la plus grande résignation, la plus parfaite obéissance, sous peine de faillir à toutes les lois humaines et de causer d'irréparables malheurs, la jeta dans un étourdissement qui atteignit parfois à un délire vertigineux. Silencieuse et recueillie, elle s'écoutait autant qu'elle écoutait les autres. En éprouvant la plus violente difficulté d'être, selon l'expression de Fontenelle, et qui allait croissant, elle était épouvantée d'elle-même. La nature regimba sous les ordres de l'âme, et le corps méconnut la volonté. La pauvre créature, prise au piège, pleura sur le sein de la grande mère des pauvres et des affligés, elle eut recours à l'Église, elle redoubla de ferveur, elle confia les embûches du démon à son vertueux directeur, elle pria. Jamais, en aucun temps de sa vie, elle ne remplit ses devoirs religieux avec plus d'élan qu'alors. Le désespoir de ne pas aimer son mari la précipitait avec violence au pied des autels, où des voix divines et consolatrices lui recommandaient la patience.

Elle fut patiente et douce, elle continua de vivre en attendant les bonheurs de la maternité. « – Avez-vous vu ce matin madame Graslin, disaient les femmes entre elles, le mariage ne lui réussit pas, elle était verte. – Oui, mais auriez-vous donné votre fille à un homme comme monsieur Graslin. On n'épouse point impunément un pareil monstre. » Depuis que Graslin s'était marié, toutes les mères qui, pendant dix ans, l'avaient pourchassé, l'accablaient d'épigrammes. Véronique maigrissait et devenait réellement laide. Ses yeux se fatiguèrent, ses traits grossirent, elle parut honteuse et gênée. Ses regards offrirent cette triste froideur, tant reprochée aux dévotes. Sa physionomie prit des teintes grises. Elle se traîna languissamment pendant cette première année de mariage, ordinairement si brillante pour les jeunes femmes. Aussi chercha-t-elle bientôt des distractions dans la lecture, en profitant du privilège qu'ont les femmes mariées de tout lire. Elle lut les romans de Walter Scott, les poèmes de lord Byron, les œuvres de Schiller et de Goethe, enfin la nouvelle et l'ancienne littérature. Elle apprit à monter à cheval, à danser et à dessiner. Elle lava des aquarelles et des sépia, recherchant avec ardeur toutes les ressources que les femmes opposent aux ennuis de la solitude. Enfin elle se donna cette seconde éducation que les femmes tiennent presque toutes d'un homme, et qu'elle ne tint que d'elle-même. La supériorité d'une nature franche, libre, élevée comme dans un désert, mais fortifiée par la religion, lui avait imprimé une sorte de grandeur sauvage et des exigences auxquelles le monde de la province ne pouvait offrir aucune pâture. Tous les livres lui peignaient l'amour, elle cherchait une application à ses lectures, et n'apercevait de passion nulle part. L'amour restait dans son cœur à l'état de ces germes qui attendent un coup de soleil. Sa profonde mélancolie engendrée par de constantes méditations sur elle-même la ramena par des sentiers obscurs aux rêves brillants de ses derniers jours de jeune fille. Elle dut contempler plus d'une fois ses anciens poèmes romanesques en en devenant alors à la fois le théâtre et le sujet. Elle revit cette île baignée de lumière, fleurie, parfumée où tout lui caressait l'âme. Souvent ses yeux pâlis embrassèrent les salons avec une curiosité pénétrante : les hommes y ressemblaient tous à Graslin, elle les étudiait et semblait interroger leurs femmes ; mais en n'apercevant aucune de ses douleurs intimes répétées sur les figures, elle revenait sombre et triste, inquiète d'elle-même. Les auteurs qu'elle avait lus le matin répondaient à ses plus hauts sentiments, leur esprit lui plaisait ; et le soir elle entendait des banalités qu'on ne déguisait même pas sous une forme spirituelle, des conversations sottes, vides, ou remplies par des intérêts locaux, personnels, sans importance pour elle. Elle s'étonnait de la chaleur déployée dans des discussions où il ne s'agissait point de sentiment, pour elle l'âme de la vie. On la vit souvent les yeux fixes, hébétée, pensant sans doute aux heures de sa jeunesse ignorante, passées dans cette chambre pleine d'harmonies, alors détruites comme elle. Elle sentit une horrible répugnance à tomber dans le gouffre de petitesses où tournaient les femmes parmi lesquelles elle était forcée de vivre. Ce dédain écrit sur son front, sur ses lèvres, et mal déguisé, fut pris pour l'insolence d'une parvenue. Madame Graslin observa sur tous les visages une froideur, et sentit dans tous les discours une âcreté dont les raisons lui furent inconnues, car elle n'avait pas encore pu se faire une amie assez intime pour être éclairée ou conseillée par elle ; l'injustice qui révolte les petits esprits ramène en elles-mêmes les âmes élevées, et leur communique une sorte d'humilité ; Véronique se condamna, chercha ses torts ; elle voulut être affable, on la prétendit fausse ; elle redoubla de douceur, on la fit passer pour hypocrite, et sa dévotion venait en aide à la calomnie ; elle fit des frais, elle donna des dîners et des bals, elle fut taxée d'orgueil.

Malheureuse dans toutes ses tentatives, mal jugée, repoussée par l'orgueil bas et taquin qui distingue la société de province, où chacun est toujours armé de prétentions et d'inquiétudes, madame Graslin rentra dans la plus profonde solitude. Elle revint avec amour dans les bras de l'Église. Son grand esprit, entouré d'une chair si faible, lui fit voir dans les commandements multipliés du catholicisme autant de pierres plantées le long des précipices de la vie, autant de tuteurs apportés par de charitables mains pour soutenir la faiblesse humaine durant le voyage ; elle suivit donc avec la plus grande rigueur les moindres pratiques religieuses. Le parti libéral inscrivit alors madame Graslin au nombre des dévotes de la ville, elle fut classée parmi les Ultras. Aux différents griefs que Véronique avait innocemment amassés, l'esprit de parti joignit donc ses exaspérations périodiques : mais comme elle ne perdait rien à cet ostracisme, elle abandonna le monde, et se jeta dans la lecture qui lui offrait des ressources infinies. Elle médita sur les livres, elle compara les méthodes, elle augmenta démesurément la portée de son intelligence et l'étendue de son instruction, elle ouvrit ainsi la porte de son âme à la Curiosité. Durant ce temps d'études obstinées où la religion maintenait son esprit, elle obtint l'amitié de monsieur Grossetête, un de ces vieillards chez lesquels la vie de province a rouillé la supériorité, mais qui, au contact d'une vive intelligence, reprennent par places quelque brillant. Le bonhomme s'intéressa vivement à Véronique qui le récompensa de cette onctueuse et douce chaleur de cœur particulière aux vieillards en déployant, pour lui, le premier, les trésors de son âme et les magnificences de son esprit cultivé si secrètement, et alors chargé de fleurs. Le fragment d'une lettre écrite en ce temps à monsieur Grossetête peindra la situation où se trouvait cette femme qui devait donner un jour les gages d'un caractère si ferme et si élevé.

« Les fleurs que vous m'avez envoyées pour le bal étaient charmantes, mais elles m'ont suggéré de cruelles réflexions. Ces jolies créatures cueillies par vous et destinées à mourir sur mon sein et dans mes cheveux en ornant une fête, m'ont fait songer à celles qui naissent et meurent dans vos bois sans avoir été vues, et dont les parfums n'ont été respirés par personne. Je me suis demandé pourquoi je dansais, pourquoi je me parais, de même que je demande à Dieu pourquoi je suis dans ce monde. Vous le voyez, mon ami, tout est piège pour le malheureux, les moindres choses ramènent les malades à leur mal ; mais le plus grand tort de certains maux est la persistance qui les fait devenir une idée. Une douleur constante n'est-elle pas alors une pensée divine ? Vous aimez les fleurs pour elles-mêmes ; tandis que je les aime comme j'aime à entendre une belle musique. Ainsi, comme je vous le disais, le secret d'une foule de choses me manque. Vous, mon vieil ami, vous avez une passion, vous êtes horticulteur. À votre retour en ville, communiquez-moi votre goût, faites que j'aille à ma serre, d'un pied agile comme vous allez à la vôtre, contempler les développements des plantes, vous épanouir et fleurir avec elles, admirer ce que vous avez créé, voir des couleurs nouvelles, inespérées qui s'étalent et croissent sous vos yeux par la vertu de vos soins. Je sens un ennui navrant. Ma serre à moi ne contient que des âmes souffrantes. Les misères que je m'efforce de soulager m'attristent l'âme, et quand je les épouse, quand après avoir vu quelque jeune femme sans linge pour son nouveau-né, quelque vieillard sans pain, j'ai pourvu à leurs besoins, les émotions que m'a causées leur détresse calmée ne suffisent pas à mon âme. Ah ! mon ami, je sens en moi des forces superbes, et malfaisantes peut-être, que rien ne peut humilier, que les plus durs commandements de la religion n'abattent point. En allant voir ma mère, et me trouvant seule dans la campagne, il me prend des envies de crier, et je crie. Il semble que mon corps est la prison où quelque mauvais génie retient une créature gémissant et attendant les paroles mystérieuses qui doivent briser une forme importune ; mais la comparaison n'est pas juste. Chez moi, n'est-ce pas au contraire le corps qui s'ennuie, si je puis employer cette expression. La religion n'occupe-t-elle pas mon âme, la lecture et ses richesses ne nourrissent-elles pas incessamment mon esprit ? Pourquoi désiré-je une souffrance qui romprait la paix énervante de ma vie ? Si quelque sentiment, quelque manie à cultiver ne vient à mon aide, je me sens aller dans un gouffre où toutes les idées s'émoussent, où le caractère s'amoindrit, où les ressorts se détendent, où les qualités s'assouplissent, où toutes les forces de l'âme s'éparpillent, et où je ne serai plus l'être que la nature a voulu que je sois. Voilà ce que signifient mes cris. Que ces cris ne vous empêchent pas de m'envoyer des fleurs. Votre amitié si douce et si bienveillante m'a, depuis quelques mois, réconciliée avec moi-même. Oui, je me trouve heureuse de savoir que vous jetez un coup d'œil ami sur mon âme à la fois déserte et fleurie, que vous avez une parole douce pour accueillir à son retour la fugitive à demi brisée qui a monté le cheval fougueux du Rêve. »

À l'expiration de la troisième année de son mariage, Graslin, voyant sa femme ne plus se servir de ses chevaux, et trouvant un bon marché, les vendit ; il vendit les voitures, renvoya le cocher, se laissa prendre son cuisinier par l'Évêque, et le remplaça par une cuisinière. Il ne donna plus rien à sa femme, en lui disant qu'il paierait tous ses mémoires. Il fut le plus heureux mari du monde, en ne rencontrant aucune résistance à ses volontés chez cette femme qui lui avait apporté un million de fortune. Madame Graslin, nourrie, élevée sans connaître l'argent, sans être obligée de le faire entrer comme un élément indispensable dans la vie, était sans mérite dans son abnégation. Graslin retrouva dans un coin du secrétaire les sommes qu'il avait remises à sa femme, moins l'argent des aumônes et celui de la toilette, laquelle fut peu dispendieuse à cause des profusions de la corbeille de mariage. Graslin vanta Véronique à tout Limoges comme le modèle des femmes. Il déplora le luxe de ses ameublements, et fit tout empaqueter. La chambre, le boudoir et le cabinet de toilette de sa femme furent exceptés de ses mesures conservatrices qui ne conservèrent rien, car les meubles s'usent aussi bien sous les housses que sans housses. Il habita le rez-de-chaussée de sa maison, où ses bureaux étaient établis, il y reprit sa vie, en chassant aux affaires avec la même activité que par le passé. L'Auvergnat se crut un excellent mari d'assister au dîner et au déjeuner préparés par les soins de sa femme ; mais son inexactitude fut si grande, qu'il ne lui arriva pas dix fois par mois de commencer les repas avec elle ; aussi par délicatesse exigea-t-il qu'elle ne l'attendît point. Néanmoins Véronique restait jusqu'à ce que Graslin fût venu, pour le servir elle-même, voulant au moins accomplir ses obligations d'épouse en quelque point visible. Jamais le banquier, à qui les choses du mariage étaient assez indifférentes, et qui n'avait vu que sept cent cinquante mille francs dans sa femme, ne s'aperçut des répulsions de Véronique. Insensiblement, il abandonna madame Graslin pour les affaires. Quant il voulut mettre un lit dans une chambre attenant à son cabinet, elle s'empressa de le satisfaire. Ainsi, trois ans après leur mariage, ces deux êtres mal assortis se retrouvèrent chacun dans leur sphère primitive, heureux l'un et l'autre d'y retourner. L'homme d'argent, riche de dix-huit cent mille francs, revint avec d'autant plus de force à ses habitudes avaricieuses, qu'il les avait momentanément quittées ; ses deux commis et son garçon de peine furent mieux logés, un peu mieux nourris ; telle fut la différence entre le présent et le passé. Sa femme eut une cuisinière et une femme de chambre, deux domestiques indispensables ; mais, excepté le strict nécessaire, il ne sortit rien de sa caisse pour son ménage. Heureuse de la tournure que les choses prenaient, Véronique vit dans le bonheur du banquier les compensations de cette séparation qu'elle n'eût jamais demandée : elle ne savait pas être aussi désagréable à Graslin que Graslin était repoussant pour elle. Ce divorce secret la rendit à la fois triste et joyeuse, elle comptait sur la maternité pour donner un intérêt à sa vie ; mais malgré leur résignation mutuelle, les deux époux avaient atteint à l'année 1828 sans avoir d'enfant.

Ainsi, au milieu de sa magnifique maison, et enviée par toute une ville, madame Graslin se trouva dans la solitude où elle était dans le bouge de son père, moins l'espérance, moins les joies enfantines de l'ignorance. Elle y vécut dans les ruines de ses châteaux en Espagne, éclairée par une triste expérience, soutenue par sa foi religieuse, occupée des pauvres de la ville qu'elle combla de bienfaits. Elle faisait des layettes pour les enfants, elle donnait des matelas et des draps à ceux qui couchaient sur la paille ; elle allait partout suivie de sa femme de chambre, une jeune Auvergnate que sa mère lui procura, et qui s'attacha corps et âme à elle ; elle en fit un vertueux espion, chargée de découvrir les endroits où il y avait une souffrance à calmer, une misère à adoucir. Cette bienfaisance active, mêlée au plus strict accomplissement des devoirs religieux, fut ensevelie dans un profond mystère et dirigée d'ailleurs par les curés de la ville, avec qui Véronique s'entendait pour toutes ses bonnes œuvres, afin de ne pas laisser perdre entre les mains du vice l'argent utile à des malheurs immérités.

Pendant cette période, elle conquit une amitié tout aussi vive, tout aussi précieuse que celle du vieux Grossetête, elle devint l'ouaille bien-aimée d'un prêtre supérieur, persécuté pour son mérite incompris, un des Grands-vicaires du diocèse, nommé l'abbé Dutheil. Ce prêtre appartenait à cette minime portion du clergé français qui penche vers quelques concessions, qui voudrait associer l'Église aux intérêts populaires pour lui faire reconquérir, par l'application des vraies doctrines évangéliques, son ancienne influence sur les masses, qu'elle pourrait alors relier à la monarchie. Soit que l'abbé Dutheil eût reconnu l'impossibilité d'éclairer la cour de Rome et le haut clergé, soit qu'il eût sacrifié ses opinions à celles de ses supérieurs, il demeura dans les termes de la plus rigoureuse orthodoxie, tout en sachant que la seule manifestation de ses principes lui fermait le chemin de l'épiscopat. Ce prêtre éminent offrait la réunion d'une grande modestie chrétienne et d'un grand caractère. Sans orgueil ni ambition, il restait à son poste en y accomplissant ses devoirs au milieu des périls. Les Libéraux de la ville ignoraient les motifs de sa conduite, ils s'appuyaient de ses opinions et le comptaient comme un patriote, mot qui signifie révolutionnaire dans la langue catholique. Aimé par les inférieurs qui n'osaient proclamer son mérite, mais redouté par ses égaux qui l'observaient, il gênait l'Évêque. Ses vertus et son savoir, enviés peut-être, empêchaient toute persécution ; il était impossible de se plaindre de lui, quoiqu'il critiquât les maladresses politiques par lesquelles le Trône et le Clergé se compromettaient mutuellement ; il en signalait les résultats à l'avance et sans succès, comme la pauvre Cassandre, également maudite avant et après la chute de sa patrie. À moins d'une révolution, l'abbé Dutheil devait rester comme une de ces pierres cachées dans les fondations, et sur laquelle tout repose. On reconnaissait son utilité, mais on le laissait à sa place, comme la plupart des solides esprits dont l'avènement au pouvoir est l'effroi des médiocrités. Si, comme l'abbé de Lamennais, il eût pris la plume, il aurait été sans doute comme lui foudroyé par la cour de Rome. L'abbé Dutheil était imposant. Son extérieur annonçait une de ces âmes profondes, toujours unies et calmes à la surface. Sa taille élevée, sa maigreur, ne nuisaient point à l'effet général de ses lignes, qui rappelaient celles que le génie des peintres espagnols ont le plus affectionnées pour représenter les grands méditateurs monastiques, et celles trouvées récemment par Thorwaldsen pour les apôtres. Presque roides, ces longs plis du visage, en harmonie avec ceux du vêtement, ont cette grâce que le moyen âge a mise en relief dans les statues mystiques collées au portail de ses églises. La gravité des pensées, celle de la parole et celle de l'accent s'accordaient chez l'abbé Dutheil et lui seyaient bien. À voir ses yeux noirs, creusés par les austérités, et entourés d'un cercle brun, à voir son front jaune comme une vieille pierre, sa tête et ses mains presque décharnées, personne n'eût voulu entendre une voix et des maximes autres que celles qui sortaient de sa bouche. Cette grandeur purement physique, d'accord avec la grandeur morale, donnait à ce prêtre quelque chose de hautain, de dédaigneux, aussitôt démenti par sa modestie et par sa parole, mais qui ne prévenait pas en sa faveur. Dans un rang élevé, ces avantages lui eussent fait obtenir sur les masses cet ascendant nécessaire, et qu'elles laissent prendre sur elles par des hommes ainsi doués ; mais les supérieurs ne pardonnent jamais à leurs inférieurs de posséder les dehors de la grandeur, ni de déployer cette majesté tant prisée des anciens et qui manque si souvent aux organes du pouvoir moderne.

Par une de ces bizarreries qui ne semblera naturelle qu'aux plus fins courtisans, l'autre Vicaire-général, l'abbé de Grancour, petit homme gras, au teint fleuri, aux yeux bleus, et dont les opinions étaient contraires à celles de l'abbé Dutheil, allait assez volontiers avec lui, sans néanmoins rien témoigner qui pût lui ravir les bonnes grâces de l'Évêque, auquel il aurait tout sacrifié. L'abbé de Grancour croyait au mérite de son collègue, il en reconnaissait les talents, il admettait secrètement sa doctrine et la condamnait publiquement ; car il était de ces gens que la supériorité attire et intimide, qui la haïssent et qui néanmoins la cultivent. « – Il m'embrasserait en me condamnant », disait de lui l'abbé Dutheil. L'abbé de Grancour n'avait ni amis ni ennemis, il devait mourir Vicaire-général. Il se dit attiré chez Véronique par le désir de conseiller une si religieuse et si bienfaisante personne, et l'Évêque l'approuva ; mais au fond il fut enchanté de pouvoir passer quelques soirées avec l'abbé Dutheil.

Ces deux prêtres vinrent dès lors voir assez régulièrement Véronique, afin de lui faire une sorte de rapport sur les malheureux, et discuter les moyens de les moraliser en les secourant. Mais d'année en année, monsieur Graslin resserra les cordons de sa bourse en apprenant, malgré les ingénieuses tromperies de sa femme et d'Aline, que l'argent demandé ne servait ni à la maison, ni à la toilette. Il se courrouça quand il calcula ce que la charité de sa femme coûtait à sa caisse. Il voulut compter avec la cuisinière, il entra dans les minuties de la dépense, et montra quel grand administrateur il était, en démontrant par la pratique que sa maison devait aller splendidement avec mille écus. Puis il composa, de clerc à maître, avec sa femme pour ses dépenses en lui allouant cent francs par mois, et vanta cet accord comme une magnificence royale. Le jardin de sa maison, livré à lui-même, fut fait le dimanche par le garçon de peine, qui aimait les fleurs. Après avoir renvoyé le jardinier, Graslin convertit la serre en un magasin où il déposa les marchandises consignées chez lui en garantie de ses prêts. Il laissa mourir de faim les oiseaux de la grande volière pratiquée au-dessus de la glacière, afin de supprimer la dépense de leur nourriture. Enfin il s'autorisa d'un hiver où il ne gela point pour ne plus payer le transport de la glace. En 1828, il n'était pas une chose de luxe qui ne fût condamnée. La parcimonie régna sans opposition à l'hôtel Graslin. La face du maître, améliorée pendant les trois ans passés près de sa femme, qui lui faisait suivre avec exactitude les prescriptions du médecin, redevint plus rouge, plus ardente, plus fleurie que par le passé. Les affaires prirent une si grande extension, que le garçon de peine fut promu, comme le maître autrefois, aux fonctions de caissier, et qu'il fallut trouver un Auvergnat pour les gros travaux de la maison Graslin.

Ainsi, quatre ans après son mariage, cette femme si riche ne put disposer d'un écu. À l'avarice de ses parents succéda l'avarice de son mari. Madame Graslin ne comprit la nécessité de l'argent qu'au moment où sa bienfaisance fut gênée.

Au commencement de l'année 1828, Véronique avait retrouvé la santé florissante qui rendit si belle l'innocente jeune fille assise à sa fenêtre dans la vieille maison, rue de la Cité ; mais elle avait alors acquis une grande instruction littéraire, elle savait et penser et parler. Un jugement exquis donnait à son trait de la profondeur. Habituée aux petites choses du monde, elle portait avec une grâce infinie les toilettes à la mode. Quand par hasard, vers ce temps, elle reparaissait dans un salon, elle s'y vit, non sans surprise, entourée par une sorte d'estime respectueuse. Ce sentiment et cet accueil furent dus aux deux Vicaires-généraux et au vieux Grossetête. Instruits d'une si belle vie cachée et de bienfaits si constamment accomplis, l'Évêque et quelques personnes influentes avaient parlé de cette fleur de piété vraie, de cette violette parfumée de vertus, et il s'était fait alors en faveur et à l'insu de madame Graslin une de ces réactions qui, lentement préparées, n'en ont que plus de durée et de solidité. Ce revirement de l'opinion amena l'influence du salon de Véronique, qui fut dès cette année hanté par les supériorités de la ville, et voici comment. Le jeune vicomte de Grandville fut envoyé, vers la fin de cette année, en qualité de Substitut, au parquet de la cour de Limoges, précédé de la réputation que l'on fait d'avance en province à tous les Parisiens. Quelques jours après son arrivée, en pleine soirée de Préfecture, il répondit à une assez sotte demande, que la femme la plus aimable, la plus spirituelle, la plus distinguée de la ville était madame Graslin. « – Elle en est peut-être aussi la plus belle ? demanda la femme du Receveur-général. – Je n'ose en convenir devant vous, répliqua-t-il. Je suis alors dans le doute. Madame Graslin possède une beauté qui ne doit vous inspirer aucune jalousie, elle ne se montre jamais au grand jour. Madame Graslin est belle pour ceux qu'elle aime, et vous êtes belle pour tout le monde. Chez madame Graslin, l'âme, une fois mise en mouvement par un enthousiasme vrai, répand sur sa figure une expression qui la change. Sa physionomie est comme un paysage triste en hiver, magnifique en été, le monde la verra toujours en hiver. Quand elle cause avec des amis sur quelque sujet littéraire ou philosophique, sur des questions religieuses qui l'intéressent, elle s'anime, et il apparaît soudain une femme inconnue d'une beauté merveilleuse. » Cette déclaration, fondée sur la remarque du phénomène qui jadis rendait Véronique si belle à son retour de la sainte-table, fit grand bruit dans Limoges, où, pour le moment le nouveau Substitut, à qui la place d'Avocat-général était, dit-on, promise, jouait le premier rôle. Dans toutes les villes de province, un homme élevé de quelques lignes au-dessus des autres devient pour un temps plus ou moins long l'objet d'un engouement qui ressemble à de l'enthousiasme, et qui trompe l'objet de ce culte passager. C'est à ce caprice social que nous devons les génies d'arrondissement, les gens méconnus, et leurs fausses supériorités incessamment chagrinées. Cet homme, que les femmes mettent à la mode, est plus souvent un étranger qu'un homme du pays ; mais à l'égard du vicomte de Grandville, ces admirations, par un cas rare, ne se trompèrent point.

Madame Graslin était la seule avec laquelle le Parisien avait pu échanger ses idées et soutenir une conversation variée. Quelques mois après son arrivée, le Substitut attiré par le charme croissant de la conversation et des manières de Véronique, proposa donc à l'abbé Dutheil, et à quelques hommes remarquables de la ville, de jouer au whist chez madame Graslin. Véronique reçut alors cinq fois par semaine ; car elle voulut se ménager pour sa maison, dit-elle, deux jours de liberté. Quand madame Graslin eut autour d'elle les seuls hommes supérieurs de la ville, quelques autres personnes ne furent pas fâchées de se donner un brevet d'esprit en faisant partie de sa société. Véronique admit chez elle les trois ou quatre militaires remarquables de la garnison et de l'état-major. La liberté d'esprit dont jouissaient ses hôtes, la discrétion absolue à laquelle on était tenu sans convention et par l'adoption des manières de la société la plus élevée, rendirent Véronique extrêmement difficile sur l'admission de ceux qui briguèrent l'honneur de sa compagnie. Les femmes de la ville ne virent pas sans jalousie madame Graslin entourée des hommes les plus spirituels, les plus aimables de Limoges ; mais son pouvoir fut alors d'autant plus étendu qu'elle fut plus réservée ; elle accepta quatre ou cinq femmes étrangères, venues de Paris avec leurs maris, et qui avaient en horreur le commérage des provinces. Si quelque personne en dehors de ce monde d'élite faisait une visite, par un accord tacite, la conversation changeait aussitôt, les habitués ne disaient plus que des riens. L'hôtel Graslin fut donc une oasis où les esprits supérieurs se désennuyèrent de la vie de province, où les gens attachés au gouvernement purent causer à cœur ouvert sur la politique sans avoir à craindre qu'on répétât leurs paroles, où l'on se moqua finement de tout ce qui était moquable, où chacun quitta l'habit de sa profession pour s'abandonner à son vrai caractère. Ainsi, après avoir été la plus obscure fille de Limoges, après avoir été regardée comme nulle, laide et sotte, au commencement de l'année 1828, madame Graslin fut regardée comme la première personne de la ville et la plus célèbre du monde féminin. Personne ne venait la voir le matin, car chacun connaissait ses habitudes de bienfaisance et la ponctualité de ses pratiques religieuses ; elle allait presque toujours entendre la première messe, afin de ne pas retarder le déjeuner de son mari qui n'avait aucune régularité, mais qu'elle voulait toujours servir. Graslin avait fini par s'habituer à sa femme en cette petite chose. Jamais Graslin ne manquait à faire l'éloge de sa femme, il la trouvait accomplie, elle ne lui demandait rien, il pouvait entasser écus sur écus et s'épanouir dans le terrain des affaires ; il avait ouvert des relations avec la maison Brézac, il voguait par une marche ascendante et progressive sur l'océan commercial ; aussi, son intérêt surexcité le maintenait-il dans la calme et enivrante fureur des joueurs attentifs aux grands événements du tapis vert de la Spéculation.

Pendant cet heureux temps, et jusqu'au commencement de l'année 1829, madame Graslin arriva, sous les yeux de ses amis, à un point de beauté vraiment extraordinaire, et dont les raisons ne furent jamais bien expliquées. Le bleu de l'iris s'agrandit comme une fleur et diminua le cercle brun des prunelles, en paraissant trempé d'une lueur moite et languissante, pleine d'amour. On vit blanchir, comme un faîte à l'aurore, son front illuminé par des souvenirs, par des pensées de bonheur, et ses lignes se purifièrent à quelques feux intérieurs. Son visage perdit ces ardents tons bruns qui annonçaient un commencement d'hépatite, la maladie des tempéraments vigoureux ou des personnes dont l'âme est souffrante, dont les affections sont contrariées. Ses tempes devinrent d'une adorable fraîcheur. On voyait enfin souvent, par échappées, le visage céleste, digne de Raphaël, que la maladie avait encroûté comme le Temps encrasse une toile de ce grand maître. Ses mains semblèrent plus blanches, ses épaules prirent une délicieuse plénitude, ses mouvements jolis et animés rendirent à sa taille flexible et souple toute sa valeur. Les femmes de la ville l'accusèrent d'aimer monsieur de Grandville, qui d'ailleurs lui faisait une cour assidue, et à laquelle Véronique opposa les barrières d'une pieuse résistance. Le Substitut professait pour elle une de ces admirations respectueuses à laquelle ne se trompaient point les habitués de ce salon. Les prêtres et les gens d'esprit devinèrent bien que cette affection, amoureuse chez le jeune magistrat, ne sortait pas des bornes permises chez madame Graslin. Lassé d'une défense appuyée sur les sentiments les plus religieux, le vicomte de Grandville avait, à la connaissance des intimes de cette société, de faciles amitiés qui cependant n'empêchaient point sa constante admiration et son culte auprès de la belle madame Graslin, car telle était, en 1829, son surnom à Limoges. Les plus clairvoyants attribuèrent le changement de physionomie qui rendit Véronique encore plus charmante pour ses amis, aux secrètes délices qu'éprouve toute femme, même la plus religieuse, à se voir courtisée, à la satisfaction de vivre enfin dans le milieu qui convenait à son esprit, au plaisir d'échanger ses idées, et qui dissipa l'ennui de sa vie, au bonheur d'être entourée d'hommes aimables, instruits, de vrais amis dont l'attachement s'accroissait de jour en jour. Peut-être eût-il fallu des observateurs encore plus profonds, plus perspicaces ou plus défiants que les habitués de l'hôtel Graslin, pour deviner la grandeur sauvage, la force du peuple que Véronique avait refoulée au fond de son âme. Si quelquefois elle fut surprise, en proie à la torpeur d'une méditation ou sombre, ou simplement pensive, chacun de ses amis savait qu'elle portait en son cœur bien des misères, qu'elle s'était sans doute initiée le matin à bien des douleurs, qu'elle pénétrait en des sentines où les vices épouvantaient par leur naïveté ; souvent le Substitut, devenu bientôt Avocat-général la gronda de quelque bienfait inintelligent que, dans les secrets de ses instructions correctionnelles, la Justice avait trouvé comme un encouragement à des crimes ébauchés. « – Vous faut-il de l'argent pour quelques-uns de vos pauvres ? lui disait alors le vieux Grossetête en lui prenant la main, je serai complice de vos bienfaits. – Il est impossible de rendre tout le monde riche ! » répondait-elle en poussant un soupir. Au commencement de cette année, arriva l'événement qui devait changer entièrement la vie intérieure de Véronique, et métamorphoser la magnifique expression de sa physionomie, pour en faire d'ailleurs un portrait mille fois plus intéressant aux yeux des peintres. Assez inquiet de sa santé, Graslin ne voulut plus, au grand désespoir de sa femme, habiter son rez-de-chaussée, il remonta dans l'appartement conjugal où il se fit soigner. Ce fut bientôt une nouvelle à Limoges que l'état de madame Graslin, elle était grosse ; sa tristesse, mélangée de joie, occupa ses amis qui devinèrent alors que, malgré ses vertus, elle s'était trouvée heureuse de vivre séparée de son mari. Peut-être avait-elle espéré de meilleures destinées, depuis le jour où l'Avocat-général lui fit la cour ; car il avait déjà refusé d'épouser la plus riche héritière du Limousin. Dès lors les profonds politiques qui faisaient entre deux parties de whist la police des sentiments et des fortunes, avaient soupçonné le magistrat et la jeune femme de fonder sur l'état maladif du banquier des espérances presque ruinées par cet événement. Les troubles profonds qui marquèrent cette période de la vie de Véronique, les inquiétudes qu'un premier accouchement cause aux femmes, et qui, dit-on, offre des dangers alors qu'il arrive après la première jeunesse, rendirent ses amis plus attentifs auprès d'elle ; chacun d'eux déploya mille petits soins qui lui prouvèrent combien leurs affections étaient vives et solides.

II

Tascheron

Dans cette même année, Limoges eut le terrible spectacle et le drame singulier du procès Tascheron, dans lequel le magistrat déploya les talents qui plus tard le firent nommer Procureur-général.

Un vieillard qui habitait une maison isolée dans le faubourg Saint-Étienne fut assassiné. Un grand jardin fruitier sépare du faubourg cette maison, également séparée de la campagne par un jardin d'agrément au bout duquel sont d'anciennes serres abandonnées. La rive de la Vienne forme devant cette habitation un talus rapide dont l'inclinaison permet de voir la rivière. La cour en pente finit à la berge par un petit mur où, de distance en distance, s'élèvent des pilastres réunis par des grilles, plus pour l'ornement que pour la défense, car les barreaux sont en bois peint. Ce vieillard nommé Pingret, célèbre par son avarice, vivait avec une seule servante, une campagnarde à laquelle il faisait faire ses labours. Il soignait lui-même ses espaliers, taillait ses arbres, récoltait ses fruits, et les envoyait vendre en ville, ainsi que des primeurs à la culture desquelles il excellait. La nièce de ce vieillard et sa seule héritière, mariée à un petit rentier de la ville, monsieur des Vanneaulx, avait maintes fois prié son oncle de prendre un homme pour garder sa maison, en lui démontrant qu'il y gagnerait les produits de plusieurs carrés plantés d'arbres en plein vent où il semait lui-même des grenailles, mais il s'y était constamment refusé. Cette contradiction chez un avare donnait matière à bien des causeries conjecturales dans les maisons où les des Vanneaulx passaient la soirée. Plus d'une fois, les plus divergentes réflexions entrecoupèrent les parties de boston. Quelques esprits matois avaient conclu en présumant un trésor enfoui dans les luzernes. – « Si j'étais à la place de madame des Vanneaulx, disait un agréable rieur, je ne tourmenterais point mon oncle ; si on l'assassine, eh ! bien, on l'assassinera. J'hériterais. » Madame des Vanneaulx voulait faire garder son oncle, comme les entrepreneurs du Théâtre-Italien prient leur ténor à recettes de se bien couvrir le gosier, et lui donnent leur manteau quand il a oublié le sien. Elle avait offert au petit Pingret un superbe chien de basse-cour, le vieillard le lui avait renvoyé par Jeanne Malassis, sa servante : « – Votre oncle ne veut point d'une bouche de plus à la maison », dit-elle à madame des Vanneaulx. L'événement prouva combien les craintes de la nièce étaient fondées. Pingret fut assassiné, pendant une nuit noire, au milieu d'un carré de luzerne où il ajoutait sans doute quelques louis à un pot plein d'or. La servante, réveillée par la lutte, avait eu le courage de venir au secours du vieil avare, et le meurtrier s'était trouvé dans l'obligation de la tuer pour supprimer son témoignage. Ce calcul, qui détermine presque toujours les assassins à augmenter le nombre de leurs victimes, est un malheur engendré par la peine capitale qu'ils ont en perspective. Ce double meurtre fut accompagné de circonstances bizarres qui devaient donner autant de chances à l'Accusation qu'à la Défense. Quand les voisins furent une matinée sans voir ni le petit père Pingret ni sa servante ; lorsqu'en allant et venant, ils examinèrent sa maison à travers les grilles de bois et qu'ils trouvèrent, contre tout usage, les portes et les fenêtres fermées, il y eut dans le faubourg Saint-Étienne une rumeur qui remonta jusqu'à la rue des Cloches où demeurait madame des Vanneaulx. La nièce avait toujours l'esprit préoccupé d'une catastrophe, elle avertit la Justice qui enfonça les portes. On vit bientôt dans les quatre carrés, quatre trous vides, et jonchés à l'entour par les débris de pots pleins d'or la veille. Dans deux des trous mal rebouchés, les corps du père Pingret et de Jeanne Malassis avaient été ensevelis avec leurs habits. La pauvre fille était accourue pieds nus, en chemise. Pendant que le Procureur du roi, le commissaire de police et le juge d'Instruction recueillaient les éléments de la procédure, l'infortuné des Vanneaulx recueillait les débris des pots, et calculait la somme volée d'après leur contenance. Les magistrats reconnurent la justesse des calculs, en estimant à mille pièces par pot les trésors envolés ; mais ces pièces étaient-elles de quarante-huit ou de quarante, de vingt-quatre ou de vingt francs ? Tous ceux qui, dans Limoges, attendaient des héritages, partagèrent la douleur des des Vanneaulx. Les imaginations limousines furent vivement stimulées par le spectacle de ces pots à or brisés. Quant au petit père Pingret, qui souvent venait vendre des légumes lui-même au marché, qui vivait d'oignons et de pain, qui ne dépensait pas trois cents francs par an, qui n'obligeait ou ne désobligeait personne, et n'avait pas fait un scrupule de bien dans le faubourg Saint-Étienne, il n'excita pas le moindre regret. Quant à

Jeanne Malassis, son héroïsme, que le vieil avare aurait à peine récompensé, fut jugé comme intempestif ; le nombre des âmes qui l'admirèrent fut petit en comparaison de ceux qui dirent : – Moi j'aurais joliment dormi !

Les gens de justice ne trouvèrent ni encre ni plume pour verbaliser dans cette maison nue, délabrée, froide et sinistre. Les curieux et l'héritier aperçurent alors les contresens qui se remarquent chez certains avares. L'effroi du petit vieillard pour la dépense éclatait sur les toits non réparés qui ouvraient leurs flancs à la lumière, à la pluie, à la neige ; dans les lézardes vertes qui sillonnaient les murs, dans les portes pourries près de tomber au moindre choc, et les vitres en papier non huilé. Partout des fenêtres sans rideaux, des cheminées sans glaces ni chenets et dont l'âtre propre était garni d'une bûche ou de petits bois presque vernis par la sueur du tuyau ; puis des chaises boiteuses, deux couchettes maigres et plates, des pots fêlés, des assiettes rattachées, des fauteuils manchots ; à son lit, des rideaux que le temps avait brodés de ses mains hardies, un secrétaire mangé par les vers où il serrait ses graines, du linge épaissi par les reprises et les coutures ; enfin un tas de haillons qui ne vivaient que soutenus par l'esprit du maître, et qui, lui mort, tombèrent en loques, en poudre, en dissolution chimique, en ruines, en je ne sais quoi sans nom, dès que les mains brutales de l'héritier furieux ou des gens officiels y touchèrent. Ces choses disparurent comme effrayées d'une vente publique. La grande majorité de la capitale du Limousin s'intéressa longtemps à ces braves des Vanneaulx qui avaient deux enfants ; mais quand la Justice crut avoir trouvé l'auteur présumé du crime, ce personnage absorba l'attention, il devint un héros et les des Vanneaulx restèrent dans l'ombre du tableau.

Vers la fin du mois de mars, madame Graslin avait éprouvé déjà quelques-uns de ces malaises que cause une première grossesse et qui ne peuvent plus se cacher. La Justice informait alors sur le crime commis au faubourg Saint-Étienne, et l'assassin n'était pas encore arrêté. Véronique recevait ses amis dans sa chambre à coucher, on y faisait la partie. Depuis quelques jours, madame Graslin ne sortait plus, elle avait eu déjà plusieurs de ces caprices singuliers attribués chez toutes les femmes à la grossesse ; sa mère venait la voir presque tous les jours, et ces deux femmes restaient ensemble pendant des heures entières. Il était neuf heures, les tables de jeu restaient sans joueurs, tout le monde causait de l'assassinat et des des Vanneaulx. L'Avocat-général entra.

– Nous tenons l'assassin du père Pingret, dit-il d'un air joyeux.

– Qui est-ce ? lui demanda-t-on de toutes parts.

– Un ouvrier porcelainier dont la conduite est excellente et qui devait faire fortune. Il travaillait à l'ancienne manufacture de votre mari, dit-il en se tournant vers madame Graslin.

– Qui est-ce ? demanda Véronique d'une voix faible.

– Jean-François Tascheron.

– Le malheureux ! répondit-elle. Oui, je l'ai vu plusieurs fois, mon pauvre père me l'avait recommandé comme un sujet précieux.

– Il n'y était déjà plus avant la mort de Sauviat, il avait passé dans la fabrique de messieurs Philippart qui lui ont fait des avantages, répondit la vieille Sauviat. Mais ma fille est-elle assez bien pour entendre cette conversation ? dit-elle en regardant madame Graslin qui était devenue blanche comme ses draps.

Dès cette soirée, la vieille mère Sauviat abandonna sa maison et vint malgré ses soixante-six ans, se constituer la garde-malade de sa fille. Elle ne quitta pas la chambre, les amis de madame Graslin la trouvèrent à toute heure héroïquement placée au chevet du lit où elle s'adonnait à son éternel tricot, couvant du regard Véronique comme au temps de la petite vérole, répondant pour elle et ne laissant pas toujours entrer les visites. L'amour maternel et filial de la mère et de la fille était si bien connu dans Limoges, que les façons de la vieille femme n'étonnèrent personne.

Quelques jours après, quand l'Avocat-général voulut raconter les détails que toute la ville recherchait avidement sur Jean-François Tascheron, en croyant amuser la malade, la Sauviat l'interrompit brusquement en lui disant qu'il allait encore causer de mauvais rêves à madame Graslin. Véronique pria monsieur de Grandville d'achever, en le regardant fixement. Ainsi les amis de madame Graslin connurent les premiers et chez elle, par l'Avocat-général, le résultat de l'instruction qui devait devenir bientôt publique. Voici, mais succinctement, les éléments de l'acte d'accusation que préparait alors le Parquet.

Jean-François Tascheron était fils d'un petit fermier chargé de famille qui habitait le bourg de Montégnac. Vingt ans avant ce crime, devenu célèbre en Limousin, le canton de Montégnac se recommandait par ses mauvaises mœurs. Le parquet de Limoges disait proverbialement que sur cent condamnés du Département, cinquante appartenaient à l'Arrondissement d'où dépendait Montégnac. Depuis 1816, deux ans après l'envoi du curé Bonnet, Montégnac avait perdu sa triste réputation, ses habitants avaient cessé d'envoyer leur contingent aux Assises. Ce changement fut attribué généralement à l'influence que monsieur Bonnet exerçait sur cette Commune, jadis le foyer des mauvais sujets qui désolèrent la contrée. Le crime de Jean-François Tascheron rendit tout à coup à Montégnac son ancienne renommée. Par un insigne effet du hasard la famille Tascheron était presque la seule du pays qui eût conservé ces vieilles mœurs exemplaires et ces habitudes religieuses que les observateurs voient aujourd'hui disparaître de plus en plus dans les campagnes ; elle avait donc fourni un point d'appui au curé, qui naturellement la portait dans son cœur. Cette famille, remarquable par sa probité, par son union, par son amour du travail, n'avait offert que de bons exemples à Jean-François Tascheron. Amené à Limoges par l'ambition louable de gagner honorablement une fortune dans l'industrie, ce garçon avait quitté le bourg au milieu des regrets de ses parents et de ses amis qui le chérissaient. Durant deux années d'apprentissage, sa conduite fut digne d'éloges, aucun dérangement sensible n'avait annoncé le crime horrible par lequel finissait sa vie. Jean-François Tascheron avait passé à étudier et à s'instruire le temps que les autres ouvriers donnent à la débauche ou au cabaret. Les perquisitions les plus minutieuses de la justice de province, qui a beaucoup de temps à elle, n'apportèrent aucune lumière sur les secrets de cette existence. Soigneusement questionnée, l'hôtesse de la maigre maison garnie où demeurait Jean-François, n'avait jamais logé de jeune homme dont les mœurs fussent aussi pures, dit-elle. Il était d'un caractère aimable et doux, quasi gai. Environ une année avant de commettre ce crime, son humeur parut changée, il découcha plusieurs fois par mois, et souvent quelques nuits de suite, dans quelle partie de la ville ? elle l'ignorait. Seulement, elle pensa plusieurs fois, par l'état des souliers, que son locataire revenait de la campagne. Quoiqu'il sortît de la ville, au lieu de prendre des souliers ferrés, il se servait d'escarpins. Avant de partir, il se faisait la barbe, se parfumait et mettait du linge blanc. L'Instruction étendit ses perquisitions jusque dans les maisons suspectes et chez les femmes de mauvaise vie, mais Jean-François Tascheron y était inconnu. L'Instruction alla chercher des renseignements dans la classe des ouvrières et des grisettes, mais aucune des filles dont la conduite était légère n'avait eu de relations avec l'inculpé. Un crime sans motif est inconcevable, surtout chez un jeune homme à qui sa tendance vers l'instruction et son ambition devaient faire accorder des idées et un sens supérieurs à ceux des autres ouvriers. Le Parquet et le juge d'Instruction attribuèrent à la passion du jeu l'assassinat commis par Tascheron ; mais, après de minutieuses recherches, il fut démontré que le prévenu n'avait jamais joué. Jean-François se renferma tout d'abord dans un système de dénégation qui, en présence du Jury, devait tomber devant les preuves, mais qui dénota l'intervention d'une personne pleine de connaissances judiciaires, ou douée d'un esprit supérieur.

Les preuves, dont voici les principales, étaient, comme dans beaucoup d'assassinats, à la fois graves et légères. L'absence de Tascheron pendant la nuit du crime, sans qu'il voulut dire où il était. Le prévenu ne daignait pas forger un alibi. Un fragment de sa blouse déchirée à son insu par la pauvre servante dans la lutte, emporté par le vent, retrouvé dans un arbre. Sa présence le soir autour de la maison remarquée par des passants, par des gens du faubourg, et qui, sans le crime, ne s'en seraient pas souvenus. Une fausse clef fabriquée par lui-même pour entrer par la porte qui donnait sur la campagne, et assez habilement enterrée dans un des trous, à deux pieds en contrebas, mais où fouilla par hasard monsieur des Vanneaulx, pour savoir si le trésor n'avait pas deux étages. L'Instruction finit par trouver qui avait fourni le fer, qui prêta l'étau, qui donna la lime. Cette clef fut le premier indice, elle mit sur la voie de Tascheron arrêté sur la limite du Département, dans un bois où il attendait le passage d'une diligence. Une heure plus tard, il eût été parti pour l'Amérique. Enfin, malgré le soin avec lequel les marques des pas furent effacées dans les terres labourées et sur la boue du chemin, le garde-champêtre avait trouvé des empreintes d'escarpins, soigneusement décrites et conservées. Quand on fit des perquisitions chez Tascheron, les semelles de ses escarpins, adaptées à ces traces, y correspondirent parfaitement. Cette fatale coïncidence confirma les observations de la curieuse hôtesse. L'Instruction attribua le crime à une influence étrangère et non à une résolution personnelle. Elle crut à une complicité, que démontrait l'impossibilité d'emporter les sommes enfouies. Quelque fort que soit un homme, il ne porte pas très loin vingt-cinq mille francs en or. Si chaque pot contenait cette somme, les quatre avaient nécessité quatre voyages. Or, une circonstance singulière déterminait l'heure à laquelle le crime avait été commis. Dans l'effroi que les cris de son maître durent lui causer, Jeanne Malassis, en se levant, avait renversé la table de nuit sur laquelle était sa montre. Cette montre, le seul cadeau que lui eût fait l'avare en cinq ans, avait eu son grand ressort brisé par le choc, elle indiquait deux heures après minuit. Vers la mi-mars, époque du crime, le jour arrive entre cinq et six heures du matin. À quelque distance que les sommes eussent été transportées, Tascheron n'avait donc pu, dans le cercle des hypothèses embrassé par l'Instruction et le Parquet, opérer à lui seul cet enlèvement. Le soin avec lequel Tascheron avait ratissé les traces des pas en négligeant celles des siens révélait une mystérieuse assistance. Forcée d'inventer, la Justice attribua ce crime à une frénésie d'amour ; et l'objet de cette passion ne se trouvant pas dans la classe inférieure, elle jeta les yeux plus haut. Peut-être une bourgeoise, sûre de la discrétion d'un jeune homme taillé en Séide, avait-elle commencé un roman dont le dénouement était horrible ? Cette présomption était presque justifiée par les accidents du meurtre. Le vieillard avait été tué à coups de bêche. Ainsi son assassinat était le résultat d'une fatalité soudaine, imprévue, fortuite. Les deux amants avaient pu s'entendre pour voler, et non pour assassiner. L'amoureux Tascheron et l'avare Pingret, deux passions implacables s'étaient rencontrées sur le même terrain, attirées toutes deux par l'or dans les ténèbres épaisses de la nuit. Afin d'obtenir quelque lueur sur cette sombre donnée, la Justice employa contre une sœur très aimée de Jean-François la ressource de l'arrestation et de la mise au secret, espérant pénétrer par elle les mystères de la vie privée du frère. Denise Tascheron se renferma dans un système de dénégation dicté par la prudence, et qui la fit soupçonner d'être instruite des causes du crime, quoiqu'elle ne sût rien. Cette détention allait flétrir sa vie. Le prévenu montrait un caractère bien rare chez les gens du peuple : il avait dérouté les plus habiles *moutons* avec lesquels il s'était trouvé, sans avoir reconnu leur caractère. Pour les esprits distingués de la magistrature, Jean-François était donc criminel par passion et non par nécessité, comme la plupart des assassins ordinaires qui passent tous par la police correctionnelle et par le bagne avant d'en venir à leur dernier coup. D'actives et prudentes recherches, se firent dans le sens de cette idée ; mais l'invariable discrétion du criminel laissa l'instruction sans éléments. Une fois le roman assez plausible de cette passion pour une femme du monde admis, plus d'une interrogation captieuse lancée à Jean-François ; mais sa discrétion triompha de toutes les tortures morales que l'habileté du juge d'Instruction lui imposait. Quand, par un dernier effort, le magistrat dit à Tascheron que la personne pour laquelle il avait commis le crime était connue et arrêtée, il ne changea pas de visage, et se contenta de répondre ironiquement. « – Je serais bien aise de la voir ! » En apprenant ces circonstances, beaucoup de personnes partagèrent les soupçons des magistrats en apparence confirmés par le silence de Sauvage que gardait l'accusé. L'intérêt s'attacha violemment à un jeune homme qui devenait un problème. Chacun comprendra facilement combien ces éléments entretinrent la curiosité publique, et avec quelle avidité les débats allaient être suivis. Malgré les sondages de la police, l'Instruction s'était arrêtée sur le seuil de l'hypothèse sans oser pénétrer le mystère, elle y trouvait tant de dangers ! En certains cas judiciaires, les demi-certitudes ne suffisent pas aux magistrats. On espérait donc voir la vérité surgir au grand jour de la Cour d'Assises, moment où bien des criminels se démentent.

Monsieur Graslin fut un des jurés désignés pour la session, en sorte que, soit par son mari, soit par monsieur de Grandville, Véronique devait savoir les moindres détails du procès criminel qui, pendant une quinzaine de jours, tint en émoi le Limousin et la France. L'attitude de l'accusé justifia la fabulation adoptée par la ville d'après les conjectures de la Justice ; plus d'une fois, son œil plongea dans l'assemblée de femmes privilégiées qui vinrent savourer les mille émotions de ce drame réel. Chaque fois que le regard de cet homme embrassa cet élégant parterre par un rayon clair, mais impénétrable, il y produisit de violentes secousses, tant chaque femme craignait de paraître sa complice, aux yeux inquisiteurs du Parquet et de la Cour. Les inutiles efforts de l'Instruction reçurent alors leur publicité, et révélèrent les précautions prises par l'accusé pour assurer un plein succès à son crime. Quelques mois avant la fatale nuit, Jean-François s'était muni d'un passeport pour l'Amérique du Nord. Ainsi le projet de quitter la France avait été formé, la femme devait donc être mariée, il eût sans doute été inutile de s'enfuir avec une jeune fille. Peut-être le crime avait-il eu pour but d'entretenir l'aisance de cette inconnue. La Justice n'avait trouvé sur les registres de l'Administration aucun passeport pour ce pays au nom d'aucune femme. Au cas où la complice se fût procuré son passeport à Paris, les registres y avaient été consultés, mais en vain, de même que dans les Préfectures environnantes. Les moindres détails des débats mirent en lumière les profondes réflexions d'une intelligence supérieure. Si les dames limousines les plus vertueuses attribuaient l'usage assez inexplicable dans la vie ordinaire d'escarpins pour aller dans la boue et dans les terres à la nécessité d'épier le vieux Pingret, les hommes les moins fats étaient enchantés d'expliquer combien les escarpins étaient utiles pour marcher dans une maison, y traverser les corridors, y monter par les croisées sans bruit. Donc, Jean-François et sa maîtresse (jeune, belle, romanesque, chacun composait un superbe portrait) avaient évidemment médité d'ajouter, par un faux, *et son épouse* sur le passeport. Le soir, dans tous les salons, les parties étaient interrompues par les recherches malicieuses de ceux qui, se reportant en mars 1829, recherchaient quelles femmes alors étaient en voyage à Paris, quelles autres avaient pu faire ostensiblement ou secrètement les préparatifs d'une fuite. Limoges jouit alors de son procès Fualdès, orné d'une madame Manson inconnue. Aussi jamais ville de province ne fut-elle plus intriguée que l'était chaque soir Limoges après l'audience. On y rêvait de ce procès où tout grandissait l'accusé dont les réponses savamment repassées, étendues, commentées, soulevaient d'amples discussions. Quand un des jurés demanda pourquoi Tascheron avait pris un passeport pour l'Amérique, l'ouvrier répondit qu'il voulait y établir une manufacture de porcelaines. Ainsi, sans compromettre son système de défense, il couvrait encore sa complice, en permettant à chacun d'attribuer son crime à la nécessité d'avoir des fonds pour accomplir un ambitieux projet.

Au plus fort de ces débats, il fut impossible que les amis de Véronique, pendant une soirée où elle paraissait moins souffrante, ne cherchassent pas à expliquer la discrétion du criminel. La veille, le médecin avait ordonné une promenade à Véronique. Le matin même elle avait donc pris le bras de sa mère pour aller, en tournant la ville, jusqu'à la maison de campagne de la Sauviat, où elle s'était reposée. Elle avait essayé de rester debout à son retour et avait attendu son mari ; Graslin ne revint qu'à huit heures de la Cour d'Assises, elle venait de lui servir à dîner selon son habitude, elle entendit nécessairement la discussion de ses amis. – Si mon pauvre père vivait encore, leur dit-elle, nous en aurions su davantage ou peut-être cet homme ne serait-il pas devenu criminel. Mais je vous vois tous préoccupés d'une idée singulière. Vous voulez que l'amour soit le principe du crime, là-dessus je suis de votre avis ; mais pourquoi croyez-vous que l'inconnue est mariée, ne peut-il pas avoir aimé une jeune fille que le père et la mère lui auraient refusée ?

– Une jeune personne eût été plus tard légitimement à lui, répondit monsieur de Grandville. Tascheron est un homme qui ne manque pas de patience, il aurait eu le temps de faire loyalement fortune en attendant le moment où toute fille est libre de se marier contre la volonté de ses parents.

– J'ignorais, dit madame Graslin qu'un pareil mariage fût possible ; mais comment dans une ville où tout se sait, où chacun voit ce qui se passe chez son voisin, n'a-t-on pas le plus léger soupçon ? Pour aimer, il faut au moins se voir ou s'être vus ? Que pensez-vous, vous autres magistrats ! demanda-t-elle en plongeant un regard fixe dans les yeux de l'Avocat-général.

– Nous croyons tous que la femme appartient à la classe de la bourgeoisie ou du commerce.

– Je pense le contraire, dit madame Graslin. Une femme de ce genre n'a pas les sentiments assez élevés.

Cette réponse concentra les regards de tout le monde sur Véronique et chacun attendit l'explication de cette parole paradoxale.

– Pendant les heures de nuit que je passe sans sommeil ou le jour dans mon lit, il m'a été impossible de ne pas penser à cette mystérieuse affaire, et j'ai cru deviner les motifs de Tascheron. Voilà pourquoi je pensais à une jeune fille. Une femme mariée a des intérêts, sinon des sentiments, qui partagent son cœur et l'empêchent d'arriver à l'exaltation complète qui inspire une si grande passion. Il faut ne pas avoir d'enfant pour concevoir un amour qui réunisse les sentiments maternels à ceux qui procèdent du désir. Évidemment cet homme a été aimé par une femme qui voulait être son soutien. L'inconnue aura porté dans sa passion le génie auquel nous devons les belles œuvres des artistes, des poètes et qui chez la femme existe mais sous une autre forme, elle est destinée à créer des hommes et non des choses. Nos œuvres, à nous, c'est nos enfants ! Nos enfants sont nos tableaux, nos livres, nos statues. Ne sommes-nous pas artistes dans leur éducation première. Aussi gagerais-je ma tête à couper que si l'inconnue n'est pas une jeune fille, elle n'est pas mère. Il faudrait chez les gens du Parquet la finesse des femmes pour deviner mille nuances qui leur échapperont sans cesse en bien des occasions. Si j'eusse été votre Substitut, dit-elle à l'Avocat-général, nous eussions trouvé la coupable, si toutefois l'inconnue est coupable. J'admets, comme monsieur l'abbé Dutheil, que les deux amants avaient conçu l'idée de s'enfuir faute d'argent, pour vivre en Amérique avec les trésors du pauvre Pingret. Le vol a engendré l'assassinat par la fatale logique qu'inspire la peine de mort aux criminels. Aussi, dit-elle en lançant à l'Avocat-général un regard suppliant, serait-ce une chose digne de vous que de faire écarter la préméditation, vous sauveriez la vie à ce malheureux. Cet homme est grand malgré son crime, il réparerait peut-être ses fautes par un magnifique repentir. Les œuvres du repentir doivent entrer pour quelque chose dans les pensées de la Justice. Aujourd'hui n'y a-t-il pas mieux à faire qu'à donner sa tête ou à fonder comme autrefois la cathédrale de Milan, pour expier des forfaits ?

– Madame, vous êtes sublime dans vos idées, dit l'Avocat-général ; mais la préméditation écartée, Tascheron serait encore sous le poids de la peine de mort à cause des circonstances graves et prouvées qui accompagnent le vol, la nuit, l'escalade, l'effraction, etc.

– Vous croyez donc qu'il sera condamné ? dit-elle en abaissant ses paupières.

– J'en suis certain, le Parquet aura la victoire.

Un léger frisson fit crier la robe de madame Graslin, qui dit : J'ai froid ! Elle prit le bras de sa mère et s'alla coucher.

– Elle est beaucoup mieux aujourd'hui, dirent ses amis.

Le lendemain, Véronique était à la mort. Quand son médecin manifesta son étonnement en la trouvant si près d'expirer, elle lui dit en souriant : – Ne vous avais-je pas prédit que cette promenade ne me vaudrait rien.

Depuis l'ouverture des débats, Tascheron se tenait sans forfanterie comme sans hypocrisie. Le médecin, toujours pour divertir la malade, essaya d'expliquer cette attitude que ses défenseurs exploitaient. Le talent de son avocat éblouissait l'accusé sur le résultat, il croyait échapper à la mort, disait le médecin. Par moments, on remarquait sur son visage une espérance qui tenait à un bonheur plus grand que celui de vivre. Les antécédents de la vie de cet homme, âgé de vingt-trois ans, contredisaient si bien les actions par lesquelles elle se terminait, que ses défenseurs objectaient son attitude comme une conclusion. Enfin les preuves accablantes dans l'hypothèse de l'Accusation devenaient si faibles dans le roman de la Défense, que cette tête fut disputée avec des chances favorables par l'avocat. Pour sauver la vie à son client, l'avocat se battit à outrance sur le terrain de la préméditation, il admit hypothétiquement la préméditation du vol, non celle des assassinats, résultat de deux luttes inattendues. Le succès parut douteux pour le Parquet comme pour le Barreau.

Après la visite du médecin, Véronique eut celle de l'Avocat-général, qui tous les matins la venait voir avant l'audience.

– J'ai lu les plaidoiries d'hier, lui dit-elle. Aujourd'hui vont commencer les répliques, je me suis si fort intéressée à l'accusé que je voudrais le voir sauvé ; ne pouvez-vous une fois en votre vie abandonner un triomphe ? Laissez-vous battre par l'avocat. Allons, faites-moi présent de cette vie, et vous aurez peut-être la mienne un jour !... Il y a doute après le beau plaidoyer de l'avocat de Tascheron, et bien...

– Votre voix est émue, dit le vicomte quasi surpris.

– Savez-vous pourquoi ? répondit-elle. Mon mari vient de remarquer une horrible coïncidence, et qui, par suite de ma sensibilité, serait de nature à causer ma mort : j'accoucherai quand vous donnerez l'ordre de faire tomber cette tête.

– Puis-je réformer le Code ? dit l'Avocat-général.

– Allez ! vous ne savez pas aimer, répondit-elle en fermant les yeux.

Elle posa sa tête sur l'oreiller, et renvoya le magistrat par un geste impératif.

Monsieur Graslin plaida fortement mais inutilement pour

l'acquittement, en donnant une raison qui fut adoptée par deux jurés de ses amis, et qui lui avait été suggérée par sa femme : « – Si nous laissons la vie à cet homme, la famille des Vanneaulx retrouvera la succession Pingret. » Cet argument irrésistible amena entre les jurés une scission de sept contre cinq qui nécessita l'adjonction de la Cour ; mais la Cour se réunit à la minorité du Jury. Selon la jurisprudence de ce temps, cette réunion détermina la condamnation. Lorsque son arrêt lui fut prononcé, Tascheron tomba dans une fureur assez naturelle chez un homme plein de force et de vie, mais que les magistrats, les avocats, les jurés et l'auditoire n'ont presque jamais remarquée chez les criminels injustement condamnés. Pour tout le monde, le drame ne parut donc pas terminé par l'arrêt. Une lutte si acharnée donna dès lors, comme il arrive presque toujours dans ces sortes d'affaires, naissance à deux opinions diamétralement opposées sur la culpabilité du héros en qui les uns virent un innocent opprimé, les autres un criminel justement condamné. Les Libéraux tinrent pour l'innocence de Tascheron, moins par certitude que pour contrarier le pouvoir. « Comment, dirent-ils, condamner un homme sur la ressemblance de son pied avec la marque d'un autre pied ? à cause de son absence, comme si tous les jeunes gens n'aiment pas mieux mourir que de compromettre une femme ? Pour avoir emprunté des outils et acheté du fer ? car il n'est pas prouvé qu'il ait fabriqué la clef. Pour un morceau de toile bleue accroché à un arbre, peut-être par le vieux Pingret, afin d'épouvanter les moineaux, et qui se rapporte par hasard à un accroc fait à notre blouse ! À quoi tient la vie d'un homme ! Enfin, Jean-François a tout nié, le Parquet n'a produit aucun témoin qui ait vu le crime ! » Ils corroboraient, étendaient, paraphrasaient le système et les plaidoiries de l'avocat. Le vieux Pingret, qu'était-ce ? Un coffre-fort crevé ! disaient les esprits forts. Quelques gens prétendus progressifs, méconnaissant les saintes lois de la Propriété, que les Saint-simoniens attaquaient déjà dans l'ordre abstrait des idées économistes, allèrent plus loin : « Le père Pingret était le premier auteur du crime. Cet homme, en entassant son or, avait volé son pays. Que d'entreprises auraient été fertilisées par ses capitaux inutiles ! Il avait frustré l'Industrie, il était justement puni. » La servante ? on la plaignait. Denise, qui, après avoir déjoué les ruses de la Justice, ne se permit pas aux débats une réponse sans avoir longtemps songé à ce qu'elle devait dire, excita le plus vif intérêt. Elle devint une figure comparable, dans un autre sens, à

Jeanie Deans, de qui elle possédait la grâce et la modestie, la religion et la beauté. François Tascheron continua donc d'exciter la curiosité, non seulement de la ville, mais encore de tout le Département, et quelques femmes romanesques lui accordèrent ouvertement leur admiration. « S'il y a là-dedans quelque amour pour une femme placée au-dessus de lui, certes cet homme n'est pas un homme ordinaire, disaient-elles. Vous verrez qu'il mourra bien ! » Cette question : Parlera-t-il ? ne parlera-t-il pas ? engendra des paris. Depuis l'accès de rage par lequel il accueillit sa condamnation, et qui eut pu être fatal à quelques personnes de la Cour ou de l'auditoire sans la présence des gendarmes, le criminel menaça tous ceux qui l'approchèrent indistinctement, et avec la rage d'une bête féroce ; le geôlier fut forcé de lui mettre la camisole, autant pour l'empêcher d'attenter à sa vie que pour éviter les effets de sa furie. Une fois maintenu par ce moyen victorieux de toute espèce de violences, Tascheron exhala son désespoir en mouvements convulsifs qui épouvantaient ses gardiens, en paroles, en regards qu'au moyen âge on eût attribués à la possession. Il était si jeune, que les femmes s'apitoyèrent sur cette vie pleine d'amour qui allait être tranchée. *Le Dernier jour d'un Condamné*, sombre élégie, inutile plaidoyer contre la peine de mort, ce grand soutien des sociétés, et qui avait paru depuis peu, comme exprès pour la circonstance, fut à l'ordre du jour dans toutes les conversations. Enfin, qui ne se montrait du doigt l'invisible inconnue, debout, les pieds dans le sang, élevée sur les planches des Assises comme sur un piédestal, déchirée par d'horribles douleurs, et condamnée au calme le plus parfait dans son ménage. On admirait presque cette Médée limousine, à blanche poitrine doublée d'un cœur d'acier, au front impénétrable. Peut-être était-elle, chez celui-ci ou chez celui-là, sœur ou cousine, ou femme ou fille d'un tel ou d'une telle. Quelle frayeur au sein des familles ! Suivant un mot sublime de Napoléon, c'est surtout dans le domaine de l'imagination que la puissance de l'inconnu est incommensurable.

Quant aux cent mille francs volés aux sieur et dame des Vanneaulx, et qu'aucune recherche de police n'avait su retrouver, le silence constant du criminel fut une étrange défaite pour le Parquet. Monsieur de Grandville, qui remplaçait le Procureur-général alors à la Chambre des Députés, essaya le moyen vulgaire de laisser croire à une commutation de peine en cas d'aveux ; mais quand il se montra, le condamné l'accueillit par des redoublements de cris furieux, de contorsions épileptiques, et lui lança des regards pleins de rage où éclatait le regret de ne pouvoir donner la mort. La Justice ne compta plus que sur l'assistance de l'Église au dernier moment. Les des Vanneaulx étaient allés maintes fois chez l'abbé Pascal, l'aumônier de la prison. Cet abbé ne manquait pas du talent particulier nécessaire pour se faire écouter des prisonniers, il affronta religieusement les transports de Tascheron, il essaya de lancer quelques paroles à travers les orages de cette puissante nature en convulsion. Mais la lutte de cette paternité spirituelle avec l'ouragan de ces passions déchaînées, abattit et lassa le pauvre abbé Pascal. « Cet homme a trouvé son paradis ici-bas », disait ce vieillard d'une voix douce. La petite madame des Vanneaulx consulta ses amies pour savoir si elle devait hasarder une démarche auprès du criminel. Le sieur des Vanneaulx parla de transactions. Dans son désespoir, il alla proposer à monsieur de Grandville de demander la grâce de l'assassin de son oncle, si cet assassin restituait les cent mille francs. L'Avocat-général répondit que la majesté royale ne descendait point à de tels compromis. Les des Vanneaulx se tournèrent vers l'avocat de Tascheron, auquel ils offrirent dix pour cent de la somme s'il parvenait à la faire recouvrer. L'avocat était le seul homme à la vue duquel Tascheron ne s'emportait pas ; les héritiers l'autorisèrent à offrir dix autres pour cent au criminel, et dont il disposerait en faveur de sa famille. Malgré les incisions que ces castors pratiquaient sur leur héritage et malgré son éloquence, l'avocat ne put rien obtenir de son client. Les des Vanneaulx furieux maudirent et anathématisèrent le condamné. « Non seulement il est assassin, mais il est encore sans délicatesse ! s'écria sérieusement des Vanneaulx sans connaître la fameuse complainte Fualdès, en apprenant l'insuccès de l'abbé Pascal et voyant tout perdu par le rejet probable du pourvoi en cassation. À quoi lui servira notre fortune, là où il va ? Un assassinat, cela se conçoit, mais un vol inutile est inconcevable. Dans quel temps vivons-nous, pour que des gens de la société s'intéressent à un pareil brigand ? il n'a rien pour lui. – Il a peu d'honneur, disait madame des Vanneaulx. – Cependant si la restitution compromet sa bonne amie ? disait une vieille fille. – Nous lui garderions le secret, s'écriait le sieur des Vanneaulx. – Vous seriez coupable de non révélation, répondait un avocat. – Oh ! le gueux ! » fut la conclusion du sieur des Vanneaulx.

Une des femmes de la société de madame Graslin, qui lui rapportait en riant les discussions des des Vanneaulx, femme très spirituelle, une de celles qui rêvent le beau idéal et veulent que tout soit complet, regrettait la fureur du condamné ; elle l'aurait voulu froid, calme, digne. « – Ne voyez-vous pas, lui dit Véronique, qu'il écarte ainsi les séductions et déjoue les tentatives, il s'est fait bête féroce par calcul. – D'ailleurs, ce n'est pas un homme comme il faut, reprit la Parisienne exilée, c'est un ouvrier. – Un homme comme il faut en eût bientôt fini avec l'inconnue ! » répondit madame Graslin.

Ces événements, pressés, tordus dans les salons, dans les ménages, commentés de mille manières, épluchés par les plus habiles langues de la ville, donnèrent un cruel intérêt à l'exécution du criminel, dont le pourvoi fut, deux mois après, rejeté par la Cour suprême. Quelle serait à ses derniers moments l'attitude du criminel, qui se vantait de rendre son supplice impossible en annonçant une défense désespérée ? Parlerait-il ? se démentirait-il ? qui gagnerait le pari ? Irez-vous ? n'irez-vous pas ? comment y aller ? La disposition des localités, qui épargne aux criminels les angoisses d'un long trajet, restreint à Limoges le nombre des spectateurs élégants. Le Palais-de-Justice où est la prison occupe l'angle de la rue du Palais et de la rue du Pont-Hérisson. La rue du Palais est continuée en droite ligne par la courte rue de Honte-à-Regret qui conduit à la place d'Aîne ou des Arènes où se font les exécutions, et qui sans doute doit son nom à cette circonstance. Il y a donc peu de chemin, conséquemment peu de maisons, peu de fenêtres. Quelle personne de la société voudrait d'ailleurs se mêler à la foule populaire qui remplirait la place ? Mais cette exécution, de jour en jour attendue, fut de jour en jour remise, au grand étonnement de la ville, et voici pourquoi. La pieuse résignation des grands scélérats qui marchent à la mort est un des triomphes que se réserve l'Église, et qui manque rarement son effet sur la foule ; leur repentir atteste trop la puissance des idées religieuses pour que, tout intérêt chrétien mis à part, bien qu'il soit la principale vue de l'Église, le clergé ne soit pas navré de l'insuccès dans ces éclatantes occasions. En juillet 1829, la circonstance fut aggravée par l'esprit de parti qui envenimait les plus petits détails de la vie politique. Le parti libéral se réjouissait de voir échouer dans une scène si publique le parti-Prêtre, expression inventée par Montlosier, royaliste passé aux constitutionnels et entraîné par eux au-delà de ses intentions. Les partis commettent en masse des actions infâmes qui couvriraient un homme d'opprobre ; aussi, quand un homme les résume aux yeux de la foule, devient-il Robespierre, Jeffries, Laubardemont, espèces d'autels expiatoires où tous les complices attachent des *ex-voto* secrets. D'accord avec l'Évêché, le Parquet retarda l'exécution, autant dans l'espérance de savoir ce que la Justice ignorait du crime, que pour laisser la Religion triompher en cette circonstance. Cependant le pouvoir du Parquet n'était pas sans limites, et l'arrêt devait tôt ou tard s'exécuter. Les mêmes Libéraux qui, par opposition, considéraient Tascheron comme innocent et qui avaient tenté de battre en brèche l'arrêt de la Justice, murmuraient alors de ce que cet arrêt ne recevait pas son exécution. L'Opposition, quand elle est systématique, arrive à de semblables non-sens ; car il ne s'agit pas pour elle d'avoir raison, mais de toujours fronder le pouvoir. Le Parquet eut donc, vers les premiers jours d'août, la main forcée par cette rumeur si souvent stupide, appelée l'Opinion publique. L'exécution fut annoncée. Dans cette extrémité, l'abbé Dutheil prit sur lui de proposer à l'Évêque un dernier parti dont la réussite devait avoir pour effet d'introduire dans ce drame judiciaire le personnage extraordinaire qui servit de lien à tous les autres, qui se trouve la plus grande de toutes les figures de cette Scène, et, qui, par des voies familières à la Providence, devait amener madame Graslin sur le théâtre où ses vertus brillèrent du plus vif éclat, où elle se montra bienfaitrice sublime et chrétienne angélique.

Le palais épiscopal de Limoges est assis sur une colline qui borde la Vienne, et ses jardins, que soutiennent de fortes murailles couronnées de balustrades, descendent par étages en obéissant aux chutes naturelles du terrain. L'élévation de cette colline est telle, que, sur la rive opposée, le faubourg Saint-Étienne semble couché au pied de la dernière terrasse. De là, selon la direction que prennent les promeneurs, la rivière se découvre, soit en enfilade, soit en travers, au milieu d'un riche panorama. Vers l'ouest, après les jardins de l'évêché, la Vienne se jette sur la ville par une élégante courbure que borde le faubourg Saint-Martial. Au-delà de ce faubourg, à une faible distance, est une jolie maison de campagne, appelée le Cluzeau, dont les massifs se voient des terrasses les plus avancées, et qui, par un effet de la perspective, se marient aux clochers du faubourg. En face du Cluzeau se trouve cette île échancrée, pleine d'arbres et de peupliers, que Véronique avait dans sa première jeunesse nommée l'Île-de-France. À l'est, le lointain est occupé par des collines en amphithéâtre. La magie du site et la riche simplicité du bâtiment font de ce palais le monument le plus remarquable de cette ville où les constructions ne brillent ni par le choix des matériaux ni par l'architecture. Familiarisé depuis longtemps avec les aspects qui recommandent ces jardins à l'attention des faiseurs de Voyages Pittoresques, l'abbé Dutheil, qui se fit accompagner de monsieur de Grancour, descendit de terrasse en terrasse sans faire attention aux couleurs rouges, aux tons orangés, aux teintes violâtres que le couchant jetait sur les vieilles murailles et sur les balustrades des rampes, sur les maisons du faubourg et sur les eaux de la rivière. Il cherchait l'Évêque, alors assis à l'angle de sa dernière terrasse sous un berceau de vigne, où il était venu prendre son dessert en s'abandonnant aux charmes de la soirée. Les peupliers de l'île semblaient en ce moment diviser les eaux avec les ombres allongées de leurs têtes déjà jaunies, auxquelles le soleil donnait l'apparence d'un feuillage d'or. Les lueurs du couchant diversement réfléchies par les masses de différents verts produisaient un magnifique mélangé de tons pleins de mélancolie. Au fond de cette vallée, une nappe de bouillons pailletés frissonnait dans la Vienne sous la légère brise du soir, et faisait ressortir les plans bruns que présentaient les toits du faubourg Saint-Étienne. Les clochers et les faîtes du faubourg Saint-Martial, baignés de lumière, se mêlaient au pampre des treilles. Le doux murmure d'une ville de province à demi cachée dans l'arc rentrant de la rivière, la douceur de l'air, tout contribuait à plonger le prélat dans la quiétude exigée par tous les auteurs qui ont écrit sur la digestion ; ses yeux étaient machinalement attachés sur la rive droite de la rivière, à l'endroit où les grandes ombres des peupliers de l'île y atteignaient, du côté du faubourg Saint-Étienne, les murs du clos où le double meurtre du vieux Pingret et de sa servante avait été commis ; mais quand sa petite félicité du moment fut troublée par les difficultés que ses Grands-vicaires lui rappelèrent, ses regards s'emplirent de pensées impénétrables. Les deux prêtres attribuèrent cette distraction à l'ennui, tandis qu'au contraire le prélat voyait dans les sables de la Vienne le mot de l'énigme alors cherché par les des Vanneaulx et par la Justice.

– Monseigneur, dit l'abbé de Grancour en abordant l'évêque, tout est inutile, et nous aurons la douleur de voir mourir ce malheureux Tascheron en impie, il vociférera les plus horribles imprécations contre la religion, il accablera d'injures le pauvre abbé Pascal, il crachera sur le crucifix, il reniera tout, même l'enfer.

— Il épouvantera le peuple, dit l'abbé Dutheil. Ce grand scandale et l'horreur qu'il inspirera cacheront notre défaite et notre impuissance. Aussi disais-je en venant, à monsieur de Grancour, que ce spectacle rejettera plus d'un pécheur dans le sein de l'Église.

Troublé par ces paroles, l'évêque posa sur une table de bois rustique la grappe de raisin où il picorait et s'essuya les doigts en faisant signe de s'asseoir à ses deux Grands-vicaires.

— L'abbé Pascal s'y est mal pris, dit-il enfin.

— Il est malade de sa dernière scène à la prison, dit l'abbé de Grancour. Sans son indisposition, nous l'eussions amené pour expliquer les difficultés qui rendent impossibles toutes les tentatives que monseigneur ordonnerait de faire.

— Le condamné chante à tue-tête des chansons obscènes aussitôt qu'il aperçoit l'un de nous, et couvre de sa voix les paroles qu'on veut lui faire entendre, dit un jeune prêtre assis auprès de l'Évêque.

Ce jeune homme doué d'une charmante physionomie tenait son bras droit accoudé sur la table, sa main blanche tombait nonchalamment sur les grappes de raisin parmi lesquelles il choisissait les grains les plus roux, avec l'aisance et la familiarité d'un commensal ou d'un favori. À la fois commensal et favori du prélat, ce jeune homme était le frère cadet du baron de Rastignac, que des liens de famille et d'affection attachaient à l'évêque de Limoges. Au fait des raisons de fortune qui vouaient ce jeune homme à l'Église, l'Évêque l'avait pris comme secrétaire particulier, pour lui donner le temps d'attendre une occasion d'avancement. L'abbé Gabriel portait un nom qui le destinait aux plus hautes dignités de l'Église.

— Y es-tu donc allé, mon fils ? lui dit l'évêque.

— Oui, monseigneur, dès que je me suis montré, ce malheureux a vomi contre vous et moi les plus dégoûtantes injures, il se conduit de manière à rendre impossible la présence d'un prêtre auprès de lui. Monseigneur veut-il me permettre de lui donner un conseil ?

— Écoutons la sagesse que Dieu met quelquefois dans la bouche des enfants, dit l'Évêque en souriant.

– N'a-t-il pas fait parler l'ânesse de Balaam ? répondit vivement le jeune abbé de Rastignac.

– Selon certains commentateurs, elle n'a pas trop su ce qu'elle disait, répliqua l'Évêque en riant.

Les deux Grands-vicaires sourirent ; d'abord la plaisanterie était de monseigneur, puis elle raillait doucement le jeune abbé que jalousaient les dignitaires et les ambitieux groupés autour du prélat.

– Mon avis, dit le jeune abbé, serait de prier monsieur de Grandville de surseoir encore à l'exécution. Quand le condamné saura qu'il doit quelques jours de retard à notre intercession, il feindra peut-être de nous écouter, et s'il nous écoute...

– Il persistera dans sa conduite en voyant les bénéfices qu'elle lui donne, dit l'Évêque en interrompant son favori. Messieurs, reprit-il après un moment de silence, la ville connaît-elle ces détails ?

– Quelle est la maison où l'on n'en parle pas ? dit l'abbé de Grancour. L'état où son dernier effort a mis le bon abbé Pascal est en ce moment le sujet de toutes les conversations.

– Quand Tascheron doit-il être exécuté ? demanda l'Évêque.

– Demain, jour de marché, répondit monsieur de Grancour.

– Messieurs, la religion ne saurait avoir le dessous, s'écria l'Évêque. Plus l'attention est excitée par cette affaire, plus je tiens à obtenir un triomphe éclatant. L'Église se trouve en des conjonctures difficiles. Nous sommes obligés à faire des miracles dans une ville industrielle où l'esprit de sédition contre les doctrines religieuses et monarchiques a poussé des racines profondes, où le système d'examen né du protestantisme et qui s'appelle aujourd'hui libéralisme, quitte à prendre demain un autre nom, s'étend à toutes choses. Allez, messieurs, chez monsieur de Grandville, il est tout à nous, dites-lui que nous réclamons un sursis de quelques jours. J'irai voir ce malheureux.

– Vous ! monseigneur, dit l'abbé de Rastignac. Si vous échouez, n'aurez-vous pas compromis trop de choses. Vous ne devez y aller que sûr du succès.

– Si monseigneur me permet de donner mon opinion, dit l'abbé Dutheil, je crois pouvoir offrir un moyen d'assurer le triomphe de la religion en cette triste circonstance.

Le prélat répondit par un signe d'assentiment un peu froid qui montrait combien le Vicaire-général avait peu de crédit.

– Si quelqu'un peut avoir de l'empire sur cette âme rebelle et la ramener à Dieu, dit l'abbé Dutheil en continuant, c'est le curé du village où il est né, monsieur Bonnet.

– Un de vos protégés, dit l'évêque.

– Monseigneur, monsieur le curé Bonnet est un de ces hommes qui se protègent eux-mêmes et par leurs vertus militantes et par leurs travaux évangéliques.

Cette réponse si modeste et si simple fut accueillie par un silence qui eût gêné tout autre que l'abbé Dutheil ; elle parlait des gens méconnus, et les trois prêtres voulurent y voir un de ces humbles, mais irréprochables sarcasmes habilement limés qui distinguent les ecclésiastiques habitués, en disant ce qu'ils veulent dire, à observer les règles les plus sévères. Il n'en était rien, l'abbé Dutheil ne songeait jamais à lui.

– J'entends parler de saint Aristide depuis trop de temps, répondit en souriant l'Évêque. Si je laissais cette lumière sous le boisseau, il y aurait de ma part ou injustice ou prévention. Vos Libéraux vantent votre monsieur Bonnet comme s'il appartenait à leur parti, je veux juger moi-même cet apôtre rural. Allez, messieurs, chez le Procureur-général demander de ma part un sursis, j'attendrai sa réponse avant d'envoyer à Montégnac notre cher abbé Gabriel qui nous ramènera ce saint homme. Nous mettrons Sa Béatitude à même de faire des miracles.

En entendant ce propos de prélat gentilhomme, l'abbé Dutheil rougit, mais il ne voulut pas relever ce qu'il offrait de désobligeant pour lui. Les deux Grands-vicaires saluèrent en silence et laissèrent l'Évêque avec son favori.

– Les secrets de la confession que nous sollicitons sont sans doute enterrés là, dit l'Évêque à son jeune abbé en lui montrant les ombres des peupliers qui atteignaient une maison isolée, sise entre l'île et le faubourg Saint-Étienne.

– Je l'ai toujours pensé, répondit Gabriel. Je ne suis pas juge, je ne veux pas être espion ; mais si j'eusse été magistrat, je saurais le nom de la femme qui tremble à tout bruit, à toute parole, et dont néanmoins le front doit rester calme et pur, sous peine d'accompagner à l'échafaud le condamné. Elle n'a cependant rien à craindre : j'ai vu l'homme, il emportera dans l'ombre le secret de ses ardentes amours.

– Petit rusé, dit l'Évêque en tortillant l'oreille de son secrétaire et en lui désignant entre l'île et le faubourg Saint-Étienne l'espace qu'une dernière flamme rouge du couchant illuminait et sur lequel les yeux du jeune prêtre étaient fixés. La Justice aurait dû fouiller là, n'est-ce pas ?...

– Je suis allé voir ce criminel pour essayer sur lui l'effet de mes soupçons ; mais il est gardé par des espions : en parlant haut, j'eusse compromis la personne pour laquelle il meurt.

– Taisons-nous, dit l'Évêque, nous ne sommes pas les hommes de la Justice humaine. C'est assez d'une tête. D'ailleurs, ce secret reviendra tôt ou tard à l'Église.

La perspicacité que l'habitude des méditations donne aux prêtres, était bien supérieure à celle du Parquet et de la Police. À force de contempler du haut de leurs terrasses le théâtre du crime, le prélat et son secrétaire avaient, à la vérité, fini par pénétrer des détails encore ignorés, malgré les investigations de l'Instruction, et les débats de la Cour d'assises. Monsieur de Grandville jouait au whist chez madame Graslin, il fallut attendre son retour, sa décision ne fut connue à l'Évêché que vers minuit. L'abbé Gabriel, à qui l'évêque donna sa voiture, partit vers deux heures du matin pour Montégnac. Ce pays, distant d'environ neuf lieues de la ville, est situé dans cette partie du Limousin qui longe les montagnes de la Corrèze et avoisine la Creuse. Le jeune abbé laissa donc Limoges en proie à toutes les passions soulevées par le spectacle promis pour le lendemain, et qui devait encore manquer.

III

Le curé de Montégnac

Les prêtres et les dévots ont une tendance à observer, en fait d'intérêt, les rigueurs légales. Est-ce pauvreté ? est-ce un effet de l'égoïsme auquel les condamne leur isolement et qui favorise en eux la pente de l'homme à l'avarice ? est-ce un calcul de la parcimonie commandée par l'exercice de la Charité ? Chaque caractère offre une explication différente. Cachée souvent sous une bonhomie gracieuse, souvent aussi sans détours, cette difficulté de fouiller à sa poche se trahit surtout en voyage. Gabriel de Rastignac, le plus joli jeune homme que depuis longtemps les autels eussent vu s'incliner sous leurs tabernacles, ne donnait que trente sous de pourboire aux postillons, il allait donc lentement. Les postillons mènent fort respectueusement les évêques qui ne font que doubler le salaire accordé par l'ordonnance, mais ils ne causent aucun dommage à la voiture épiscopale de peur d'encourir quelque disgrâce. L'abbé Gabriel, qui voyageait seul pour la première fois, disait d'une voix douce à chaque relais : « – Allez donc plus vite, messieurs les postillons. – Nous ne jouons du fouet, lui répondit un vieux postillon, que si les voyageurs jouent du pouce ! » Le jeune abbé s'enfonça dans le coin de la voiture sans pouvoir s'expliquer cette réponse. Pour se distraire, il étudia le pays qu'il traversait, et fit à pied plusieurs des côtes sur lesquelles serpente la route de Bordeaux à Lyon.

À cinq lieues au-delà de Limoges, après les gracieux versants de la Vienne et les jolies prairies en pente du Limousin qui rappellent la Suisse en quelques endroits, et particulièrement à Saint-Léonard, le pays prend un aspect triste et mélancolique. Il se trouve alors de vastes plaines incultes, des steppes sans herbe ni chevaux, mais bordés à l'horizon par les hauteurs de la Corrèze. Ces montagnes n'offrent aux yeux du voyageur ni l'élévation à pied droit des Alpes et leurs sublimes déchirures, ni les gorges chaudes et les cimes désolées de l'Apennin, ni le grandiose des Pyrénées ; leurs ondulations, dues au mouvement des eaux, accusent l'apaisement de la grande catastrophe et le calme avec lequel les masses fluides se sont retirées. Cette physionomie, commune à la plupart des mouvements de terrain en France, a peut-être contribué autant que le climat à lui mériter le nom de douce que l'Europe lui a confirmé. Si cette plate transition, entre les paysages du Limousin, ceux de la Marche et ceux de l'Auvergne, présente au penseur et au poète qui passent les images de l'infini, l'effroi de quelques âmes ; si elle pousse à la rêverie la femme qui s'ennuie en voiture ; pour l'habitant, cette nature est âpre, sauvage et sans ressources. Le sol de ces grandes plaines grises est ingrat. Le voisinage d'une capitale pourrait seul y renouveler le miracle qui s'est opéré dans la Brie pendant les deux derniers siècles. Mais là, manquent ces grandes résidences qui parfois vivifient ces déserts où l'agronome voit des lacunes, où la civilisation gémit, où le touriste ne trouve ni auberge ni ce qui le charme, le pittoresque. Les esprits élevés ne haïssent pas ces landes, ombres nécessaires dans le vaste tableau de la Nature. Récemment Cooper, ce talent si mélancolique, a magnifiquement développé la poésie de ces solitudes dans *la Prairie*. Ces espaces oubliés par la génération botanique, et que couvrent d'infertiles débris minéraux, des cailloux roulés, des terres mortes sont des défis portés à la Civilisation. La France doit accepter la solution de ces difficultés, comme les Anglais celles offertes par l'Écosse où leur patiente, leur héroïque agriculture a changé les plus arides bruyères en fermes productives. Laissées à leur sauvage et primitif état, ces jachères sociales engendrent le découragement, la paresse, la faiblesse par défaut de nourriture, et le crime quand les besoins parlent trop haut. Ce peu de mots est l'histoire ancienne de Montégnac. Que faire dans une vaste friche négligée par l'Administration, abandonnée par la Noblesse, maudite par l'Industrie ? la guerre à la société qui méconnaît ses devoirs. Aussi les habitants de Montégnac subsistaient-ils autrefois par le vol et par l'assassinat, comme jadis les Écossais des hautes terres. À l'aspect du pays, un penseur conçoit bien comment, vingt ans auparavant, les habitants de ce village étaient en guerre avec la Société. Ce grand plateau, taillé d'un côté par la vallée de la Vienne, de l'autre par les jolis vallons de la Marche, puis par l'Auvergne, et barré par les monts corréziens, ressemble, agriculture à part, au plateau de la Beauce que sépare le bassin de la Loire du bassin de la Seine, à ceux de la Touraine et du Berry, à tant d'autres qui sont comme des facettes à la surface de la France, et assez nombreuses pour occuper les médiations des plus grands administrateurs. Il est inouï qu'on se plaigne de l'ascension constante des masses populaires vers les hauteurs sociales, et qu'un gouvernement n'y trouve pas de remède, dans un pays où la Statistique accuse plusieurs millions d'hectares en jachère dont certaines parties offrent, comme en Berry, sept ou huit pieds d'humus. Beaucoup de ces terrains, qui nourriraient des villages entiers, qui produiraient immensément, appartiennent à des Communes rétives, lesquelles refusent de les vendre aux spéculateurs pour conserver le droit d'y faire paître une centaine de vaches. Sur tous ces terrains sans destinations est écrit le mot *incapacité*. Toute terre a quelque fertilité spéciale. Ce n'est ni les bras, ni les volontés qui manquent, mais la conscience et le talent administratifs. En France, jusqu'à présent, ces plateaux ont été sacrifiés aux vallées, le gouvernement a donné ses secours, a porté ses soins là où les intérêts se protégeaient d'eux-mêmes. La plupart de ces malheureuses solitudes manquent d'eau, premier principe de toute production. Les brouillards qui pouvaient féconder ces terres grises et mortes en y déchargeant leurs oxydes, les rasent rapidement, emportés par le vent, faute d'arbres qui, partout ailleurs, les arrêtent et y pompent des substances nourricières. Sur plusieurs points semblables, planter, ce serait évangéliser. Séparés de la grande ville la plus proche par une distance infranchissable pour des gens pauvres, et qui mettait un désert entre elle et eux, n'ayant aucun débouché pour leurs produits s'ils eussent produit quelque chose jetés auprès d'une forêt inexploitée qui leur donnait du bois et l'incertaine nourriture du braconnage, les habitants étaient talonnés par la faim pendant l'hiver. Les terres n'offrant pas le fond nécessaire à la culture du blé, les malheureux n'avaient ni bestiaux, ni ustensiles aratoires, ils vivaient de châtaignes. Enfin, ceux qui, en embrassant dans un muséum l'ensemble des productions zoologiques, ont subi l'indicible mélancolie que cause l'aspect des couleurs brunes qui marquent les produits de l'Europe, comprendront peut-être combien la vue de ces plaines grisâtres doit influer sur les dispositions morales par la désolante pensée de l'infécondité qu'elles présentent incessamment. Il n'y a là ni fraîcheur, ni ombrage, ni contraste, aucune des idées, aucun des spectacles qui réjouissent le cœur. On y embrasserait un méchant pommier rabougri comme un ami.

Une route départementale, récemment faite, enfilait cette plaine à un point de bifurcation sur la grande route. Après quelques lieues, se trouvait au pied d'une colline, comme son nom l'indiquait,

Montégnac, chef-lieu d'un canton où commence un des arron-dissements de la Haute-Vienne. La colline dépend de Montégnac qui réunit dans sa circonscription la nature montagnarde et la nature des plaines. Cette Commune est une petite Écosse avec ses basses et ses hautes terres. Derrière la colline, au pied de laquelle gît le bourg, s'élève à une lieue environ un premier pic de la chaîne corrézienne. Dans cet espace s'étale la grande forêt dite de Montégnac, qui prend à la colline de Montégnac, la descend, remplit les vallons et les coteaux arides, pelés par grandes places, embrasse le pic et arrive jusqu'à la route d'Aubusson par une langue dont la pointe meurt sur un escarpement de ce chemin. L'escarpement domine une gorge par où passe la grande route de Bordeaux à Lyon. Souvent les voitures, les voyageurs, les piétons avaient été arrêtés au fond de cette gorge dangereuse par des voleurs dont les coups de main demeuraient impunis : le site les favorisait, ils gagnaient, par des sentiers à eux connus, les parties inaccessibles de la forêt. Un pareil pays offrait peu de prise aux investigations de la Justice. Personne n'y passait. Sans circulation, il ne saurait exister ni commerce, ni industrie, ni échange d'idées, aucune espèce de richesse : les merveilles physiques de la civilisation sont toujours le résultat d'idées primitives appliquées. La pensée est constamment le point de départ et le point d'arrivée de toute société. L'histoire de Montégnac est une preuve de cet axiome de science sociale. Quand l'administration put s'occuper des besoins urgents et matériels du pays, elle rasa cette langue de forêt, y mit un poste de gendarmerie qui accompagna la correspondance sur les deux relais : mais, à la honte de la gendarmerie, ce fut la parole et non le glaive, le curé Bonnet et non le brigadier Chervin qui gagna cette bataille civile, en changeant le moral de la population. Ce curé, saisi pour ce pauvre pays d'une tendresse religieuse, tenta de le régénérer, et parvint à son but.

Après avoir voyagé durant une heure dans ces plaines, alternativement caillouteuses et poudreuses, où les perdrix allaient en paix par compagnies, et faisaient entendre le bruit sourd et pesant de leurs ailes en s'envolant à l'approche de la voiture, l'abbé Gabriel, comme tous les voyageurs qui ont passé par là, vit poindre avec un certain plaisir les toits du bourg. À l'entrée de Montégnac est un de ces curieux relais de poste qui ne se voient qu'en France. Son indication consiste en une planche de chêne sur laquelle un prétentieux postillon a gravé ces mots : *Pauste o chevos*, noircis à l'encre, et attachée par quatre clous au-dessus d'une misérable écurie sans aucun cheval. La porte, presque toujours ouverte, a pour seuil une planche enfoncée sur champ, pour garantir des inondations pluviales le sol de l'écurie, plus bas que celui du chemin. Le désolé voyageur aperçoit des harnais blancs, usés, raccommodés, près de céder au premier effort des chevaux. Les chevaux sont au labour, au pré, toujours ailleurs que dans l'écurie. Si par hasard ils sont dans l'écurie, ils mangent ; s'ils ont mangé, le postillon est chez sa tante ou chez sa cousine, il rentre des foins, ou il dort ; personne ne sait où il est, il faut attendre qu'on soit allé le chercher, il ne vient qu'après avoir fini sa besogne ; quand il est arrivé, il se passe un temps infini avant qu'il n'ait trouvé une veste, son fouet, ou bricolé ses chevaux. Sur le pas de la maison, une bonne grosse femme s'impatiente plus que le voyageur et, pour l'empêcher d'éclater, se donne plus de mouvement que ne s'en donneront les chevaux. Elle vous représente la maîtresse de poste dont le mari est aux champs. Le favori de monseigneur laissa sa voiture devant une écurie de ce genre, dont les murs ressemblaient à une carte de géographie, et dont la toiture en chaume, fleurie comme un parterre, cédait sous le poids des joubarbes. Après avoir prié la maîtresse de tout préparer pour son départ qui aurait lieu dans une heure, il demanda le chemin du presbytère ; la bonne femme lui montra entre deux maisons une ruelle qui menait à l'église, le presbytère était auprès.

Pendant que le jeune abbé montait ce sentier plein de pierres et encaissé par des haies, la maîtresse de poste questionnait le postillon. Depuis Limoges, chaque postillon arrivant avait dit à son confrère partant les conjectures de l'Évêché promulguées par le postillon de la capitale. Ainsi, tandis qu'à Limoges les habitants se levaient en s'entretenant de l'exécution de l'assassin du père Pingret, sur toute la route, les gens de la campagne annonçaient la grâce de l'innocent obtenue par l'Évêque, et jasaient sur les prétendues erreurs de la justice humaine. Quand plus tard Jean-François serait exécuté, peut-être devait-il être regardé comme un martyr.

Après avoir fait quelques pas en gravissant ce sentier rougi par les feuilles de l'automne, noir de mûrons et de prunelles, l'abbé Gabriel se retourna par le mouvement machinal qui nous porte tous à prendre connaissance des lieux où nous allons pour la première fois, espèce de curiosité physique innée que partagent les chevaux et les chiens. La situation de Montégnac lui fut expliquée par quelques sources qu'épanche la colline et par une petite rivière le long de laquelle passe la route départementale qui lie le chef-lieu de l'Arrondissement à la Préfecture. Comme tous les villages de ce plateau, Montégnac est bâti en terre séchée au soleil, et façonnée en carrés égaux. Après un incendie, une habitation peut se trouver construite en briques. Les toits sont en chaume. Tout y annonçait alors l'indigence. En avant de Montégnac, s'étendaient plusieurs champs de seigle, de raves et de pommes de terre, conquis sur la plaine. Au penchant de la colline, il vit quelques prairies à irrigations où l'on élève ces célèbres chevaux limousins, qui furent, dit-on, un legs des Arabes quand ils descendirent des Pyrénées en France, pour expirer entre Poitiers et Tours sous la hache des Francs que commandait Charles Martel. L'aspect des hauteurs avait de la sécheresse. Des places brûlées, rougeâtres, ardentes, indiquaient la terre aride où se plaît le châtaignier. Les eaux, soigneusement appliquées aux irrigations, ne vivifiaient que les prairies bordées de châtaigniers, entourées de haies où croissait cette herbe fine et rare, courte et quasi sucrée qui produit cette race de chevaux fiers et délicats, sans grande résistance à la fatigue, mais brillants, excellents aux lieux où ils naissent, et sujets à changer par leur transplantation. Quelques mûriers récemment apportés indiquaient l'intention de cultiver la soie. Comme la plupart des villages du monde, Montégnac n'avait qu'une seule rue, par où passait la route. Mais il y avait un haut et un bas Montégnac, divisés chacun par des ruelles tombant à angle droit sur la rue. Une rangée de maisons assises sur la croupe de la colline, présentait le gai spectacle de jardins étagés ; leur entrée sur la rue nécessitait plusieurs degrés ; les unes avaient leurs escaliers en terre, d'autres en cailloux, et, de ci de là, quelques vieilles femmes, assises filant ou gardant les enfants, animaient la scène, entretenaient la conversation entre le haut et le bas Montégnac en se parlant à travers la rue ordinairement paisible, et se renvoyaient assez rapidement les nouvelles d'un bout à l'autre du bourg. Les jardins, pleins d'arbres fruitiers, de choux, d'oignons, de légumes, avaient tous des ruches le long de leurs terrasses. Puis une autre rangée de maisons à jardins inclinés sur la rivière, dont le cours était marqué par de magnifiques chènevières et par ceux d'entre les arbres fruitiers qui aiment les terres humides, s'étendait parallèlement ; quelques-unes, comme celle de la poste, se trouvaient dans un creux et favorisaient ainsi l'industrie de quelques tisserands ; presque toutes étaient ombragées par des noyers, l'arbre des terres fortes. De ce côté, dans le bout opposé à celui de la grande plaine, était une habitation plus vaste et plus soignée que les autres, autour de laquelle se groupaient d'autres maisons également bien tenues. Ce hameau, séparé du bourg par ses jardins, s'appelait déjà LES TASCHERONS, nom qu'il conserve aujourd'hui. La Commune était peu de chose par elle-même ; mais il en dépendait une trentaine de métairies éparses. Dans la vallée, vers la rivière, quelques *traînes* semblables à celles de la Marche et du Berry, indiquaient les cours d'eau, dessinaient leurs franges vertes autour de cette commune, jetée là comme un vaisseau en pleine mer. Quand une maison, une terre, un village, un pays, ont passé d'un état déplorable à un état satisfaisant, sans être encore ni splendide ni même riche, la vie semble si naturelle aux êtres vivants, qu'au premier abord, le spectateur ne peut jamais deviner les efforts immenses, infinis de petitesse, grandioses de persistance, le travail enterré dans les fondations, les labours oubliés sur lesquels reposent les premiers changements. Aussi ce spectacle ne parut-il pas extraordinaire au jeune abbé quand il embrassa par un coup d'œil ce gracieux paysage. Il ignorait l'état de ce pays avant l'arrivée du curé Bonnet. Il fit quelques pas de plus en montant le sentier, et revit bientôt, à une centaine de toises au-dessus des jardins dépendant des maisons du Haut-Montégnac, l'église et le presbytère, qu'il avait aperçus les premiers de loin, confusément mêlés aux ruines imposantes et enveloppées par des plantes grimpantes du vieux castel de Montégnac, une des résidences de la maison de Navarreins au douzième siècle. Le presbytère, maison sans doute primitivement bâtie pour un garde principal ou pour un intendant, s'annonçait par une longue et haute terrasse plantée de tilleuls, d'ou la vue planait sur le pays. L'escalier de cette terrasse et les murs qui la soutenaient étaient d'une ancienneté constatée par les ravages du temps. Les pierres de l'escalier, déplacées par la force imperceptible mais continue de la végétation, laissaient passer de hautes herbes et des plantes sauvages. La mousse plate qui s'attache aux pierres avait appliqué son tapis vert dragon sur la hauteur de chaque marche. Les nombreuses familles des pariétaires, la camomille, les cheveux de Vénus sortaient par touffes abondantes et variées entre les barbacanes de la muraille, lézardée malgré son épaisseur. La botanique y avait jeté la plus élégante tapisserie de fougères découpées, de gueules-de-loup violacées à pistils d'or, de vipérines bleues, de cryptogames bruns, si bien que la pierre semblait être un accessoire, et trouait cette fraîche tapisserie à de rares intervalles. Sur cette terrasse, le buis dessinait les figures géométriques d'un jardin d'agrément, encadré par la maison du curé, au-dessus de laquelle le roc formait une marge blanchâtre ornée d'arbres souffrants, et penchés comme un plumage. Les ruines du château dominaient et cette maison et l'église. Ce presbytère, construit en cailloux et en mortier, avait un étage surmonté d'un énorme toit en pente à deux pignons, sous lequel s'étendaient des greniers sans doute vides, vu le délabrement des lucarnes. Le rez-de-chaussée se composait de deux chambres séparées par un corridor, au fond duquel était un escalier de bois par lequel on montait au premier étage, également composé de deux chambres. Une petite cuisine était adossée à ce bâtiment du côté de la cour où se voyaient une écurie et une étable parfaitement désertes, inutiles, abandonnées. Le jardin potager séparait la maison de l'église. Une galerie en ruine allait du presbytère à la sacristie. Quand le jeune abbé vit les quatre croisées à vitrages en plomb, les murs bruns et moussus, la porte de ce presbytère en bois brut fendillé comme un paquet d'allumettes, loin d'être saisi par l'adorable naïveté de ces détails, par la grâce des végétations qui garnissaient les toits, les appuis en bois pourri des fenêtres, et les lézardes d'où s'échappaient de folles plantes grimpantes, par les cordons de vignes dont les pampres vrillés et les grappillons entraient par les fenêtres comme pour y apporter de riantes idées, il se trouva très heureux d'être évêque en perspective, plutôt que curé de village. Cette maison toujours ouverte semblait appartenir à tous. L'abbé Gabriel entra dans la salle qui communiquait avec la cuisine, et y vit un pauvre mobilier : une table à quatre colonnes torses en vieux chêne, un fauteuil en tapisserie, des chaises tout en bois, un vieux bahut pour buffet. Personne dans la cuisine, excepté un chat qui révélait une femme au logis. L'autre pièce servait de salon. En y jetant un coup d'œil, le jeune prêtre aperçut des fauteuils en bois naturel et couverts en tapisserie. La boiserie et les solives du plafond étaient en châtaignier et d'un noir d'ébène. Il y avait une horloge dans une caisse verte à fleurs peintes, une table ornée d'un tapis vert usé, quelques chaises, et sur la cheminée deux flambeaux entre lesquels était un enfant Jésus en cire, sous sa cage de verre. La cheminée, revêtue de bois à moulures grossières, était cachée par un devant en papier dont le sujet représentait le bon Pasteur avec sa brebis sur l'épaule, sans doute le cadeau par lequel la fille du maire ou du juge de paix avait voulu reconnaître les soins donnés à son éducation. Le piteux état de la maison faisait peine à voir : les murs, jadis blanchis à la chaux, étaient décolorés par places, teints à hauteur d'homme par des frottements ; l'escalier à gros balustres et à marches en bois, quoique proprement tenu, paraissait devoir trembler sous le pied. Au fond, en face de la porte d'entrée, une autre porte ouverte donnant sur le jardin potager permit à l'abbé de Rastignac de mesurer le peu de largeur de ce jardin, encaissé comme par un mur de fortification taillé dans la pierre blanchâtre et friable de la montagne que tapissaient de riches espaliers, de longues treilles mal entretenues et dont toutes les feuilles étaient dévorées de lèpre. Il revint sur ses pas, se promena dans les allées du premier jardin, d'où se découvrit à ses yeux, par-dessus le village, le magnifique spectacle de la vallée, véritable oasis située au bord des vastes plaines qui, voilées par les légères brumes du matin, ressemblaient à une mer calme. En arrière, on apercevait d'un côté les vastes repoussoirs de la forêt bronzée, et de l'autre, l'église, les ruines du château perchées sur le roc, mais qui se détachaient vivement sur le bleu de l'Éther. En faisant crier sous ses pas le sable des petites allées en étoile, en rond, en losange, l'abbé Gabriel regarda tour à tour le village où les habitants réunis par groupes l'examinaient déjà, puis cette vallée fraîche avec ses chemins épineux, sa rivière bordée de saules si bien opposée à l'infini des plaines ; il fut alors saisi par des sensations qui changèrent la nature de ses idées, il admira le calme de ces lieux, il fut soumis à l'influence de cet air pur, à la paix inspirée par la révélation d'une vie ramenée vers la simplicité biblique ; il entrevit confusément les beautés de cette cure où il rentra pour en examiner les détails avec une curiosité sérieuse. Une petite fille, sans doute chargée de garder la maison, mais occupée à picorer dans le jardin, entendit, sur les grands carreaux qui dallaient les deux salles basses, les pas d'un homme chaussé de souliers craquant. Elle vint. Étonnée d'être surprise un fruit à la main, un autre entre les dents, elle ne répondit rien aux questions de ce beau, jeune, mignon abbé. La petite n'avait jamais cru qu'il put exister un abbé semblable, éclatant de linge en batiste, tiré à quatre épingles, vêtu de beau drap noir, sans une tache ni un pli.

– Monsieur Bonnet, dit-elle enfin, monsieur Bonnet dit la messe, et mademoiselle Ursule est à l'église.

L'abbé Gabriel n'avait pas vu la galerie par laquelle le presbytère communiquait à l'église, il regagna le sentier pour y entrer par la porte principale. Cette espèce de porche en auvent regardait le village, on y parvenait par des degrés en pierres disjointes et usées qui dominaient une place ravinée par les eaux et ornée de ces gros ormes dont la plantation fut ordonnée par le protestant Sully. Cette église, une des plus pauvres églises de France où il y en a de bien pauvres, ressemblait à ces énormes granges qui ont au-dessus de leur porte un toit avancé soutenu par des piliers de bois ou de briques. Bâtie en cailloux et en mortier, comme la maison du curé, flanquée d'un clocher carré sans flèche et couvert en grosses tuiles rondes, cette église avait pour ornements extérieurs les plus riches créations de la Sculpture, mais enrichies de lumière et d'ombres, fouillées, massées et colorées par la Nature qui s'y entend aussi bien que Michel-Ange. Des deux côtés, le lierre embrassait les murailles de ses tiges nerveuses en dessinant à travers son feuillage autant de veines qu'il s'en trouve sur un écorché. Ce manteau, jeté par le Temps pour couvrir les blessures qu'il avait faites, était diapré par les fleurs d'automne nées dans les crevasses, et donnait asile à des oiseaux qui chantaient. La fenêtre en rosace, au-dessus de l'auvent du porche, était enveloppée de campanules bleues comme la première page d'un missel richement peint. Le flanc qui communiquait avec la cure, à l'exposition du nord, était moins fleuri, la muraille s'y voyait grise et rouge par grandes places où s'étalaient des mousses ; mais l'autre flanc et le chevet entourés par le cimetière offraient des floraisons abondantes et variées.

Quelques arbres, entre autres un amandier, un des emblèmes de l'espérance, s'étaient logés dans les lézardes. Deux pins gigantesques adossés au chevet servaient de paratonnerres. Le cimetière, bordé d'un petit mur en ruine que ses propres décombres maintenaient à hauteur d'appui, avait pour ornement une croix en fer montée sur un socle, garnie de buis bénit à Pâques par une de ces touchantes pensées chrétiennes oubliées dans les villes. Le curé de village est le seul prêtre qui vienne dire à ses morts au jour de la résurrection pascale : – Vous revivrez heureux ! Çà et là quelques croix pourries jalonnaient les éminences couvertes d'herbes.

L'intérieur s'harmoniait parfaitement au négligé poétique de cet humble extérieur dont le luxe était fourni par le Temps, charitable une fois. Au dedans, l'œil s'attachait d'abord à la toiture, intérieurement doublée en châtaignier auquel l'âge avait donné les plus riches tons des vieux bois de l'Europe, et que soutenaient, à des distances égales, de nerveux supports appuyés sur des poutres transversales. Les quatre murs blanchis à la chaux n'avaient aucun ornement. La misère rendait cette paroisse iconoclaste sans le savoir. L'église, carrelée et garnie de bancs, était éclairée par quatre croisées latérales en ogive, à vitrages en plomb. L'autel, en forme de tombeau, avait pour ornement un grand crucifix au-dessus d'un tabernacle en noyer décoré de quelques moulures propres et luisantes, huit flambeaux à cierges économiques en bois peint en blanc, puis deux vases en porcelaine pleins de fleurs artificielles, que le portier d'un agent de change aurait rebutés, et desquels Dieu se contentait. La lampe du sanctuaire était une veilleuse placée dans un ancien bénitier portatif en cuivre argenté, suspendu par des cordes en soie qui venaient de quelque château démoli. Les fonts baptismaux étaient en bois comme la chaire et comme une espèce de cage pour les marguilliers, les patriciens du bourg. Un autel de la Vierge offrait à l'admiration publique deux lithographies coloriées, encadrées dans un petit cadre doré. Il était peint en blanc, décoré de fleurs artificielles plantées dans des vases tournés en bois doré, et recouvert par une nappe festonnée de méchantes dentelles rousses. Au fond de l'église, une longue croisée voilée par un grand rideau en calicot rouge, produisait un effet magique. Ce riche manteau de pourpre jetait une teinte rose sur les murs blanchis à la chaux il semblait qu'une pensée divine rayonnât de l'autel et embrassât cette pauvre nef pour la réchauffer. Le couloir qui conduisait à la sacristie offrait sur une de ses parois le patron du village, un grand saint Jean-Baptiste avec son mouton, sculptés en bois et horriblement peints. Malgré tant de pauvreté, cette église ne manquait pas des douces harmonies qui plaisent aux belles âmes, et que les couleurs mettent si bien en relief. Les riches teintes brunes du bois relevaient admirablement le blanc pur des murailles, et se mariaient sans discordance à la pourpre triomphale jetée sur le chevet. Cette sévère trinité de couleurs rappelait la grande pensée catholique. À l'aspect de cette chétive maison de Dieu, si le premier sentiment était la surprise, il était suivi d'une admiration mêlée de pitié : n'exprimait-elle pas la misère du pays ? ne s'accordait-elle pas à la simplicité naïve du presbytère ? Elle était d'ailleurs propre et bien tenue. On y respirait comme un parfum de vertus champêtres, rien n'y trahissait l'abandon. Quoique rustique et simple, elle était habitée par la Prière, elle avait une âme, on le sentait sans s'expliquer comment.

L'abbé Gabriel se glissa doucement pour ne point troubler le recueillement de deux groupes placés en haut des bancs, auprès du maître-autel, qui était séparé de la nef à l'endroit où pendait la lampe, par une balustrade assez grossière, toujours en bois de châtaignier, et garnie de la nappe destinée à la communion. De chaque côté de la nef, une vingtaine de paysans et de paysannes, plongés dans la prière la plus fervente, ne firent aucune attention à l'étranger quand il monta le chemin étroit qui divisait les deux rangées de bancs. Arrivé sous la lampe, endroit d'où il pouvait voir les deux petites nefs qui figuraient la croix, et dont l'une conduisait à la sacristie, l'autre au cimetière, l'abbé Gabriel aperçut du côté du cimetière une famille vêtue de noir, et agenouillée sur le carreau ; ces deux parties de l'église n'avaient pas de bancs. Le jeune abbé se prosterna sur la marche de la balustrade qui séparait le chœur de la nef, et se mit à prier, en examinant par un regard oblique ce spectacle qui lui fut bientôt expliqué.

L'évangile était dit. Le curé quitta sa chasuble et descendit de l'autel pour venir à la balustrade. Le jeune abbé, qui prévit ce mouvement, s'adossa au mur avant que monsieur Bonnet ne pût le voir. Dix heures sonnaient.

– Mes frères, dit le curé d'une voix émue, en ce moment même, un enfant de cette paroisse va payer sa dette à la justice humaine en subissant le dernier supplice, nous offrons le saint sacrifice de la messe pour le repos de son âme. Unissons nos prières afin d'obtenir de Dieu qu'il n'abandonne pas cet enfant dans ses derniers moments, et que son repentir lui mérite dans le ciel la grâce qui lui a été refusée ici-bas. La perte de ce malheureux, un de ceux sur lesquels nous avions le plus compté pour donner de bons exemples, ne peut être attribuée qu'à la méconnaissance des principes religieux.

Le curé fut interrompu par des sanglots qui partaient du groupe formé par la famille en deuil, et dans lequel le jeune prêtre, à ce surcroît d'affliction, reconnut la famille Tascheron, sans l'avoir jamais vue. D'abord étaient collés contre la muraille deux vieillards au moins septuagénaires, deux figures à rides profondes et immobiles, bistrées comme un bronze florentin. Ces deux personnages, stoïquement debout comme des statues dans leurs vieux vêtements rapetassés, devaient être le grand-père et la grand-mère du condamné. Leurs yeux rougis et vitreux semblaient pleurer du sang, leurs bras tremblaient tant, que les bâtons sur lesquels ils s'appuyaient rendaient un léger bruit sur le carreau. Après eux, le père et la mère, le visage caché dans leurs mouchoirs, fondaient en larmes. Autour de ces quatre chefs de la famille, se tenaient à genoux deux sœurs mariées, accompagnées de leurs maris. Puis, trois fils stupides de douleur. Cinq petits enfants agenouillés, dont le plus âgé n'avait que sept ans, ne comprenaient sans doute point ce dont il s'agissait, ils regardaient, ils écoutaient avec la curiosité torpide en apparence qui distingue le paysan, mais qui est l'observation des choses physiques poussée au plus haut degré. Enfin, la pauvre fille emprisonnée par un désir de la justice, la dernière venue, cette Denise, martyre de son amour fraternel, écoutait d'un air qui tenait à la fois de l'égarement et de l'incrédulité. Pour elle, son frère ne pouvait pas mourir. Elle représentait admirablement celle des trois Marie qui ne croyait pas à la mort du Christ, tout en en partageant l'agonie. Pâle, les yeux secs, comme le sont ceux des personnes qui ont beaucoup veillé, sa fraîcheur était déjà flétrie moins par les travaux champêtres que par le chagrin ; mais elle avait encore la beauté des filles de la campagne, des formes pleines et rebondies, de beaux bras rouges, une figure toute ronde, des yeux purs, allumés en ce moment par l'éclair du désespoir. Sous le cou, à plusieurs places, une chair ferme et blanche que le soleil n'avait pas brunie annonçait une riche carnation, une blancheur cachée. Les deux filles mariées pleuraient ; leurs maris, cultivateurs patients, étaient graves. Les trois autres garçons, profondément tristes, tenaient leurs yeux abaissés vers la terre. Dans ce tableau horrible de résignation et de douleur sans espoir, Denise et sa mère offraient seules une teinte de révolte. Les autres habitants s'associaient à l'affliction de cette famille respectable par une sincère et pieuse commisération qui donnait à tous les visages la même expression, et qui monta jusqu'à l'effroi quand les quelques phrases du curé firent comprendre qu'en ce moment le couteau tombait sur la tête de ce jeune homme que tous connaissaient, avaient vu naître, avaient jugé sans doute incapable de commettre un crime. Les sanglots qui interrompirent la simple et courte allocution que le prêtre devait faire à ses ouailles, le troublèrent à un point qu'il la cessa promptement, en les invitant à prier avec ferveur. Quoique ce spectacle ne fût pas de nature à surprendre un prêtre, Gabriel de Rastignac était trop jeune pour ne pas être profondément touché. Il n'avait pas encore exercé les vertus du prêtre, il se savait appelé à d'autres destinées, il n'avait pas à aller sur toutes les brèches sociales où le cœur saigne à la vue des maux qui les encombrent, sa mission était celle du haut clergé qui maintient l'esprit de sacrifice, représente l'intelligence élevée de l'Église, et dans les occasions d'éclat déploie ces mêmes vertus sur de plus grands théâtres, comme les illustres évêques de Marseille et de Meaux, comme les archevêques d'Arles et de Cambrai. Cette petite assemblée de gens de la campagne pleurant et priant pour celui qu'ils supposaient supplicié dans une grande place publique, devant des milliers de gens venus de toutes parts pour agrandir encore le supplice par une honte immense ; ce faible contrepoids de sympathies et de prières, opposé à cette multitude de curiosités féroces et de justes malédictions, était de nature à émouvoir, surtout dans cette pauvre église. L'abbé Gabriel fut tenté d'aller dire aux Tascheron : Votre fils, votre frère a obtenu un sursis. Mais il eut peur de troubler la messe, il savait d'ailleurs que ce sursis n'empêcherait pas l'exécution. Au lieu de suivre l'office, il fut irrésistiblement entraîné à observer le pasteur de qui l'on attendait le miracle de la conversion du criminel.

Sur l'échantillon du presbytère, Gabriel de Rastignac s'était fait un portrait imaginaire de monsieur Bonnet : un homme gros et court, à figure forte et rouge, un rude travailleur à demi paysan, hâlé par le soleil. Loin de là, l'abbé rencontra son égal. De petite taille et débile en apparence, monsieur Bonnet frappait tout d'abord par le visage passionné qu'on suppose à l'apôtre : une figure presque triangulaire commencée par un large front sillonné de plis, achevée des tempes à la pointe du menton par les deux lignes maigres que dessinaient ses joues creuses. Dans cette figure endolorie par un teint jaune comme la cire d'un cierge, éclataient deux yeux d'un bleu lumineux de foi, brûlant d'espérance vive. Elle était également partagée par un nez long, mince et droit, à narines bien coupées, sous lequel parlait toujours, même fermée, une bouche large à lèvres prononcées, et d'où il sortait une de ces voix qui vont au cœur. La chevelure châtaine, rare, fine et lisse sur la tête, annonçait un tempérament pauvre, soutenu seulement par un régime sobre. La volonté faisait toute la force de cet homme. Telles étaient ses distinctions. Ses mains courtes eussent indiqué chez tout autre une pente vers de grossiers plaisirs, et peut-être avait-il, comme Socrate, vaincu ses mauvais penchants. Sa maigreur était disgracieuse. Ses épaules se voyaient trop. Ses genoux semblaient cagneux. Le buste trop développé relativement aux extrémités lui donnait l'air d'un bossu sans bosse. En somme, il devait déplaire.

Les gens à qui les miracles de la Pensée, de la Foi, de l'Art sont connus, pouvaient seuls adorer ce regard enflammé du martyr, cette pâleur de la constance et cette voix de l'amour qui distinguaient le curé Bonnet. Cet homme, digne de la primitive Église qui n'existe plus que dans les tableaux du seizième siècle et dans les pages du martyrologe, était marqué du sceau des grandeurs humaines qui approchent le plus des grandeurs divines, par la Conviction dont le relief indéfinissable embellit les figures les plus vulgaires, dore d'une teinte chaude le visage des hommes voués à un Culte quelconque, comme il relève d'une sorte de lumière la figure de la femme glorieuse de quelque bel amour. La Conviction est la volonté humaine arrivée à sa plus grande puissance. Tout à la fois effet et cause, elle impressionne les âmes les plus froides, elle est une sorte d'éloquence muette qui saisit les masses.

En descendant de l'autel, le curé rencontra le regard de l'abbé Gabriel ; il le reconnut, et quand le secrétaire de l'Évêché se présenta dans la sacristie, Ursule, à laquelle son maître avait donné déjà ses ordres, y était seule et invita le jeune abbé à la suivre.

– Monsieur, dit Ursule, femme d'un âge canonique, en emmenant l'abbé de Rastignac par la galerie dans le jardin, monsieur le curé m'a dit de vous demander si vous aviez déjeuné. Vous avez dû partir de grand matin de Limoges, pour être ici à dix heures, je vais donc tout préparer pour le déjeuner. Monsieur l'abbé ne trouvera pas ici la table de monseigneur ; mais nous ferons de notre mieux. Monsieur Bonnet ne tardera pas à revenir, il est allé consoler ces pauvres gens... les Tascheron... Voici la journée où leur fils éprouve un bien terrible accident...

– Mais, dit enfin l'abbé Gabriel, où est la maison de ces braves gens ? je dois emmener monsieur Bonnet à l'instant à Limoges d'après l'ordre de monseigneur. Ce malheureux ne sera pas exécuté aujourd'hui, monseigneur a obtenu un sursis...

– Ah ! dit Ursule à qui la langue démangeait d'avoir à répandre cette nouvelle, monsieur a bien le temps d'aller leur porter cette consolation pendant que je vais apprêter le déjeuner, la maison aux Tascheron est au bout du village. Suivez le sentier qui passe au bas de la terrasse, il vous y conduira.

Quand Ursule eut perdu de vue l'abbé Gabriel, elle descendit pour semer cette nouvelle dans le village, en y allant chercher les choses nécessaires au déjeuner.

Le curé avait brusquement appris à l'église une résolution désespérée inspirée aux Tascheron par le rejet du pourvoi en cassation. Ces braves gens quittaient le pays, et devaient, dans cette matinée, recevoir le prix de leurs biens vendus à l'avance. La vente avait exigé des délais et des formalités imprévus par eux. Forcés de rester dans le pays depuis la condamnation de Jean-François, chaque jour avait été pour eux un calice d'amertume à boire. Ce projet accompli si mystérieusement ne transpira que la veille du jour où l'exécution devait avoir lieu. Les Tascheron crurent pouvoir quitter le pays avant cette fatale journée ; mais l'acquéreur de leurs biens était un homme étranger au canton, un Corrézien à qui leurs motifs étaient indifférents, et qui d'ailleurs avait éprouvé des retards dans la rentrée de ses fonds. Ainsi la famille était obligée de subir son malheur jusqu'au bout. Le sentiment qui dictait cette expatriation était si violent dans ces âmes simples, peu habituées à des transactions avec la conscience, que le grand-père et la grand-mère, les filles et leurs maris, le père et la mère, tout ce qui portait le nom de Tascheron ou leur était allié de près, quittait le pays. Cette émigration peinait toute la commune. Le maire était venu prier le curé d'essayer de retenir ces braves gens. Selon la loi nouvelle, le père n'est plus responsable du fils, et le crime du père n'entache plus sa famille. En harmonie avec les différentes émancipations qui ont tant affaibli la puissance paternelle, ce système a fait triompher l'individualisme qui dévore la Société moderne. Aussi le penseur aux choses d'avenir voit-il l'esprit de famille détruit, là où les rédacteurs du nouveau code ont mis le libre arbitre et l'égalité. La famille sera toujours la base des sociétés. Nécessairement temporaire, incessamment divisée, recomposée pour se dissoudre encore, sans liens entre l'avenir et le passé, la famille d'autrefois n'existe plus en France. Ceux qui ont procédé à la démolition de l'ancien édifice ont été logiques en partageant également les biens de la famille, en amoindrissant l'autorité du père, en faisant de tout enfant le chef d'une nouvelle famille, en supprimant les grandes responsabilités, mais l'État social reconstruit est-il aussi solide avec ses jeunes lois, encore sans longues épreuves, que la monarchie l'était malgré ses anciens abus. En perdant la solidarité des familles, la Société a perdu cette force fondamentale que Montesquieu avait découverte et nommée *l'Honneur*. Elle a tout isolé pour mieux dominer, elle a tout partagé pour affaiblir. Elle règne sur des unités, sur des chiffres agglomérés comme des grains de blé dans un tas. Les Intérêts généraux peuvent-ils remplacer les Familles ? le Temps a le mot de cette grande question. Néanmoins la vieille loi subsiste, elle a poussé des racines si profondes que vous en retrouvez de vivaces dans les régions populaires. Il est encore des coins de province où ce qu'on nomme le préjugé subsiste, où la famille souffre du crime d'un de ses enfants, ou d'un de ses pères. Cette croyance rendait le pays inhabitable aux Tascheron. Leur profonde religion les avait amenés à l'église le matin : était-il possible de laisser dire, sans y participer, la messe offerte à Dieu pour lui demander d'inspirer à leur fils un repentir qui le rendît à la vie éternelle, et d'ailleurs ne devaient-ils pas faire leurs adieux à l'autel de leur village. Mais le projet était consommé. Quand le curé, qui les suivit, entra dans leur principale maison, il trouva les sacs préparés pour le voyage. L'acquéreur attendait ses vendeurs avec leur argent. Le notaire achevait de dresser les quittances. Dans la cour, derrière la maison, une carriole attelée devait emmener les vieillards avec l'argent, et la mère de Jean-François. Le reste de la famille comptait partir à pied nuitamment.

Au moment où le jeune abbé entra dans la salle basse où se trouvaient réunis tous ces personnages, le curé de Montégnac avait épuisé les ressources de son éloquence. Les deux vieillards, insensibles à force de douleur, étaient accroupis dans un coin sur leurs sacs en regardant leur vieille maison héréditaire, ses meubles et l'acquéreur, et se regardant tour à tour comme pour se dire : Avons-nous jamais cru que pareil événement put arriver ? Ces vieillards qui, depuis longtemps, avaient résigné leur autorité à leur fils, le père du criminel, étaient, comme de vieux rois après leur abdication, redescendus au rôle passif des sujets et des enfants. Tascheron était debout, il écoutait le pasteur auquel il répondait à voir basse par des monosyllabes. Cet homme, âgé d'environ quarante-huit ans, avait cette belle figure que Titien a trouvée pour tous ses apôtres : une figure de foi, de probité sérieuse et réfléchie, un profil sévère, un nez coupé en angle droit, des yeux bleus, un front noble, des traits réguliers, des cheveux noirs et crépus, résistants, plantés avec cette symétrie qui donne du charme à ces figures brunies par les travaux en plein air. Il était facile de voir que les raisonnements du curé se brisaient devant une inflexible volonté. Denise était appuyée contre la huche au pain, regardant le notaire qui se servait de ce meuble comme d'une table à écrire, et à qui l'on avait donné le fauteuil de la grand-mère. L'acquéreur était assis sur une chaise à côté du tabellion. Les deux sœurs mariées mettaient la nappe sur la table et servaient le dernier repas que les ancêtres allaient offrir et faire dans leur maison, dans leur pays, avant d'aller sous des cieux inconnus. Les hommes étaient à demi assis sur un grand lit de serge verte. La mère, occupée à la cheminée, y battait une omelette. Les petits-enfants encombraient la porte devant laquelle était la famille de l'acquéreur. La vieille salle enfumée, à solives noires, et par la fenêtre de laquelle se voyait un jardin bien cultivé dont tous les arbres avaient été plantés par ces deux septuagénaires, était en harmonie avec leurs douleurs concentrées, qui se lisaient en tant d'expressions différentes sur ces visages. Le repas était surtout apprêté pour le notaire, pour l'acquéreur, pour les enfants et les hommes. Le père et la mère, Denise et ses sœurs avaient le cœur trop serré pour satisfaire leur faim. Il y avait une haute et cruelle résignation dans ces derniers devoirs de l'hospitalité champêtre accomplis. Les Tascheron, ces hommes antiques, finissaient comme on commence, en faisant les honneurs du logis. Ce tableau sans emphase et néanmoins plein de solennité frappa les regards du secrétaire de l'Évêché quand il vint apprendre au curé de Montégnac les intentions du prélat.

– Le fils de ce brave homme vit encore, dit Gabriel au curé.

À cette parole, comprise par tous au milieu du silence, les deux vieillards se dressèrent sur leurs pieds, comme si la trompette du Jugement dernier eût sonné. La mère laissa tomber sa poêle dans le feu. Denise jeta un cri de joie. Tous les autres demeurèrent dans une stupéfaction qui les pétrifia.

– Jean-François a sa grâce, cria tout à coup le village entier qui se rua vers la maison des Tascheron. C'est monseigneur l'évêque qui...

– Je savais bien qu'il était innocent, dit la mère.

– Cela n'empêche pas l'affaire, dit l'acquéreur au notaire qui lui répondit par un signe satisfaisant.

L'abbé Gabriel devint en un moment le point de mire de tous les regards, sa tristesse fit soupçonner une erreur, et pour ne pas la dissiper lui-même, il sortit suivi du curé, se plaça en dehors de la maison pour renvoyer la foule en disant aux premiers qui l'environnèrent que l'exécution n'était que remise. Le tumulte fut donc aussitôt remplacé par un horrible silence. Au moment où l'abbé Gabriel et le curé revinrent, ils virent sur tous les visages l'expression d'une horrible douleur, le silence du village avait été deviné.

– Mes amis, Jean-François n'a pas obtenu sa grâce, dit le jeune abbé voyant que le coup était porté ; mais l'état de son âme a tellement inquiété monseigneur, qu'il a fait retarder le dernier jour de votre fils pour au moins le sauver dans l'éternité.

– Il vit donc, s'écria Denise.

Le jeune abbé prit à part le curé pour lui expliquer la situation périlleuse où l'impiété de son paroissien mettait la religion, et ce que l'évêque attendait de lui.

– Monseigneur exige ma mort, répondit le curé. J'ai déjà refusé à cette famille affligée d'aller assister ce malheureux enfant. Cette conférence et le spectacle qui m'attendrait me briseraient comme un verre. À chacun son œuvre. La faiblesse de mes organes, ou plutôt la trop grande mobilité de mon organisation nerveuse, m'interdit d'exercer ces fonctions de notre ministère. Je suis resté simple curé de village pour être utile à mes semblables dans la sphère où je puis accomplir une vie chrétienne. Je me suis bien consulté pour satisfaire et cette vertueuse famille et mes devoirs de pasteur envers ce pauvre enfant ; mais à la seule pensée de monter avec lui sur la charrette des criminels, à la seule idée d'assister aux fatals apprêts, je sens un frisson de mort dans mes veines. On ne saurait exiger cela d'une mère, et pensez, monsieur, qu'il est né dans le sein de ma pauvre église.

– Ainsi, dit l'abbé Gabriel, vous refusez d'obéir à monseigneur ?

– Monseigneur ignore l'état de ma santé, il ne sait pas que chez moi la nature s'oppose... dit monsieur Bonnet en regardant le jeune abbé.

– Il y a des moments où, comme Belzunce à Marseille, nous devons affronter des morts certaines, lui répliqua l'abbé Gabriel en l'interrompant.

En ce moment, le curé sentit sa soutane tirée par une main, il entendit des pleurs, se retourna, et vit toute la famille agenouillée. Vieux et jeunes, petits et grands, hommes et femmes, tous tendaient des mains suppliantes. Il y eut un seul cri quand il leur montra sa face ardente.

– Sauvez au moins son âme !

La vieille grand-mère avait tiré le bas de la soutane, et l'avait mouillée de ses larmes.

– J'obéirai, monsieur.

Cette parole dite, le curé fut forcé de s'asseoir, tant il tremblait sur ses jambes. Le jeune secrétaire expliqua dans quel état de frénésie était Jean-François.

– Croyez-vous, dit l'abbé Gabriel en terminant, que la vue de sa jeune sœur puisse le faire chanceler ?

– Oui, certes, répondit le curé. Denise, vous nous accompagnerez.

– Et moi aussi, dit la mère.

– Non, s'écria le père. Cet enfant n'existe plus, vous le savez. Aucun de nous ne le verra.

– Ne vous opposez pas à son salut, dit le jeune abbé, vous seriez responsable de son âme en nous refusant les moyens de l'attendrir. En ce moment, sa mort peut devenir encore plus préjudiciable que ne l'a été sa vie.

– Elle ira, dit le père. Ce sera sa punition pour s'être opposée à toutes les corrections que je voulais infliger à son garçon !

L'abbé Gabriel et monsieur Bonnet revinrent au presbytère, où Denise et sa mère furent invitées à se trouver au moment du départ des deux ecclésiastiques pour Limoges. En cheminant le long de ce sentier qui suivait les contours du Haut-Montégnac, le jeune homme put examiner, moins superficiellement qu'à l'église, le curé si fort vanté par le Vicaire-général ; il fut influencé promptement en sa faveur par des manières simples et pleines de dignité, par cette voix pleine de magie, par des paroles en harmonie avec la voix. Le curé n'était allé qu'une seule fois à l'Évêché depuis que le prélat avait pris Gabriel de Rastignac pour secrétaire, à peine avait-il entrevu ce favori destiné à l'épiscopat, mais il savait quelle était son influence ; néanmoins il se conduisit avec une aménité digne, où se trahissait l'indépendance souveraine que l'Église accorde aux curés dans leurs paroisses. Les sentiments du jeune abbé, loin d'animer sa figure, y imprimèrent un air sévère ; elle demeura plus que froide, elle glaçait. Un homme capable de changer le moral d'une population devait être doué d'un esprit d'observation quelconque, être plus ou moins physionomiste ; mais quand le curé n'eût possédé que la science du bien, il venait de prouver une sensibilité rare, il fut donc frappé de la froideur par laquelle le secrétaire de l'Évêque accueillait ses avances et ses aménités. Forcé d'attribuer ce dédain à quelque mécontentement secret, il cherchait en lui-même comment il avait pu le blesser, en quoi sa conduite était reprochable aux yeux de ses supérieurs. Il y eut un moment de silence gênant que l'abbé de Rastignac rompit par une interrogation pleine de morgue aristocratique.

– Vous avez une bien pauvre église, monsieur le curé ?

– Elle est trop petite, répondit monsieur Bonnet. Aux grandes fêtes, les vieillards mettent des bancs sous le porche, les jeunes gens sont debout en cercle sur la place ; mais il règne un tel silence, que ceux du dehors peuvent entendre ma voix.

Gabriel garda le silence pendant quelques instants. – Si les habitants sont si religieux, comment la laissez-vous dans un pareil état de nudité ? reprit-il.

– Hélas ! monsieur, je n'ai pas le courage d'y dépenser des sommes qui peuvent secourir les pauvres. Les pauvres sont l'église. D'ailleurs, je ne craindrais pas la visite de Monseigneur par un jour de Fête-Dieu ! les pauvres rendent alors ce qu'ils ont à l'Église ! N'avez-vous pas vu, monsieur, les clous qui sont de distance en distance dans les murs ? ils servent à y fixer une espèce de treillage en fil de fer où les femmes attachent des bouquets. L'église est alors en entier revêtue de fleurs qui restent fleuries jusqu'au soir. Ma pauvre église, que vous trouvez si nue, est parée comme une mariée, elle embaume, le sol est jonché de feuillages au milieu desquels on laisse, pour le passage du Saint-Sacrement, un chemin de roses effeuillées. Dans cette journée, je ne craindrais pas les pompes de Saint-Pierre de Rome. Le Saint-Père a son or, moi j'ai mes fleurs ! à chacun son miracle. Ah ! monsieur, le bourg de Montégnac est pauvre, mais il est catholique. Autrefois on y dépouillait les passants, aujourd'hui le voyageur peut y laisser tomber un sac plein d'écus, il le retrouverait chez moi.

– Un tel résultat fait votre éloge, dit Gabriel.

– Il ne s'agit point de moi, répondit en rougissant le curé atteint par cette épigramme ciselée, mais de la parole de Dieu, du pain sacré.

– Du pain un peu bis, reprit en souriant l'abbé Gabriel.

– Le pain blanc ne convient qu'aux estomacs des riches, répondit modestement le curé.

Le jeune abbé prit alors les mains de monsieur Bonnet, et les lui serra cordialement.

– Pardonnez-moi, monsieur le curé, lui dit-il en se réconciliant avec lui tout à coup par un regard de ses beaux yeux bleus qui alla jusqu'au fond de l'âme du curé. Monseigneur m'a recommandé d'éprouver votre patience et votre modestie ; mais je ne saurais aller plus loin, je vois déjà combien vous êtes calomnié par les éloges des Libéraux.

Le déjeuner était prêt : des œufs frais, du beurre, du miel et des fruits, de la crème et du café, servis par Ursule au milieu de bouquets de fleurs sur une nappe blanche sur la table antique, dans cette vieille salle à manger. La fenêtre qui donnait sur la terrasse, était ouverte. La clématite, chargée de ses étoiles blanches relevées au cœur par le bouquet jaune de ses étamines frisées, encadrait l'appui. Un jasmin courait d'un côté, des capucines montaient de l'autre. En haut, les pampres déjà rougis d'une treille faisaient une riche bordure qu'un sculpteur n'aurait pu rendre tant le jour découpé par les dentelures des feuilles lui communiquait de grâce.

– Vous trouvez ici la vie réduite à sa plus simple expression, dit le curé en souriant sans quitter l'air que lui imprimait la tristesse qu'il avait au cœur. Si nous avions su votre arrivée, et qui pouvait en prévoir les motifs ! Ursule se serait procuré quelques truites de montagnes, il y a un torrent au milieu de la forêt qui en donne d'excellentes. Mais j'oublie que nous sommes en août et que le Gabou est à sec ! J'ai la tête bien troublée...

– Vous vous plaisez beaucoup ici ? demanda le jeune abbé.

– Oui, monsieur. Si Dieu le permet, je mourrai curé de Montégnac. J'aurais voulu que mon exemple fût suivi par des hommes distingués qui ont cru faire mieux en devenant philanthropes. La philanthropie moderne est le malheur des sociétés, les principes de la religion catholique peuvent seuls guérir les maladies qui travaillent le corps social. Au lieu de décrire la maladie et d'étendre ses ravages par des plaintes élégiaques, chacun aurait dû mettre la main à l'œuvre, entrer en simple ouvrier dans la vigne du Seigneur. Ma tâche est loin d'être achevée ici, monsieur : il ne suffit pas de moraliser les gens que j'ai trouvés dans un état affreux de sentiments impies, je veux mourir au milieu d'une génération entièrement convaincue.

– Vous n'avez fait que votre devoir, dit encore sèchement le jeune homme qui se sentit mordre au cœur par la jalousie.

– Oui, monsieur, répondit modestement le prêtre après lui avoir jeté un fin regard comme pour lui demander : Est-ce encore une épreuve ? – Je souhaite à toute heure, ajouta-t-il, que chacun fasse le sien dans le royaume.

Cette phrase d'une signification profonde fut encore étendue par une accentuation qui prouvait qu'en 1829, ce prêtre, aussi grand par la pensée que par l'humilité de sa conduite et qui subordonnait ses pensées à celles de ses supérieurs, voyait clair dans les destinées de la Monarchie et de l'Église.

Quand les deux femmes désolées furent venues, le jeune abbé très impatient de revenir à Limoges, les laissa au presbytère et alla voir si les chevaux étaient mis. Quelques instants après, il revint annoncer que tout était prêt pour le départ. Tous quatre ils partirent aux yeux de la population entière de Montégnac, groupée sur le chemin, devant la poste. La mère et la sœur du condamné gardèrent le silence. Les deux prêtres, voyant des écueils dans beaucoup de sujets, ne pouvaient ni paraître indifférents, ni s'égayer. En cherchant quelque terrain neutre pour la conversation, ils traversèrent la plaine, dont l'aspect influa sur la durée de leur silence mélancolique.

– Par quelles raisons avez-vous embrassé l'état ecclésiastique ? demanda tout à coup l'abbé Gabriel au curé Bonnet par une étourdie curiosité qui le prit quand la voiture déboucha sur la grand-route.

– Je n'ai point vu d'état dans la prêtrise, répondit simplement le curé. Je ne comprends pas qu'on devienne prêtre par des raisons autres que les indéfinissables puissances de la Vocation. Je sais que plusieurs hommes se sont faits les ouvriers de la vigne du Seigneur après avoir usé leur cœur au service des passions : les uns ont aimé sans espoir, les autres ont été trahis ; ceux-ci ont perdu la fleur de leur vie en ensevelissant soit une épouse chérie, soit une maîtresse adorée ; ceux-là sont dégoûtés de la vie sociale à une époque où l'incertain plane sur toutes choses, même sur les sentiments, où le doute se joue des plus douces certitudes en les appelant des croyances. Plusieurs abandonnent la politique à une époque où le pouvoir semble être une expiation quand le gouverné regarde l'obéissance comme une fatalité. Beaucoup quittent une société sans drapeaux, où les contraires s'unissent pour détrôner le bien. Je ne suppose pas qu'on se donne à Dieu par une pensée cupide. Quelques hommes peuvent voir dans la prêtrise un moyen de régénérer notre patrie ; mais, selon mes faibles lumières, le prêtre patriote est un non-sens. Le prêtre ne doit appartenir qu'à Dieu. Je n'ai pas voulu offrir à notre Père, qui cependant accepte tout, les débris de mon cœur et les restes de ma volonté, je me suis donné tout entier. Dans une des touchantes Théories des religions païennes, la victime destinée aux faux dieux allait au temple couronnée de fleurs. Cette coutume m'a toujours attendri. Un sacrifice n'est rien sans la grâce. Ma vie est donc simple et sans le plus petit roman. Cependant si vous voulez une confession entière, je vous dirai tout. Ma famille est au-dessus de l'aisance, elle est presque riche. Mon père, seul artisan de sa fortune, est un homme dur, inflexible ; il traite d'ailleurs sa femme et ses enfants comme il se traite lui-même. Je n'ai jamais surpris sur ses lèvres le moindre sourire. Sa main de fer, son visage de bronze, son activité sombre et brusque à la fois, nous comprimaient tous, femme, enfants, commis et domestiques, sous un despotisme sauvage. J'aurais pu, je parle pour moi seul, m'accommoder de cette vie si ce pouvoir eût produit une compression égale ; mais quinteux et vacillant, il offrait des alternatives intolérables. Nous ignorions toujours si nous faisions bien ou si nous étions en faute, et l'horrible attente qui en résultait est insupportable dans la vie domestique. On aime mieux alors être dans la rue que chez soi. Si j'eusse été seul au logis, j'aurais encore tout souffert de mon père sans murmurer ; mais mon cœur était déchiré par les douleurs acérées qui ne laissaient pas de relâche à une mère ardemment aimée dont les pleurs surpris me causaient des rages pendant lesquelles je n'avais plus ma raison. Le temps de mon séjour au collège, où les enfants sont en proie à tant de misères et de travaux, fut pour moi comme un âge d'or. Je craignais les jours de congé. Ma mère était elle-même heureuse de me venir voir. Quand j'eus fini mes humanités, quand je dus rentrer sous le toit paternel et devenir commis de mon père, il me fut impossible d'y rester plus de quelques mois : ma raison, égarée par la force de l'adolescence, pouvait succomber. Par une triste soirée d'automne, en me promenant seul avec ma mère le long du boulevard Bourdon, alors un des plus tristes lieux de Paris, je déchargeai mon cœur dans le sien, et lui dis que je ne voyais de vie possible pour moi que dans l'Église. Mes goûts, mes idées, mes amours même devaient être contrariés tant que vivrait mon père. Sous la soutane du prêtre, il serait forcé de me respecter, je pourrais ainsi devenir le protecteur de ma famille en certaines occasions. Ma mère pleura beaucoup. En ce moment mon frère aîné, devenu depuis général et mort à Leipsick, s'engageait comme simple soldat, poussé hors du logis par les raisons qui décidaient ma vocation. J'indiquai à ma mère, comme moyen de salut pour elle, de choisir un gendre plein de caractère, de marier ma sœur dès qu'elle serait en âge d'être établie, et de s'appuyer sur cette nouvelle famille. Sous le prétexte d'échapper à la conscription sans rien coûter à mon père, et en déclarant aussi ma vocation, j'entrai donc en 1807, à l'âge de dix-neuf ans, au séminaire de Saint-Sulpice. Dans ces vieux bâtiments célèbres, je trouvai la paix et le bonheur, que troublèrent seulement les souffrances présumées de ma sœur et de ma mère ; leurs douleurs domestiques s'accroissaient sans doute, car lorsqu'elles me voyaient, elles me confirmaient dans ma résolution. Initié peut-être par mes peines aux secrets de la Charité, comme l'a définie le grand saint Paul dans son adorable épître, je voulus panser les plaies du pauvre dans un coin de terre ignoré, puis prouver par mon exemple, si Dieu daignait bénir mes efforts, que la religion catholique, prise dans ses œuvres humaines, est la seule vraie, la seule bonne et belle puissance civilisatrice. Pendant les derniers jours de mon diaconat, la grâce m'a sans doute éclairé. J'ai pleinement pardonné à mon père, en qui j'ai vu l'instrument de ma destinée. Malgré une longue et tendre lettre où j'expliquais ces choses en y montrant le doigt de Dieu imprimé partout, ma mère pleura bien des larmes en voyant tomber mes cheveux sous les ciseaux de l'Église ; elle savait, elle, à combien de plaisirs je renonçais, sans connaître à quelles gloires secrètes j'aspirais. Les femmes sont si tendres ! Quand j'appartins à Dieu, je ressentis un calme sans bornes, je ne me sentais ni besoins, ni vanités, ni soucis des biens qui inquiètent tant les hommes. Je pensais que la Providence devait prendre soin de moi comme d'une chose à elle. J'entrais dans un monde d'où la crainte est bannie, où l'avenir est certain, et où toute chose est œuvre divine, même le silence. Cette quiétude est un des bienfaits de la grâce. Ma mère ne concevait pas qu'on pût épouser une église ; néanmoins, en me voyant le front serein, l'air heureux, elle fut heureuse. Après avoir été ordonné, je vins voir en Limousin un de mes parents paternels qui, par hasard, me parla de l'état dans lequel était le canton de Montégnac. Une pensée jaillie avec l'éclat de la lumière me dit intérieurement : Voilà ta vigne ! Et j'y suis venu. Ainsi, monsieur, mon histoire est, vous le voyez, bien simple et sans intérêt.

En ce moment, aux feux du soleil couchant, Limoges apparut. À cet aspect, les deux femmes ne purent retenir leurs larmes.

Le jeune homme que ces deux tendresses différentes allaient chercher, et qui excitait tant d'ingénues curiosités, tant de sympathies hypocrites et de vives sollicitudes, gisait sur un grabat de la prison, dans la chambre destinée aux condamnés à mort. Un espion veillait à la porte pour saisir les paroles qui pouvaient lui échapper, soit dans le sommeil, soit dans ses accès de fureur ; tant la Justice tenait à épuiser tous les moyens humains pour arriver à connaître le complice de Jean-François Tascheron et retrouver les sommes volées. Les des Vanneaulx avaient intéressé la Police, et la Police épiait ce silence absolu. Quand l'homme commis à la garde morale du prisonnier le regardait par une meurtrière faite exprès, il le trouvait toujours dans la même attitude, enseveli dans sa camisole, la tête attachée par un bandage en cuir, depuis qu'il avait essayé de déchirer l'étoffe et les ligatures avec ses dents. Jean-François regardait le plancher d'un œil fixe et désespéré, ardent et comme rougi par l'affluence d'une vie que de terribles pensées soulevaient. Il offrait une vivante sculpture du Prométhée antique, la pensée de quelque bonheur perdu lui dévorait le cœur ; aussi quand le second avocat-général était venu le voir, ce magistrat n'avait-il pu s'empêcher de témoigner la surprise qu'inspirait un caractère si continu. À la vue de tout être vivant qui s'introduisait dans sa prison, Jean-François entrait dans une rage qui dépassait alors les bornes connues par les médecins en ces sortes d'affections. Dès qu'il entendait la clef tourner dans la serrure ou tirer les verrous de la porte garnie en fer, une légère écume lui blanchissait les lèvres. Jean-François, alors âgé de vingt-cinq ans, était petit, mais bien fait. Ses cheveux crépus et durs, plantés assez bas, annonçaient une grande énergie. Ses yeux, d'un jaune clair et lumineux, se trouvaient trop rapprochés vers la naissance du nez, défaut qui lui donnait une ressemblance avec les oiseaux de proie. Il avait le visage rond et d'un coloris brun qui distingue les habitants du centre de la France.

Un trait de sa physionomie confirmait une assertion de Lavater sur les gens destinés au meurtre, il avait les dents de devant croisées. Néanmoins sa figure présentait les caractères de la probité, d'une douce naïveté de mœurs ; aussi n'avait-il point semblé extraordinaire qu'une femme eût pu l'aimer avec passion. Sa bouche fraîche, ornée de dents d'une blancheur éclatante, était gracieuse. Le rouge des lèvres se faisait remarquer par cette teinte de minium qui annonce une férocité contenue, et qui trouve chez beaucoup d'êtres un champ libre dans les ardeurs du plaisir. Son maintien n'accusait aucune des mauvaises habitudes des ouvriers. Aux yeux des femmes qui suivirent les débats, il parut évident qu'une femme avait assoupli ces fibres accoutumées au travail, ennobli la contenance de cet homme des champs, et donné de la grâce à sa personne. Les femmes reconnaissent les traces de l'amour chez un homme, aussi bien que les hommes voient chez une femme si, selon un mot de la conversation, l'amour a passé par là.

Dans la soirée, Jean-François entendit le mouvement des verrous et le bruit de la serrure ; il tourna violemment la tête et lança le terrible grognement sourd par lequel commençait sa rage, mais il trembla violemment quand, dans le jour adouci du crépuscule, les têtes aimées de sa sœur et de sa mère se dessinèrent, et derrière elles le visage du curé de Montégnac.

– Les barbares ! voilà ce qu'ils me réservaient, dit-il en fermant les yeux.

Denise, en fille qui venait de vivre en prison, s'y défiait de tout, l'espion s'était sans doute caché pour revenir ; elle se précipita sur son frère, pencha son visage en larmes sur le sien, et lui dit à l'oreille : – On nous écoutera peut-être.

– Autrement on ne vous aurait pas envoyées, répondit-il à haute voix. J'ai depuis longtemps demandé comme une grâce de ne voir personne de ma famille.

– Comme ils me l'ont arrangé, dit la mère au curé. Mon pauvre enfant, mon pauvre enfant ! Elle tomba sur le pied du grabat, en cachant sa tête dans la soutane du prêtre, qui se tint debout auprès d'elle. – Je ne saurais le voir ainsi lié, garrotté, mis dans ce sac...

– Si Jean, dit le curé, veut me promettre d'être sage, de ne point attenter à sa vie, et de se bien conduire pendant que nous serons avec lui, j'obtiendrai qu'il soit délié ; mais la moindre infraction à sa promesse retomberait sur moi.

– J'ai tant besoin de me mouvoir à ma fantaisie, cher monsieur Bonnet, dit le condamné dont les yeux se mouillèrent de larmes, que je vous donne ma parole de vous satisfaire.

Le curé sortit, le geôlier entra, la camisole fut ôtée.

– Vous ne me tuerez pas ce soir, lui dit le porte-clefs.

Jean ne répondit rien.

– Pauvre frère ! dit Denise en apportant un panier que l'on avait soigneusement visité, voici quelques-unes des choses que tu aimes, car on te nourrit sans doute pour l'amour de Dieu !

Elle montra des fruits cueillis aussitôt qu'elle sut pouvoir entrer dans la prison, une galette que sa mère avait aussitôt soustraite. Cette attention, qui lui rappelait son jeune temps, puis la voix et les gestes de sa sœur, la présence de sa mère, celle du curé, tout détermina chez Jean une réaction : il fondit en larmes.

– Ah ! Denise, dit-il, je n'ai pas fait un seul repas depuis six mois. J'ai mangé poussé par la faim, voilà tout !

La mère et la fille sortirent, allèrent et vinrent. Animées par cet esprit qui porte les ménagères à procurer aux hommes leur bien-être, elles finirent par servir un souper à leur pauvre enfant. Elles furent aidées : il y avait ordre de les seconder en tout ce qui serait compatible avec la sûreté du condamné. Les des Vanneaulx auraient eu le triste courage de contribuer au bien-être de celui de qui ils attendaient encore leur héritage. Jean eut donc ainsi un dernier reflet des joies de la famille, joies attristées par la teinte sévère que leur donnait la circonstance.

– Mon pourvoi est rejeté ? dit-il à monsieur Bonnet.

– Oui, mon enfant. Il ne te reste plus qu'à faire une fin digne d'un chrétien. Cette vie n'est rien en comparaison de celle qui t'attend ; il faut songer à ton bonheur éternel. Tu peux t'acquitter avec les hommes en leur laissant ta vie, mais Dieu ne se contente pas de si peu de chose.

– Laisser ma vie ?... Ah ! vous ne savez pas tout ce qu'il me faut quitter.

Denise regarda son frère comme pour lui dire que, jusque dans les choses religieuses, il fallait de la prudence.

– Ne parlons point de cela, reprit-il en mangeant des fruits avec une avidité qui dénotait un feu intérieur d'une grande intensité. Quand dois-je ?...

– Non, rien de ceci encore devant moi, dit la mère.

– Mais je serais plus tranquille, dit-il tout bas au curé.

– Toujours son même caractère, s'écria monsieur Bonnet, qui se pencha vers lui pour lui dire à l'oreille : – Si vous vous réconciliez cette nuit avec Dieu, et si votre repentir me permet de vous absoudre, ce sera demain. – Nous avons obtenu déjà beaucoup en vous calmant, répéta-t-il à haute voix.

En entendant ces derniers mots, les lèvres de Jean pâlirent, ses yeux se tournèrent par une violente contraction, et il passa sur sa face un frisson d'orage.

– Comment suis-je calme ? se demanda-t-il. Heureusement il rencontra les yeux pleins de larmes de sa Denise, et il reprit de l'empire sur lui. – Eh ! bien, il n'y a que vous que je puisse entendre, dit-il au curé. Ils ont bien su par où l'on pouvait me prendre. Et il se jeta la tête sur le sein de sa mère.

– Écoute-le, mon fils, dit la mère en pleurant, il risque sa vie, ce cher monsieur Bonnet, en s'engageant à te conduire... Elle hésita et dit : À la vie éternelle. Puis elle baisa la tête de Jean et la garda sur son cœur pendant quelques instants.

– Il m'accompagnera ? demanda Jean en regardant le curé qui prit sur lui d'incliner la tête. – Eh ! bien, je l'écouterai, je ferai tout ce qu'il voudra.

– Tu me le promets, dit Denise, car ton âme à sauver, voilà ce que nous voyons tous. Et puis, veux-tu qu'on dise dans tout Limoges et dans le pays, qu'un Tascheron n'a pas su faire une belle mort. Enfin, pense donc que tout ce que tu perds ici, tu peux le retrouver dans le ciel, où se revoient les âmes pardonnées.

Cet effort surhumain dessécha le gosier de cette héroïque fille. Elle fit comme sa mère, elle se tut, mais elle avait triomphé. Le criminel, jusqu'alors furieux de se voir arracher son bonheur par la Justice, tressaillit à la sublime idée catholique si naïvement exprimée par sa sœur. Toutes les femmes, même une jeune paysanne comme Denise, savent trouver ces délicatesses ; n'aiment-elles pas toutes à éterniser l'amour ? Denise avait touché deux cordes bien sensibles. L'Orgueil réveillé appela les autres vertus, glacées par tant de misère et frappées par le désespoir. Jean prit la main de sa sœur, il la baisa et la mit sur son cœur d'une manière profondément significative ; il l'appuya tout à la fois doucement et avec force.

– Allons, dit-il, il faut renoncer à tout : voilà le dernier battement et la dernière pensée, recueille-les, Denise ! Et il lui jeta un de ces regards par lesquels, dans les grandes circonstances, l'homme essaie d'imprimer son âme dans une autre âme.

Cette parole, cette pensée, étaient tout un testament. Tous ces legs inexprimés qui devaient être aussi fidèlement transmis que fidèlement demandés, la mère, la sœur, Jean et le prêtre les comprirent si bien, que tous se cachèrent les uns des autres pour ne pas se montrer leurs larmes et pour se garder le secret sur leurs idées. Ce peu de mots était l'agonie d'une passion, l'adieu d'une âme paternelle aux plus belles choses terrestres, en pressentant une renonciation catholique. Aussi le curé, vaincu par la majesté de toutes les grandes choses humaines, même criminelles, jugea-t-il de cette passion inconnue par l'étendue de la faute : il leva les yeux comme pour invoquer la grâce de Dieu. Là, se révélaient les touchantes consolations et les tendresses infinies de la Religion catholique, si humaine, si douce par la main qui descend jusqu'à l'homme pour lui expliquer la loi des mondes supérieurs, si terrible et divine par la main qu'elle lui tend pour le conduire au ciel. Mais

Denise venait d'indiquer mystérieusement au curé l'endroit par où le rocher céderait, la cassure par où se précipiteraient les eaux du repentir. Tout à coup ramené par les souvenirs qu'il évoquait ainsi, Jean jeta le cri glacial de l'hyène surprise par des chasseurs.

– Non, non, s'écria-t-il en tombant à genoux, je veux vivre. Ma mère, prenez ma place, donnez-moi vos habits, je saurai m'évader. Grâce, grâce ! allez voir le roi, dites-lui...

Il s'arrêta, laissa passer un rugissement horrible, et s'accrocha violemment à la soutane du curé.

– Partez, dit à voix basse monsieur Bonnet aux deux femmes accablées.

Jean entendit cette parole, il releva la tête, regarda sa mère, sa sœur, et leur baisa les pieds.

– Disons-nous adieu, ne revenez plus ; laissez-moi seul avec monsieur Bonnet, ne vous inquiétez plus de moi, leur dit-il en serrant sa mère et sa sœur par une étreinte où il semblait vouloir mettre toute sa vie.

– Comment ne meurt-on pas de cela ? dit Denise à sa mère en atteignant au guichet.

Il était environ huit heures du soir quand cette séparation eut lieu. À la porte de la prison, les deux femmes trouvèrent l'abbé de Rastignac, qui leur demanda des nouvelles du prisonnier.

– Il se réconciliera sans doute avec Dieu, dit Denise. Si le repentir n'est pas encore venu, il est bien proche.

L'Évêque apprit alors quelques instants après que le clergé triompherait en cette occasion, et que le condamné marcherait au supplice dans les sentiments religieux les plus édifiants. L'Évêque, auprès de qui se trouvait le Procureur-général, manifesta le désir de voir le curé. Monsieur Bonnet ne vint pas à l'Évêché avant minuit. L'abbé Gabriel, qui faisait souvent le voyage de l'évêché à la geôle, jugea nécessaire de prendre le curé dans la voiture de l'Évêque ; car le pauvre prêtre était dans un état d'abattement qui ne lui permettait pas de se servir de ses jambes. La perspective de sa rude journée le lendemain et les combats secrets dont il avait été témoin, le spectacle du complet repentir qui avait enfin foudroyé son ouaille longtemps rebelle quand le grand calcul de l'éternité lui fut démontré, tout s'était réuni pour briser monsieur Bonnet, dont la nature nerveuse, électrique, se mettait facilement à l'unisson des malheurs d'autrui. Les âmes qui ressemblent à cette belle âme épousent si vivement les impressions, les misères, les passions, les souffrances de ceux auxquels elles s'intéressent, qu'elles les ressentent en effet, mais d'une manière horrible, en ce qu'elles peuvent en mesurer l'étendue qui échappe aux gens aveuglés par l'intérêt du cœur ou par le paroxysme des douleurs. Sous ce rapport, un prêtre comme monsieur Bonnet est un artiste qui sent, au lieu d'être un artiste qui juge. Quand le curé se trouva dans le salon de l'Évêque, entre les deux Grands-vicaires, l'abbé de Rastignac, monsieur de Grandville et le Procureur-général, il crut entrevoir qu'on attendait quelque nouvelle chose de lui.

– Monsieur le curé, dit l'Évêque, avez-vous obtenu quelques aveux que vous puissiez confier à la Justice pour l'éclairer, sans manquer à vos devoirs ?

– Monseigneur, pour donner l'absolution à ce pauvre enfant égaré, je n'ai pas seulement attendu que son repentir fût aussi sincère et aussi entier que l'Église puisse le désirer, j'ai encore exigé que la restitution de l'argent eût lieu.

– Cette restitution, dit le Procureur-général, m'amenait chez monseigneur ; elle se fera de manière à donner des lumières sur les parties obscures de ce procès. Il y a certainement des complices.

– Les intérêts de la justice humaine, reprit le curé, ne sont pas ceux qui me font agir. J'ignore où, comment se fera la restitution, mais elle aura lieu. En m'appelant auprès d'un de mes paroissiens, monseigneur m'a replacé dans les conditions absolues qui donnent aux curés, dans l'étendue de leur paroisse, les droits qu'exerce monseigneur dans son diocèse, sauf le cas de discipline et d'obéissance ecclésiastiques.

– Bien, dit l'Évêque. Mais il s'agit d'obtenir du condamné des aveux volontaires en face de la justice.

– Ma mission est d'acquérir une âme à Dieu, répondit monsieur Bonnet.

Monsieur de Grancour haussa légèrement les épaules, mais l'abbé Dutheil hocha la tête en signe d'approbation.

– Tascheron veut sans doute sauver quelqu'un que la restitution ferait connaître, dit le Procureur-général.

– Monsieur, répliqua le curé, je ne sais absolument rien qui puisse soit démentir soit autoriser votre soupçon. Le secret de la confession est d'ailleurs inviolable.

– La restitution aura donc lieu ? demanda l'homme de la Justice.

– Oui, monsieur, répondit l'homme de Dieu.

– Cela me suffit, dit le Procureur-général qui se fia sur l'habileté de la Police pour saisir des renseignements, comme si les passions et l'intérêt personnel n'étaient pas plus habiles que toutes les polices.

Le surlendemain, jour du marché, Jean-François Tascheron fut conduit au supplice, comme le désiraient les âmes pieuses et politiques de la ville. Exemplaire de modestie et de piété, il baisait avec ardeur un crucifix que lui tendait monsieur Bonnet d'une main défaillante. On examina beaucoup le malheureux dont les regards furent espionnés par tous les yeux : les arrêterait-il sur quelqu'un dans la foule ou sur une maison ? Sa discrétion fut complète, inviolable. Il mourut en chrétien, repentant et absous.

Le pauvre curé de Montégnac fut emporté sans connaissance au pied de l'échafaud, quoiqu'il n'eût pas aperçu la fatale machine.

Pendant la nuit, le lendemain, à trois lieues de Limoges, en pleine route, et dans un endroit désert, Denise, quoique épuisée de fatigue et de douleur, supplia son père de la laisser revenir à Limoges avec Louis-Marie Tascheron, l'un de ses frères.

– Que veux-tu faire encore dans cette ville ? répondit brusquement le père en plissant son front et contractant ses sourcils.

– Mon père, lui dit-elle à l'oreille, non seulement nous devons payer l'avocat qui l'a défendu, mais encore il faut restituer l'argent qu'il a caché.

– C'est juste, dit l'homme probe en mettant la main dans un sac de cuir qu'il portait sur lui.

– Non, non, fit Denise, il n'est plus votre fils. Ce n'est pas à ceux qui l'ont maudit, mais à ceux qui l'ont béni de récompenser l'avocat.

– Nous vous attendrons au Havre, dit le père.

Denise et son frère rentrèrent en ville avant le jour, sans être vus. Quand, plus tard, la Police apprit leur retour, elle ne put jamais savoir où ils s'étaient cachés. Denise et son frère montèrent vers les quatre heures à la haute ville en se coulant le long des murs. La pauvre fille n'osait lever les yeux, de peur de rencontrer des regards qui eussent vu tomber la tête de son frère. Après être allés chercher le curé Bonnet, qui, malgré sa faiblesse, consentit à servir de père et de tuteur à Denise en cette circonstance, ils se rendirent chez l'avocat, qui demeurait rue de la Comédie.

– Bonjour, mes pauvres enfants, dit l'avocat en saluant monsieur Bonnet, à quoi puis-je vous être utile ? Vous voulez peut-être me charger de réclamer le corps de votre frère.

– Non, monsieur, dit Denise en pleurant à cette idée qui ne lui était pas venue, je viens pour nous acquitter envers vous, autant que l'argent peut acquitter une dette éternelle.

– Asseyez-vous donc, dit l'avocat en remarquant alors que Denise et le curé restaient debout.

Denise se retourna pour prendre dans son corset deux billets de cinq cents francs, attachés avec une épingle à sa chemise, et s'assit en les présentant au défenseur de son frère. Le curé jetait sur l'avocat un regard étincelant qui se mouilla bientôt.

– Gardez, dit l'avocat, gardez cet argent pour vous, ma pauvre fille, les riches ne paient pas si généreusement une cause perdue.

– Monsieur, dit Denise, il m'est impossible de vous obéir.

– L'argent ne vient donc pas de vous ? demanda vivement l'avocat.

– Pardonnez-moi, répondit-elle en regardant monsieur Bonnet pour savoir si Dieu ne s'offensait pas de ce mensonge.

Le curé tenait ses yeux baissés.

– Eh ! bien, dit l'avocat en gardant un billet de cinq cents francs et tendant l'autre au curé, je partage avec les pauvres. Maintenant, Denise, échangez ceci, qui certes est bien à moi, dit-il en lui présentant l'autre billet, contre votre cordon de velours et votre croix d'or. Je suspendrai la croix à ma cheminée en souvenir du plus pur et du meilleur cœur de jeune fille que j'observerai sans doute dans ma vie d'avocat.

– Je vous la donnerai sans vous la vendre, s'écria Denise en ôtant sa jeannette et la lui offrant.

– Eh ! bien, dit le curé, monsieur, j'accepte les cinq cents francs pour servir à l'exhumation et au transport de ce pauvre enfant dans le cimetière de Montégnac, Dieu sans doute lui a pardonné, Jean pourra se lever avec tout mon troupeau au grand jour où les justes et les repentis seront appelés à la droite du Père.

– D'accord, dit l'avocat. Il prit la main de Denise, et l'attira vers lui pour la baiser au front ; mais ce mouvement avait un autre but. – Mon enfant, lui dit-il, personne n'a de billets de cinq cents francs à Montégnac ; ils sont assez rares à Limoges où personne ne les reçoit sans escompte ; cet argent vous a donc été donné, vous ne me direz pas par qui, je ne vous le demande pas ; mais écoutez-moi : s'il vous reste quelque chose à faire dans cette ville relativement à votre pauvre frère, prenez garde ! monsieur Bonnet, vous et votre frère, vous serez surveillés par des espions. Votre famille est partie, on le sait. Quand on vous verra ici, vous serez entourés sans que vous puissiez vous en douter.

– Hélas ! dit-elle. je n'ai plus rien à faire ici.

– Elle est prudente, se dit l'avocat en la reconduisant. Elle est avertie, ainsi qu'elle s'en tire.

Dans les derniers jours du mois de septembre qui furent aussi chauds que des jours d'été, l'Évêque avait donné à dîner aux autorités de la ville. Parmi les invités se trouvaient le Procureur du roi et le premier Avocat-général. Quelques discussions animèrent la soirée et la prolongèrent jusqu'à une heure indue. On joua au whist et au trictrac, le jeu qu'affectionnent les évêques. Vers onze heures du soir, le Procureur du roi se trouvait sur les terrasses supérieures. Du coin où il était, il aperçut une lumière dans cette île qui, par un certain soir, avait attiré l'attention de l'abbé Gabriel et de l'Évêque, l'île de Véronique enfin ; cette lueur lui rappela les mystères inexpliqués du crime commis par Tascheron. Puis, ne trouvant aucune raison pour qu'on fît du feu sur la Vienne à cette heure, l'idée secrète qui avait frappé l'Évêque et son secrétaire le frappa d'une lueur aussi subite que l'était celle de l'immense foyer qui brillait dans le lointain. – Nous avons tous été de grands sots, s'écria-t-il, mais nous tenons les complices. Il remonta dans le salon, chercha monsieur de Grandville, lui dit quelques mots à l'oreille, puis tous deux disparurent ; mais l'abbé de Rastignac les suivit par politesse, il épia leur sortie, les vit se dirigeant vers la terrasse, et il remarqua le feu au bord de l'île. – Elle est perdue, pensa-t-il.

Les envoyés de la Justice arrivèrent trop tard. Denise et Louis-

Marie, à qui Jean avait appris à plonger, étaient bien au bord de la Vienne, à un endroit indiqué par Jean ; mais Louis-Marie Tascheron avait déjà plongé quatre fois, et chaque fois il avait ramené vingt mille francs en or. La première somme était contenue dans un foulard noué par les quatre bouts. Ce mouchoir, aussitôt tordu pour en exprimer l'eau, avait été jeté dans un grand feu de bois mort allumé d'avance. Denise ne quitta le feu qu'après avoir vu l'enveloppe entièrement consumée. La seconde enveloppe était un châle, et la troisième un mouchoir de batiste. Au moment où elle jetait au feu la quatrième enveloppe, les gendarmes, accompagnés d'un commissaire de police, saisirent cette pièce importante que Denise laissa prendre sans manifester la moindre émotion. C'était un mouchoir sur lequel, malgré son séjour dans l'eau, il y avait quelques traces de sang. Questionnée aussitôt sur ce qu'elle venait de faire, Denise dit avoir retiré de l'eau l'or du vol d'après les indications de son frère ; le commissaire lui demanda pourquoi elle brûlait les enveloppes, elle répondit qu'elle accomplissait une des conditions imposées par son frère. Quand on demanda de quelle nature étaient ces enveloppes, elle répondit hardiment et sans aucun mensonge : – Un foulard, un mouchoir de batiste et un châle.

Le mouchoir qui venait d'être saisi appartenait à son frère.

Cette pêche et ses circonstances firent grand bruit dans la ville de Limoges. Le châle surtout confirma la croyance où l'on était que Tascheron avait commis son crime par amour. « – Après sa mort, il la protège encore, dit une dame en apprenant ces dernières révélations si habilement rendues inutiles. – Il y a peut-être dans Limoges un mari qui trouvera chez lui un foulard de moins, mais il sera forcé de se taire, dit en souriant le Procureur-général. – Les erreurs de toilette deviennent si compromettantes que je vais vérifier dès ce soir ma garde-robe, dit en souriant la vieille madame Perret. – Quels sont les jolis petits pieds dont la trace a été si bien effacée ? demanda monsieur de Grandville. – Bah ! peut-être ceux d'une femme laide, répondit le général. – Elle a payé chèrement sa faute, reprit l'abbé de Grancour. – Savez-vous ce que prouve cette affaire, s'écria l'Avocat-général. Elle montre tout ce que les femmes ont perdu à la Révolution qui a confondu les rangs sociaux. De pareilles passions ne se rencontrent plus que chez les hommes qui voient une énorme distance entre eux et leurs maîtresses. – Vous donnez à l'amour bien des vanités, répondit l'abbé Dutheil. – Que pense madame Graslin ? dit le préfet. – Et que voulez-vous qu'elle pense, elle est accouchée, comme elle me l'avait dit, pendant l'exécution, et n'a vu personne depuis, car elle est dangereusement malade », dit monsieur de Grandville.

Dans un autre salon de Limoges, il se passait une scène presque comique. Les amis des des Vanneaux venaient les féliciter sur la restitution de leur héritage « – Eh ! bien, on aurait dû faire grâce à ce pauvre homme, disait madame des Vanneaulx. L'amour et non l'intérêt l'avait conduit là : il n'était ni vicieux ni méchant. – Il a été plein de délicatesse, dit le sieur des Vanneaulx, *et si je savais où est sa famille, je les obligerais.* C'est de braves gens ces Tascheron. »

Quand, après la longue maladie qui suivit ses couches et qui la força de rester dans une retraite absolue et au lit, madame Graslin put se lever, vers la fin de l'année 1829, elle entendit alors parler à son mari d'une affaire assez considérable qu'il voulait conclure. La maison de Navarreins songeait à vendre la forêt de Montégnac et les domaines incultes qu'elle possédait à l'entour. Graslin n'avait pas encore exécuté la clause de son contrat de mariage, par lequel il était tenu de placer la dot de sa femme en terres, il avait préféré faire valoir la somme en banque et l'avait déjà doublée. À ce sujet, Véronique parut se souvenir du nom de Montégnac, et pria son mari de faire honneur à cet engagement en acquérant cette terre pour elle. Monsieur Graslin désira beaucoup voir monsieur le curé Bonnet, afin d'avoir des renseignements sur la forêt et les terres que le duc de Navarreins voulait vendre, car le duc prévoyait la lutte horrible que le prince de Polignac préparait entre le libéralisme et la maison de Bourbon et il en augurait fort mal ; aussi était-il un des opposants les plus intrépides au coup d'État. Le duc avait envoyé son homme d'affaires à Limoges, en le chargeant de céder devant une forte somme en argent, car il se souvenait trop bien de la révolution de 1789, pour ne pas mettre à profit les leçons qu'elle avait données à toute l'aristocratie. Cet homme d'affaires se trouvait depuis un mois face à face avec Graslin, le plus fin matois du Limousin, le seul homme signalé par tous les praticiens comme capable d'acquérir et de payer immédiatement une terre considérable. Sur un mot que lui écrivit l'abbé Dutheil, monsieur Bonnet accourut à Limoges et vint à l'hôtel Graslin. Véronique voulut prier le curé de dîner avec elle ; mais le banquier ne permit à monsieur Bonnet de monter chez sa femme, qu'après l'avoir tenu dans son cabinet durant une heure, et avoir pris des renseignements qui le satisfirent si bien, qu'il conclut immédiatement l'achat de la forêt et des domaines de Montégnac pour cinq cent mille francs. Il acquiesça au désir de sa femme en stipulant que cette acquisition et toutes celles qui s'y rattacheraient étaient faites pour accomplir la clause de son contrat de mariage, relative à l'emploi de la dot. Graslin s'exécuta d'autant plus volontiers que cet acte de probité ne lui coûtait alors plus rien. Au moment où Graslin traitait, les domaines se composaient de la forêt de Montégnac qui contenait environ trente mille arpents inexploitables, des ruines du château, des jardins et d'environ cinq mille arpents dans la plaine inculte qui se trouve en avant de Montégnac. Graslin fit aussitôt plusieurs acquisitions pour se rendre maître du premier pic de la chaîne des monts Corréziens, où finit l'immense forêt dite de Montégnac. Depuis l'établissement des impôts, le duc de Navarreins ne touchait pas quinze mille francs par an de cette seigneurie, jadis une des plus riches mouvances du royaume, et dont les terres avaient échappé à la vente ordonnée par la Convention, autant par leur infertilité que par l'impossibilité reconnue de les exploiter.

Quand le curé vit la femme célèbre par sa piété, par son esprit et de laquelle il avait entendu parler, il ne put retenir un geste de surprise. Véronique était alors arrivée à la troisième phase de sa vie, à celle où elle devait grandir par l'exercice des plus hautes vertus, et pendant laquelle elle fut une tout autre femme. À la madone de Raphaël, ensevelie à onze ans sous le manteau troué de la petite vérole, avait succédé la femme belle, noble, passionnée ; et de cette femme, frappée par d'intimes malheurs, il sortait une sainte. Le visage avait alors une teinte jaune semblable à celle qui colore les austères figures des abbesses célèbres par leurs macérations. Les tempes attendries s'étaient dorées. Les lèvres avaient pâli, on n'y voyait plus la rougeur de la grenade entrouverte, mais les froides teintes d'une rose de Bengale. Dans le coin des yeux, à la naissance du nez, les douleurs avaient tracé deux places nacrées par où bien des larmes secrètes avaient cheminé. Les larmes avaient effacé les traces de la petite vérole, et usé la peau. La curiosité s'attachait invinciblement à cette place où le réseau bleu des petits vaisseaux battait à coups précipités, et se montrait grossi par l'affluence du sang qui se portait là, comme pour nourrir les pleurs. Le tour des yeux seul conservait des teintes brunes, devenues noires au-dessous et bistrées aux paupières horriblement ridées. Les joues étaient creuses, et leurs plis accusaient de graves pensées. Le menton, où dans la jeunesse une chair abondante recouvrait les muscles, s'était amoindri, mais au désavantage de l'expression ; il révélait alors une implacable sévérité religieuse que Véronique exerçait seulement sur elle. À vingt-neuf ans, Véronique, obligée de se faire arracher une immense quantité de cheveux blancs, n'avait plus qu'une chevelure rare et grêle ; ses couches avaient détruit ses cheveux, l'un de ses plus beaux ornements. Sa maigreur effrayait. Malgré les défenses de son médecin, elle avait voulu nourrir son fils. Le médecin triomphait dans la ville en voyant se réaliser tous les changements qu'il avait pronostiqués au cas où Véronique nourrirait malgré lui. « – Voilà ce que produit une seule couche chez une femme, disait-il. Aussi, adore-t-elle son enfant. J'ai toujours remarqué que les mères aiment leurs enfants en raison du prix qu'ils leur coûtent. » Les yeux flétris de Véronique offraient néanmoins la seule chose qui fût restée jeune dans son visage : le bleu foncé de l'iris jetait un feu d'un éclat sauvage, où la vie semblait s'être réfugiée en désertant ce masque immobile et froid, mais animé par une pieuse expression dès qu'il s'agissait du prochain. Aussi la surprise, l'effroi du curé cessèrent-ils à mesure qu'il expliquait à madame Graslin tout le bien qu'un propriétaire pouvait opérer à Montégnac, en y résidant. Véronique redevint belle pour un moment, éclairée par les lueurs d'un avenir inespéré.

– J'irai, lui dit-elle. Ce sera mon bien. J'obtiendrai quelques fonds de monsieur Graslin, et je m'associerai vivement à votre œuvre religieuse. Montégnac sera fertilisé, nous trouverons des eaux pour arroser votre plaine inculte. Comme Moïse, vous frappez un rocher, il en sortira des pleurs !

Le curé de Montégnac, questionné par les amis qu'il avait à Limoges sur madame Graslin, en parla comme d'une sainte.

Le lendemain matin même de son acquisition, Graslin envoya un architecte à Montégnac. Le banquier voulut rétablir le château, les jardins, la terrasse, le parc, aller gagner la forêt par une plantation, et il mit à cette restauration une orgueilleuse activité.

Deux ans après, madame Graslin fut atteinte d'un grand malheur. En août 1830, Graslin, surpris par les désastres du commerce et de la banque, y fut enveloppé malgré sa prudence ; il ne supporta ni l'idée d'une faillite, ni celle de perdre une fortune de trois millions acquise par quarante ans de travaux ; la maladie morale qui résulta de ses angoisses, aggrava la maladie inflammatoire toujours allumée dans son sang, et il fut obligé de garder le lit. Depuis sa grossesse, l'amitié de Véronique pour Graslin s'était développée et avait renversé toutes les espérances de son admirateur, monsieur de Grandville ; elle essaya de sauver son mari par la vigilance de ses soins, elle ne réussit qu'à prolonger pendant quelques mois le supplice de cet homme ; mais ce répit fut très utile à Grossetête, qui, prévoyant la fin de son ancien commis, lui demanda les renseignements nécessaires à une prompte liquidation de l'Avoir. Graslin mourut en avril 1831, et le désespoir de sa veuve ne céda qu'à la résignation chrétienne. Le premier mot de Véronique fut pour abandonner sa propre fortune afin de solder les créanciers ; mais celle de monsieur Graslin suffisait au-delà. Deux mois après, la liquidation, à laquelle s'employa Grossetête, laissa à madame de Graslin la terre de Montégnac et six cent soixante mille francs, toute sa fortune à elle ; le nom de son fils resta donc sans tache, Graslin n'écornait la fortune de personne, pas même celle de sa femme. Francis Graslin eut encore environ une centaine de mille francs. Monsieur de Grandville, à qui la grandeur d'âme et les qualités de Véronique étaient connues, se proposa ; mais, à la surprise de tout Limoges, madame Graslin refusa le nouveau Procureur-général, sous ce prétexte que l'Église condamnait les secondes noces. Grossetête, homme de grand sens et d'un coup d'œil sûr, donna le conseil à Véronique de placer en inscriptions sur le Grand-livre le reliquat de sa fortune et de celle de monsieur Graslin, et il opéra lui-même immédiatement ce placement, au mois de juillet, dans celui des fonds français qui présentait les plus grands avantages, le trois pour cent alors à cinquante francs. Francis eut donc six mille livres de rentes, et sa mère quarante mille environ. La fortune de Véronique était encore la plus belle du Département. Quand tout fut réglé, madame Graslin annonça son projet de quitter Limoges pour aller vivre à Montégnac, auprès de monsieur Bonnet. Elle appela de nouveau le curé pour le consulter sur l'œuvre qu'il avait entreprise à Montégnac et à laquelle elle voulait participer ; mais il la dissuada généreusement de cette résolution, en lui prouvant que sa place était dans le monde.

– Je suis née du peuple, et veux retourner au peuple, répondit-elle.

Le curé, plein d'amour pour son village, s'opposa d'autant moins alors à la vocation de madame Graslin, qu'elle s'était volontairement mise dans l'obligation de ne plus habiter Limoges, en cédant l'hôtel Graslin à Grossetête qui, pour se couvrir des sommes qui lui étaient dues, l'avait pris à toute sa valeur.

Le jour de son départ, vers la fin du mois d'août 1831, les nombreux amis de madame Graslin voulurent l'accompagner jusqu'au-delà de la ville. Quelques-uns allèrent jusqu'à la première poste. Véronique était dans une calèche avec sa mère. L'abbé Dutheil, nommé depuis quelques jours à un évêché, se trouvait sur le devant de la voiture avec le vieux Grossetête. En passant sur la place d'Aine, Véronique éprouva une sensation violente, son visage se contracta de manière à laisser voir le jeu des muscles, elle serra son enfant sur elle par un mouvement convulsif que cacha la Sauviat en le lui prenant aussitôt, car la vieille mère semblait s'être attendue à l'émotion de sa fille. Le hasard voulut que madame Graslin vit la place où était jadis la maison de son père, elle serra vivement la main de la Sauviat, de grosses larmes roulèrent dans ses yeux, et se précipitèrent le long de ses joues. Quand elle eut quitté Limoges, elle y jeta un dernier regard, et parut éprouver une sensation de bonheur qui fut remarquée par tous ses amis. Quand le Procureur-général, ce jeune homme de vingt-cinq ans qu'elle refusait de prendre pour mari, lui baisa la main avec une vive expression de regret, le nouvel évêque remarqua le mouvement étrange par lequel le noir de la prunelle envahissait dans les yeux de Véronique le bleu qui, cette fois, fut réduit à n'être qu'un léger cercle. L'œil annonçait évidemment une violente résolution intérieure.

– Je ne le verrai donc plus ! dit-elle à l'oreille de sa mère qui reçut cette confidence sans que son vieux visage révélât le moindre sentiment.

La Sauviat était en ce moment observée par Grossetête qui se trouvait devant elle ; mais, malgré sa finesse, l'ancien banquier ne put deviner la haine que Véronique avait conçue contre ce magistrat, néanmoins reçu chez elle. En ce genre, les gens d'Église possèdent une perspicacité plus étendue que celle des autres hommes ; aussi l'évêque étonna-t-il Véronique par un regard de prêtre.

– Vous ne regretterez rien à Limoges ? dit monseigneur à madame Graslin.

– Vous le quittez, lui répondit-elle. Et monsieur n'y reviendra plus que rarement, ajouta-t-elle en souriant à Grossetête qui lui faisait ses adieux.

L'évêque conduisait Véronique jusqu'à Montégnac.

– Je devais cheminer en deuil sur cette route, dit-elle à l'oreille de sa mère en montant à pied la côte de Saint-Léonard.

La vieille, au visage âpre et ride, se mit un doigt sur les lèvres en montrant l'évêque qui regardait l'enfant avec une terrible attention. Ce geste, mais surtout le regard lumineux du prélat, causa comme un frémissement à madame Graslin. À l'aspect des vastes plaines qui étendent leurs nappes grises en avant de Montégnac, les yeux de Véronique perdirent de leur feu, elle fut prise de mélancolie. Elle aperçut alors le curé qui venait à sa rencontre et le fit monter dans la voiture.

– Voilà vos domaines, madame, lui dit monsieur Bonnet en montrant la plaine inculte.

IV

Madame Graslin à Montegnac

En quelques instants, le bourg de Montégnac et sa colline où les constructions neuves frappaient les regards, apparurent dorées par le soleil couchant et empreints de la poésie due au contraste de cette jolie nature jetée là comme une oasis au désert. Les yeux de madame Graslin s'emplirent de larmes, le curé lui montra une large trace blanche qui formait comme une balafre à la montagne.

– Voilà ce que mes paroissiens ont fait pour témoigner leur reconnaissance à leur châtelaine, dit-il en indiquant ce chemin. Nous pourrons monter en voiture au château. Cette rampe s'est achevée sans qu'il vous en coûte un sou, nous la planterons dans deux mois. Monseigneur peut deviner ce qu'il a fallu de peines, de soins et de dévouement pour opérer un pareil changement.

– Ils ont fait cela ? dit l'évêque.

– Sans vouloir rien accepter, monseigneur. Les plus pauvres y ont mis la main, en sachant qu'il leur venait une mère.

Au pied de la montagne, les voyageurs aperçurent tous les habitants réunis qui firent partir des boîtes, déchargèrent quelques fusils ; puis les deux plus jolies filles, vêtues de blanc, offrirent à madame Graslin des bouquets et des fruits.

– Être reçue ainsi dans ce village ! s'écria-t-elle en serrant la main de monsieur Bonnet comme si elle allait tomber dans un précipice.

La foule accompagna la voiture jusqu'à la grille d'honneur. De là, madame Graslin put voir son château dont jusqu'alors elle n'avait aperçu que les masses. À cet aspect, elle fut comme épouvantée de la magnificence de sa demeure. La pierre est rare dans le pays, le granit qui se trouve dans les montagnes est extrêmement difficile à tailler ; l'architecte, chargé par Graslin de rétablir le château, avait donc fait de la brique l'élément principal de cette vaste construction, ce qui la rendit d'autant moins coûteuse que la forêt de Montégnac avait pu fournir et la terre et le bois nécessaires à la fabrication. La charpente et la pierre de toutes les bâtisses étaient également sorties de cette forêt. Sans ces économies, Graslin se serait ruiné. La majeure partie des dépenses avait consisté en transports, en exploitations et en salaires. Ainsi l'argent était resté dans le bourg et l'avait vivifié. Au premier coup d'œil et de loin, le château présente une énorme masse rouge rayée de filets noirs produits par les joints, et bordée de lignes grises ; car les fenêtres, les portes, les entablements, les angles et les cordons de pierre à chaque étage sont de granit taillé en pointes de diamant. La cour, qui dessine un ovale incliné comme celle du château de Versailles, est entourée de murs en briques divisés par tableaux encadrés de bossages en granit. Au bas de ces murs règnent des massifs remarquables par le choix des arbustes, tous de verts différents. Deux grilles magnifiques, en face l'une de l'autre, mènent d'un côté à une terrasse qui a vue sur Montégnac, de l'autre aux communs et à une ferme. La grande grille d'honneur à laquelle aboutit la route qui venait d'être achevée, est flanquée de deux jolis pavillons dans le goût du seizième siècle. La façade sur la cour, composée de trois pavillons, l'un au milieu et séparé des deux autres par deux corps de logis, est exposée au levant. La façade sur les jardins, absolument pareille, est à l'exposition du couchant. Les pavillons n'ont qu'une fenêtre sur la façade, et chaque corps de logis en a trois. Le pavillon du milieu, disposé en campanile, et dont les angles sont vermiculés, se fait remarquer par l'élégance de quelques sculptures sobrement distribuées. L'art est timide en province, et quoique, dès 1829, l'ornementation eût fait des progrès à la voix des écrivains, les propriétaires avaient alors peur de dépenses que le manque de concurrence et d'ouvriers habiles rendaient assez formidables. Le pavillon de chaque extrémité, qui a trois fenêtres de profondeur, est couronné par des toits très élevés, ornés de balustrades en granit, et dans chaque pan pyramidal du toit, coupé à vive arête par une plate-forme élégante bordée de plomb et d'une galerie en fonte, s'élève une fenêtre élégamment sculptée. À chaque étage, les consoles de la porte et des fenêtres se recommandent d'ailleurs par des sculptures copiées d'après celles des maisons de Gênes. Le pavillon dont les trois fenêtres sont au midi voit sur Montégnac, l'autre, celui du nord, regarde la forêt. De la façade du jardin, l'œil embrasse la partie de Montégnac où se trouvent les Tascherons, et plonge sur la route qui conduit au chef-lieu de l'Arrondissement. La façade sur la cour jouit du coup d'œil que présentent les immenses plaines cerclées par les montagnes de la Corrèze du côté de Montégnac, mais qui finissent par la ligne perdue des horizons planes. Les corps de logis n'ont au-dessus du rez-de-chaussée qu'un étage terminé par des toits percés de mansardes dans le vieux style ; mais les deux pavillons de chaque bout sont élevés de deux étages. Celui du milieu est coiffé d'un dôme écrasé semblable à celui des pavillons dits de l'Horloge aux Tuileries ou au Louvre, et dans lequel se trouve une seule pièce formant belvédère et ornée d'une horloge. Par économie, toutes les toitures avaient été faites en tuiles à gouttière, poids énorme que portent facilement les charpentes prises dans la forêt. Avant de mourir, Graslin avait projeté la route qui venait d'être achevée par reconnaissance ; car cette entreprise, que Graslin appelait sa folie, avait jeté cinq cent mille francs dans la Commune. Aussi Montégnac s'était-il considérablement agrandi. Derrière les communs, sur le penchant de la colline qui, vers le nord, s'adoucit en finissant dans la plaine, Graslin avait commencé les bâtiments d'une ferme immense qui accusaient l'intention de tirer parti des terres incultes de la plaine. Six garçons jardiniers, logés dans les communs, et aux ordres d'un concierge jardinier en chef, continuaient en ce moment les plantations, et achevaient les travaux que monsieur Bonnet avait jugés indispensables. Le rez-de-chaussée de ce château, destiné tout entier à la réception, avait été meublé avec somptuosité. Le premier étage se trouvait assez nu, la mort de monsieur Graslin ayant fait suspendre les envois du mobilier.

– Ah ! monseigneur, dit madame Graslin à l'évêque après avoir fait le tour du château, moi qui comptais habiter une chaumière, le pauvre monsieur Graslin a fait des folies.

– Et vous, dit l'évêque, vous allez faire des actes de charité ? ajouta-t-il après une pause en remarquant le frisson que son mot causait à madame Graslin.

Elle prit le bras de sa mère, qui tenait Francis par la main, et alla seule jusqu'à la longue terrasse au bas de laquelle est située l'église, le presbytère, et d'où les maisons du bourg se voient par étages. Le curé s'empara de monseigneur Dutheil pour lui montrer les différentes faces de ce paysage. Mais les deux prêtres aperçurent bientôt à l'autre bout de la terrasse Véronique et sa mère immobiles comme des statues : la vieille avait son mouchoir à la main et s'essuyait les yeux, la fille avait les mains étendues au-dessus de la balustrade, et semblait indiquer l'église au-dessous.

– Qu'avez-vous, madame ? dit le curé à la vieille Sauviat.

– Rien, répondit madame Graslin qui se retourna et fit quelques pas au-devant des deux prêtres. Je ne savais pas que le cimetière dût être sous mes yeux.

– Vous pouvez le faire mettre ailleurs, la loi est pour vous.

– La loi ! dit-elle en laissant échapper ce mot comme un cri.

Là, l'évêque regarda encore Véronique. Fatiguée du regard noir par lequel ce prêtre perçait le voile de chair qui lui couvrait l'âme, et y surprenait le secret caché dans une des fosses de ce cimetière, elle lui cria : – Eh ! bien, oui.

L'évêque se posa la main sur les yeux et resta pensif, accablé pendant quelques instants.

– Soutenez ma fille, cria la vieille, elle pâlit.

– L'air est vif, il m'a saisie, dit madame Graslin en tombant évanouie dans les bras des deux ecclésiastiques qui la portèrent dans une des chambres du château.

Quand elle reprit connaissance, elle vit l'évêque et le curé priant Dieu pour elle, tous deux à genoux.

– Puisse l'ange qui vous a visitée ne plus vous quitter, lui dit l'évêque en la bénissant. Adieu, ma fille.

Ces mots firent fondre en larmes madame Graslin.

– Elle est donc sauvée ? s'écria la Sauviat.

– Dans ce monde et dans l'autre, ajouta l'évêque en se retournant avant de quitter la chambre.

Cette chambre où la Sauviat avait fait porter sa fille est située au premier étage du pavillon latéral dont les fenêtres regardent l'église, le cimetière et le côté méridional de Montégnac. Madame Graslin voulut y demeurer, et s'y logea tant bien que mal avec Aline et le petit Francis. Naturellement la Sauviat resta près de sa fille. Quelques jours furent nécessaires à madame Graslin pour se remettre des violentes émotions qui l'avaient saisie à son arrivée, sa mère la força d'ailleurs de garder le lit pendant toutes les matinées. Le soir, Véronique s'asseyait sur le banc de la terrasse, d'où ses yeux plongeaient sur l'église, sur le presbytère et le cimetière. Malgré la sourde opposition qu'y mit la vieille Sauviat, madame Graslin allait donc contracter une habitude de maniaque en s'asseyant ainsi à la même place, et s'y abandonnant à une sombre mélancolie.

– Madame se meurt, dit Aline à la vieille Sauviat.

Averti par ces deux femmes, le curé, qui ne voulait pas s'imposer, vint alors voir assidûment madame Graslin, dès qu'on lui eut indiqué chez elle une maladie de l'âme. Ce vrai pasteur eut soin de faire ses visites à l'heure où Véronique se posait à l'angle de la terrasse avec son fils, en deuil tous deux. Le mois d'octobre commençait, la nature devenait sombre et triste. Monsieur Bonnet qui, dès l'arrivée de Véronique à Montégnac, avait reconnu chez elle quelque grande plaie intérieure, jugea prudent d'attendre la confiance entière de cette femme qui devait devenir sa pénitente. Un soir, madame Graslin regarda le curé d'un œil presque éteint par la fatale indécision observée chez les gens qui caressent l'idée de la mort. Dès cet instant monsieur Bonnet n'hésita plus, et se mit en devoir d'arrêter les progrès de cette cruelle maladie morale. Il y eut d'abord entre Véronique et le prêtre un combat de paroles vides sous lesquelles ils se cachèrent leurs véritables pensées. Malgré le froid, Véronique était en ce moment sur un banc de granit et tenait Francis assis sur elle. La Sauviat était debout, appuyée contre la balustrade en briques, et cachait à dessein la vue du cimetière. Aline attendait que sa maîtresse lui rendît l'enfant.

– Je croyais, madame, dit le curé qui venait déjà pour la septième fois, que vous n'aviez que de la mélancolie ; mais je le vois, lui dit-il à l'oreille, c'est du désespoir. Ce sentiment n'est ni chrétien ni catholique.

– Et, répondit-elle en jetant au ciel un regard perçant et laissant errer un sourire amer sur ses lèvres, quel sentiment l'Église laisse-t-elle aux damnés, si ce n'est le désespoir.

En entendant ce mot, le saint homme aperçut dans cette âme d'immenses étendues ravagées.

– Ah ! vous faites de cette colline votre Enfer, quand elle devrait être le Calvaire d'où vous vous élancerez dans le ciel.

– Je n'ai plus assez d'orgueil pour me mettre sur un pareil piédestal, répondit-elle d'un ton qui révélait le profond mépris qu'elle avait pour elle-même.

Là, le prêtre, par une de ces inspirations qui sont si naturelles et si abondantes chez ces belles âmes vierges, l'homme de Dieu prit l'enfant dans ses bras, le baisa au front et dit : – Pauvre petit ! d'une voix paternelle en le rendant lui-même à la femme de chambre, qui l'emporta.

La Sauviat regarda sa fille, et vit combien le mot de monsieur Bonnet était efficace. Ce mot avait attiré des pleurs dans les yeux secs de Véronique. La vieille Auvergnate fit un signe au prêtre et disparut.

– Promenez-vous, dit monsieur Bonnet à Véronique en l'emmenant le long de cette terrasse à l'autre bout de laquelle se voyaient les Tascherons. Vous m'appartenez, je dois compte à Dieu de votre âme malade.

– Laissez-moi me remettre de mon abattement, lui dit-elle.

– Votre abattement provient de méditations funestes, reprit-il vivement.

– Oui, dit-elle avec la naïveté de la douleur arrivée au point où l'on ne garde plus de ménagements.

– Je le vois, vous êtes tombée dans l'abîme de l'indifférence, s'écria-t-il. S'il est un degré de souffrance physique où la pudeur expire, il est aussi un degré de souffrance morale où l'énergie de l'âme disparaît, je le sais.

Elle fut étonnée de trouver ces subtiles observations et cette pitié tendre chez monsieur Bonnet ; mais, comme on l'a vu déjà, l'exquise délicatesse qu'aucune passion n'avait altérée chez cet homme lui donnait pour les douleurs de ses ouailles le sens maternel de la femme. Ce *mens divinior*, cette tendresse apostolique, met le prêtre au-dessus des autres hommes, et en fait un être divin. Madame Graslin n'avait pas encore assez pratiqué monsieur Bonnet pour avoir pu reconnaître cette beauté cachée dans l'âme comme une source, et d'où procèdent la grâce, la fraîcheur, la vraie vie.

– Ah ! monsieur ? s'écria-t-elle en se livrant et lui par un geste et par un regard comme en ont les mourants.

– Je vous entends ! reprit-il. Que faire ? que devenir ?

Ils marchèrent en silence le long de la balustrade en allant vers la plaine. Ce moment solennel parut propice à ce porteur de bonnes nouvelles, à cet homme de l'Évangile.

– Supposez-vous devant Dieu, dit-il à voix basse et mystérieusement, que lui diriez-vous ?...

Madame Graslin resta comme frappée par la foudre et frissonna légèrement. – Je lui dirais comme Jésus-Christ : « Mon père, vous m'avez abandonnée et j'ai succombé ! » répondit-elle simplement et d'un accent qui fit venir des larmes aux yeux du curé.

– Ô Madeleine ! voilà le mot que j'attendais, s'écria monsieur Bonnet, qui ne pouvait s'empêcher de l'admirer. Vous voyez, vous recourez à la justice de Dieu, vous l'invoquez ! Écoutez-moi, madame. La religion est, par anticipation, la justice divine. L'Église s'est réservé le jugement de tous les procès de l'âme. La justice humaine est une faible image de la justice céleste, elle n'en est qu'une pâle imitation appliquée aux besoins de la société.

– Que voulez-vous dire ?

– Vous n'êtes pas juge dans votre propre cause, vous relevez de Dieu, dit le prêtre ; vous n'avez le droit ni de vous condamner, ni de vous absoudre. Dieu, ma fille, est un grand réviseur de procès.

– Ah ! fit-elle.

– Il *voit* l'origine des choses là où nous n'avons vu que les choses elles-mêmes.

Véronique s'arrêta frappée de ces idées, toutes neuves pour elle.

– À vous, reprit le courageux prêtre, à vous dont l'âme est si grande, je dois d'autres paroles que celles dues à mes humbles paroissiens. Vous pouvez, vous dont l'esprit est si cultivé, vous élever jusqu'au sens divin de la religion catholique, exprimée par des images et par des paroles aux yeux des Petits et des Pauvres. Écoutez-moi bien, il s'agit ici de vous ; car, malgré l'étendue du point de vue où je vais me placer pour un moment, ce sera bien votre cause. Le *Droit*, inventé pour protéger les Sociétés, est établi sur l'Égalité. La Société, qui n'est qu'un ensemble de faits, est basée sur l'Inégalité. Il existe donc un désaccord entre le Fait et le Droit. La Société doit-elle marcher réprimée ou favorisée par la Loi ? En d'autres termes, la Loi doit-elle s'opposer au mouvement intérieur social pour maintenir la Société, ou doit-elle être faite d'après ce mouvement pour la conduire ? Depuis l'existence des Sociétés, aucun législateur n'a osé prendre sur lui de décider cette question. Tous les législateurs se sont contentés d'analyser les faits, d'indiquer ceux blâmables ou criminels, et d'y attacher des punitions ou des récompenses. Telle est la Loi humaine : elle n'a ni les moyens de prévenir les fautes, ni les moyens d'en éviter le retour chez ceux qu'elle a punis. La philanthropie est une sublime erreur, elle tourmente inutilement le corps, elle ne produit pas le baume qui guérit l'âme. Le philanthrope fait des projets, a des idées, en confie l'exécution à l'homme, au silence, au travail, à des consignes, à des choses muettes et sans puissance. La Religion ignore ces imperfections, car elle a étendu la vie au-delà de ce monde. En nous considérant tous comme déchus et dans un état de dégradation, elle a ouvert un inépuisable trésor d'indulgence ; nous sommes tous plus ou moins avancés vers notre entière régénération, personne n'est infaillible, l'Église s'attend aux fautes et même aux crimes. Là où la Société voit un criminel à retrancher de son sein, l'Église voit une âme à sauver. Bien plus !... inspirée de Dieu qu'elle étudie et contemple, l'Église admet l'inégalité des forces, elle étudie la disproportion des fardeaux. Si elle vous trouve inégaux de cœur, de corps, d'esprit, d'aptitude, de valeur, elle vous rend tous égaux par le repentir. Là l'Égalité, madame, n'est plus un vain mot, car nous pouvons être, nous sommes tous égaux par les sentiments. Depuis le fétichisme informe des sauvages jusqu'aux gracieuses intentions de la Grèce, jusqu'aux profondes et ingénieuses doctrines de l'Égypte et des Indes, traduites par des cultes riants ou terribles, il est une conviction dans l'homme, celle de sa chute, de son péché, d'où vient partout l'idée des sacrifices et du rachat. La mort du Rédempteur, qui a racheté tout le genre humain, est l'image de ce que nous devons faire pour nous-même : rachetons nos fautes ! rachetons nos erreurs ! rachetons nos crimes ! Tout est rachetable, le catholicisme est dans cette parole ; de là ses adorables sacrements qui aident au triomphe de la grâce et soutiennent le pécheur. Pleurer, madame, gémir comme la Madeleine dans le désert, n'est que le commencement, agir est la fin. Les monastères pleuraient et agissaient, ils priaient et civilisaient, ils ont été les moyens actifs de notre divine religion. Ils ont bâti, planté, cultivé l'Europe, tout en sauvant le trésor de nos connaissances et celui de la justice humaine, de la politique et des arts. On reconnaîtra toujours en Europe la place de ces centres radieux. La plupart des villes nouvelles sont filles d'un monastère. Si vous croyez que Dieu ait à vous juger, l'Église vous dit par ma voix que tout peut se racheter par les bonnes œuvres du repentir. Les grandes mains de Dieu pèsent à la fois le mal qui fut fait, et le trésor des bienfaits accomplis. Soyez à vous seule le monastère, vous pouvez en recommencer ici les miracles. Vos prières doivent être des travaux. De votre travail doit découler le bonheur de ceux au-dessus desquels vous ont mis votre fortune, votre esprit, tout, jusqu'à cette position naturelle, image de votre situation sociale.

En disant ces derniers mots, le prêtre et madame Graslin s'étaient retournés pour revenir sur leurs pas vers les plaines, et le curé put montrer et le village au bas de la colline, et le château dominant le paysage. Il était alors quatre heures et demie. Un rayon de soleil jaunâtre enveloppait la balustrade, les jardins, illuminait le château, faisait briller le dessin des acrotères en fonte dorée, il éclairait la longue plaine partagée par la route, triste ruban gris qui n'avait pas ce feston que partout ailleurs les arbres y brodent les deux côtés. Quand Véronique et monsieur Bonnet eurent dépassé la masse du château, ils purent voir par-dessus la cour, les écuries et les communs, la forêt de Montégnac sur laquelle cette lueur glissait comme une caresse. Quoique ce dernier éclat du soleil couchant n'atteignît que les cimes, il permettait encore de voir parfaitement, depuis la colline où se trouve Montégnac jusqu'au premier pic de la chaîne des monts Corréziens, les caprices de la magnifique tapisserie que fait une forêt en automne. Les chênes formaient des masses de bronze florentin ; les noyers, les châtaigniers offraient leurs tons de vert-de-gris ; les arbres hâtifs brillaient par leur feuillage d'or, et toutes ces couleurs étaient nuancées par des places grises incultes. Les troncs des arbres entièrement dépouillés de feuilles montraient leurs colonnades blanchâtres. Ces couleurs rousses, fauves, grises, artistement fondues par les reflets pâles du soleil d'octobre, s'harmoniaient à cette plaine infertile, à cette immense jachère, verdâtre comme une eau stagnante. Une pensée du prêtre allait commenter ce beau spectacle, muet d'ailleurs : pas un arbre, pas un oiseau, la mort dans la plaine, le silence dans la forêt ; çà et là, quelques fumées dans les chaumières du village. Le château semblait sombre comme sa maîtresse. Par une loi singulière, tout imite dans une maison celui qui y règne, son esprit y plane. Madame Graslin, frappée à l'entendement par les paroles du curé, et frappée au cœur par la conviction, atteinte dans sa tendresse par le timbre angélique de cette voix, s'arrêta tout à coup. Le curé leva le bras et montra la forêt, Véronique la regarda.

– Ne trouvez-vous pas à ceci quelque ressemblance vague avec la vie sociale ? À chacun sa destinée ! Combien d'inégalités dans cette masse d'arbres ! Les plus haut perchés manquent de terre végétale et d'eau, ils meurent les premiers !...

– Il en est que *la serpe de la femme qui fait du bois* arrête dans la grâce de leur jeunesse ! dit-elle avec amertume.

– Ne retombez plus dans ces sentiments, reprit le curé sévèrement quoiqu'avec indulgence. Le malheur de cette forêt est de n'avoir pas été coupée, voyez-vous le phénomène que ses masses présentent ?

Véronique, pour qui les singularités de la nature forestière étaient peu sensibles, arrêta par obéissance son regard sur la forêt et le reporta doucement sur le curé.

– Vous ne remarquez pas, dit-il en devinant dans ce regard l'ignorance de Véronique, des lignes où les arbres de toute espèce sont encore verts ?

– Ah ! c'est vrai, s'écria-t-elle. Pourquoi ?

– Là, reprit le curé, se trouve la fortune de Montégnac et la vôtre, une immense fortune que j'avais signalée à monsieur Graslin. Vous voyez les sillons de trois vallées, dont les eaux se perdent dans le torrent du Gabou. Ce torrent sépare la forêt de Montégnac de la Commune qui, de ce côté, touche à la nôtre. À sec en septembre et octobre, en novembre il donne beaucoup d'eau. Son eau, dont la masse serait facilement augmentée par des travaux dans la forêt, afin de ne rien laisser perdre et de réunir les plus petites sources, cette eau ne sert à rien ; mais faites entre les deux collines du torrent un ou deux barrages pour la retenir, pour la conserver, comme a fait Riquet à Saint-Ferréol, où l'on pratiqua d'immenses réservoirs pour alimenter le canal du Languedoc, vous allez fertiliser cette plaine inculte avec de l'eau sagement distribuée dans des rigoles maintenues par des vannes, laquelle se boirait en temps utile dans ces terres, et dont le trop-plein serait d'ailleurs dirigé vers notre petite rivière. Vous aurez de beaux peupliers le long de tous vos canaux, et vous élèverez des bestiaux dans les plus belles prairies possibles. Qu'est-ce que l'herbe ? du soleil et de l'eau. Il y a bien assez de terre dans ces plaines pour les racines du gramen ; les eaux fourniront des rosées qui féconderont le sol, les peupliers s'en nourriront et arrêteront les brouillards, dont les principes seront pompés par toutes les plantes : tels sont les secrets de la belle végétation dans les vallées. Vous verrez un jour la vie, la joie, le mouvement, là où règne le silence, là où le regard s'attriste de l'infécondité. Ne sera-ce pas une belle prière ? Ces travaux n'occuperont-ils pas votre oisiveté mieux que les pensées de la mélancolie ?

Véronique serra la main du curé, ne dit qu'un mot, mais ce mot fut grand : – Ce sera fait, monsieur.

– Vous concevez cette grande chose, reprit-il, mais vous ne l'exécuterez pas. Ni vous ni moi nous n'avons les connaissances nécessaires à l'accomplissement d'une pensée qui peut venir à tous, mais qui soulève des difficultés immenses, car quoique simples et presque cachées, ces difficultés veulent les plus exactes ressources de la science. Cherchez donc dès aujourd'hui les instruments humains qui vous feront gagner dans douze ans six ou sept mille louis de rente avec les six mille arpents que vous fertiliserez ainsi. Ce travail rendra quelque jour Montégnac l'une des plus riches communes du Département. La forêt ne vous rapporte rien encore ; mais, tôt ou tard, la Spéculation viendra chercher ces magnifiques bois, trésors amassés par le temps, les seuls dont la production ne peut être ni hâtée ni remplacée par l'homme. L'État créera peut-être un jour lui-même des moyens de transport pour cette forêt dont les arbres seront utiles à sa marine ; mais il attendra que la population de Montégnac décuplée exige sa protection, car l'État est comme la Fortune, il ne donne qu'au riche. Cette terre sera, dans ce temps, l'une des plus belles de la France, elle sera l'orgueil de votre petit-fils, qui trouvera peut-être le château mesquin, relativement aux revenus.

– Voilà, dit Véronique, un avenir pour ma vie.

– Une pareille œuvre peut racheter bien des fautes, dit le curé.

En se voyant compris, il essaya de frapper un dernier coup sur l'intelligence de cette femme : il avait deviné que chez elle, l'intelligence menait au cœur ; tandis que, chez les autres femmes, le cœur est au contraire le chemin de l'intelligence. – Savez-vous, lui dit-il après une pause, dans quelle erreur vous êtes ? Elle le regarda timidement. – Votre repentir n'est encore que le sentiment d'une défaite essuyée, ce qui est horrible, c'est le désespoir de Satan, et tel était peut-être le repentir des hommes avant Jésus-Christ ; mais notre repentir à nous autres catholiques, est l'effroi d'une âme qui se heurte dans la mauvaise voie, et à qui, dans ce choc, Dieu s'est révélé ! Vous rassemblez à l'Oreste païen, devenez saint Paul !

– Votre parole vient de me changer entièrement, s'écria-t-elle. Maintenant, oh ! maintenant, je veux vivre.

– L'esprit a vaincu, se dit le modeste prêtre qui s'en alla joyeux. Il avait jeté une pâture au secret désespoir qui dévorait madame Graslin en donnant à son repentir la forme d'une belle et bonne action. Aussi Véronique écrivit-elle à monsieur Grossetête le lendemain même. Quelques jours après, elle reçut de Limoges, trois chevaux de selle envoyés par ce vieil ami. Monsieur Bonnet avait offert à Véronique, sur sa demande, le fils du maître de poste, un jeune homme enchanté de se mettre au service de madame Graslin, et de gagner une cinquantaine d'écus. Ce jeune garçon, à figure ronde, aux yeux et aux cheveux noirs, petit, découplé, nommé Maurice Champion, plut à Véronique et fut aussitôt mis en fonctions. Il devait accompagner sa maîtresse dans ses excursions et avoir soin des chevaux de selle.

Le garde général de Montégnac était un ancien maréchal des logis de la garde royale, né à Limoges, et que monsieur le duc de Navarreins avait envoyé d'une de ses terres à Montégnac pour en étudier la valeur et lui transmettre des renseignements, afin de savoir quel parti on en pouvait tirer. Jérôme Colorat n'y vit que des terres incultes et infertiles, des bois inexploitables à cause de la difficulté des transports, un château en ruines, et d'énormes dépenses à faire pour y rétablir une habitation et des jardins. Éffrayé surtout des clairières semées de roches granitiques qui nuançaient de loin cette immense forêt, ce probe mais inintelligent serviteur fut la cause de la vente de ce bien.

– Colorat, dit madame Graslin à son garde qu'elle fit venir, à compter de demain, je monterai vraisemblablement à cheval tous les matins. Vous devez connaître les différentes parties de terres qui dépendent de ce domaine et celles que monsieur Graslin y a réunies, vous me les indiquerez, je veux tout visiter par moi-même.

Les habitants du château apprirent avec joie le changement qui s'opérait dans la conduite de Véronique. Sans en avoir reçu l'ordre, Aline chercha, d'elle-même, la vieille amazone noire de sa maîtresse, et la mit en état de servir. Le lendemain, la Sauviat vit avec un indicible plaisir sa fille habillée pour monter à cheval. Guidée par son garde et par Champion qui allèrent en consultant leurs souvenirs, car les sentiers étaient à peine tracés dans ces montagnes inhabitées, madame Graslin se donna pour tâche de parcourir seulement les cimes sur lesquelles s'étendaient ses bois, afin d'en connaître les versants et de se familiariser avec les ravins, chemins naturels qui déchiraient cette longue arête. Elle voulait mesurer sa tâche, étudier la nature des courants et trouver les éléments de l'entreprise signalée par le curé. Elle suivait Colorat qui marchait en avant et Champion allait à quelques pas d'elle.

Tant qu'elle chemina dans des parties pleines d'arbres, en montant et descendant tour à tour ces ondulations de terrain si rapprochées dans les montagnes en France, Véronique fut préoccupée par les merveilles de la forêt. C'était des arbres séculaires dont les premiers l'étonnèrent et auxquels elle finit par s'habituer ; puis de hautes futaies naturelles, ou dans une clairière quelque pin solitaire d'une hauteur prodigieuse ; enfin, chose plus rare, un de ces arbustes, nains partout ailleurs, mais qui, par des circonstances curieuses, atteignent des développements gigantesques et sont quelquefois aussi vieux que le sol. Elle ne voyait pas sans une sensation inexprimable une nuée roulant sur des roches nues. Elle remarquait les sillons blanchâtres faits par les ruisseaux de neige fondue, et qui, de loin, ressemblent à des cicatrices. Après une gorge sans végétation, elle admirait, dans les flancs exfoliés d'une colline rocheuse, des châtaigniers centenaires, aussi beaux que des sapins des Alpes. La rapidité de sa course lui permettait d'embrasser, presqu'à vol d'oiseau, tantôt de vastes sables mobiles, des fondrières meublées d'arbres épars, des granits renversés, des roches pendantes, des vallons obscurs, des places étendues pleines de bruyères encore fleuries, et d'autres desséchées ; tantôt des solitudes âpres où croissaient des genévriers, des câpriers ; tantôt des prés à herbe courte, des morceaux de terre engraissée par un limon séculaire ; enfin les tristesses, les splendeurs, les choses douces, fortes, les aspects singuliers de la nature montagnarde au centre de la France. Et à force de voir ces tableaux variés de formes, mais animés par la même pensée, la profonde tristesse exprimée par cette nature à la fois sauvage et minée, abandonnée, infertile, la gagna et répondit à ses sentiments cachés. Et lorsque, par une échancrure, elle aperçut les plaines à ses pieds, quand elle eut à gravir quelque aride ravine entre les sables et les pierres de laquelle avaient poussé des arbustes rabougris, et que ce spectacle revint de moments en moments, l'esprit de cette nature austère la frappa, lui suggéra des observations neuves pour elle, et excitées par les significations de ces divers spectacles. Il n'est pas un site de forêt qui n'ait sa signification ; pas une clairière, pas un fourré qui ne présente des analogies avec le labyrinthe des pensées humaines. Quelle personne parmi les gens dont l'esprit est cultivé, ou dont le cœur a reçu des blessures, peut se promener dans une forêt, sans que la forêt lui parle ? Insensiblement, il s'en élève une voix ou consolante ou terrible, mais plus souvent consolante que terrible. Si l'on recherchait bien les causes de la sensation, à la fois grave, simple, douce, mystérieuse qui vous y saisit, peut-être la trouverait-on dans le spectacle sublime et ingénieux de toutes ces créatures obéissant à leurs destinées, et immuablement soumises. Tôt ou tard le sentiment écrasant de la permanence de la nature vous emplit le cœur, vous remue profondément, et vous finissez par y être inquiets de Dieu. Aussi Véronique recueillit-elle dans le silence de ces cimes, dans la senteur des bois, dans la sérénité de l'air, comme elle le dit le soir à monsieur Bonnet, la certitude d'une clémence auguste. Elle entrevit la possibilité d'un ordre de faits plus élevés que celui dans lequel avaient jusqu'alors tourné ses rêveries. Elle sentit une sorte de bonheur. Elle n'avait pas, depuis longtemps, éprouvé tant de paix. Devait-elle ce sentiment à la similitude qu'elle trouvait entre ces paysages et les endroits épuisés, desséchés de son âme. Avait-elle vu ces troubles de la nature avec une sorte de joie, en pensant que la matière était punie là, sans avoir péché ? Certes, elle fut puissamment émue ; car, à plusieurs reprises, Colorat et Champion se la montrèrent comme s'ils la trouvaient transfigurée. Dans un certain endroit, Véronique aperçut dans les roides pentes des torrents je ne sais quoi de sévère. Elle se surprit à désirer d'entendre l'eau bruissant dans ces ravines ardentes. – Toujours aimer ! pensa-t-elle. Honteuse de ce mot qui lui fut jeté comme par une voix, elle poussa son cheval avec témérité vers le premier pic de la Corrèze, où, malgré l'avis de ses deux guides, elle s'élança. Elle atteignit seule au sommet de ce piton, nommé la *Roche-Vive*, et y resta pendant quelques instants, occupée à voir tout le pays. Après avoir entendu la voix secrète de tant de créations qui demandaient à vivre, elle reçut en elle-même un coup qui la détermina à déployer pour son œuvre cette persévérance tant admirée et dont elle donna tant de preuves. Elle attacha son cheval par la bride à un arbre, alla s'asseoir sur un quartier de roche, en laissant errer ses regards sur cet espace où la nature se montrait marâtre, et ressentit dans son cœur les mouvements maternels qu'elle avait jadis éprouvés en regardant son enfant. Préparée à recevoir la sublime instruction que présentait ce spectacle par les méditations presque involontaires qui, selon sa belle expression, avaient vanné son cœur, elle s'y éveilla d'une léthargie. Elle comprit alors, dit-elle au curé, que nos âmes devaient être labourées aussi bien que la terre. Cette vaste scène était éclairée par le pâle soleil du mois de novembre. Déjà quelques nuées grises chassées par un vent froid venaient de l'ouest. Il était environ trois heures, Véronique avait mis quatre heures à venir là ; mais comme tous ceux qui sont dévorés par une profonde misère intime, elle ne faisait aucune attention aux circonstances extérieures. En ce moment sa vie véritablement s'agrandissait du mouvement sublime de la nature.

– Ne restez pas plus longtemps là, madame, lui dit un homme dont la voix la fit tressaillir, vous ne pourriez plus retourner nulle part, car vous êtes séparée par plus de deux lieues de toute habitation ; à la nuit, la forêt est impraticable ; mais, ces dangers ne sont rien en comparaison de celui qui vous attend ici. Dans quelques instants il fera sur ce pic un froid mortel dont la cause est inconnue, et qui a déjà tué plusieurs personnes.

Madame Graslin aperçut au-dessous d'elle une figure presque noire de hâle où brillaient deux yeux qui ressemblaient à deux langues de feu. De chaque côté de cette face, pendait une large nappe de cheveux bruns, et dessous s'agitait une barbe en éventail. L'homme soulevait respectueusement un de ces énormes chapeaux à larges bords que portent les paysans au centre de la France, et montrait un de ces fronts dégarnis, mais superbes, par lesquels certains pauvres se recommandent à l'attention publique. Véronique n'eut pas la moindre frayeur, elle était dans une de ces situations où, pour les femmes, cessent toutes les petites considérations qui les rendent peureuses.

– Comment vous trouvez-vous là ? lui dit-elle.

– Mon habitation est à peu de distance, répondit l'inconnu.

– Et que faites-vous dans ce désert ? demanda Véronique.

– J'y vis.

– Mais comment et de quoi ?

– On me donne une petite somme pour garder toute cette partie de la forêt, dit-il en montrant le versant du pic opposé à celui qui regardait les plaines de Montégnac.

Madame Graslin aperçut alors le canon d'un fusil et vit un carnier. Si elle avait eu des craintes, elle eût été dès lors rassurée.

– Vous êtes garde ?

– Non, madame, pour être garde, il faut pouvoir prêter serment, et pour le prêter, il faut jouir de tous ses droits civiques...

– Qui êtes-vous donc ?

– Je suis Farrabesche, dit l'homme avec une profonde humilité en abaissant les yeux vers la terre.

Madame Graslin, à qui ce nom ne disait rien, regarda cet homme et observa dans sa figure, excessivement douce, des signes de férocité cachée : les dents mal rangées imprimaient à la bouche, dont les lèvres étaient d'un rouge de sang, un tour plein d'ironie et de mauvaise audace ; les pommettes brunes et saillantes offraient je ne sais quoi d'animal. Cet homme avait la taille moyenne, les épaules fortes, le cou rentré, très court, gros, les mains larges et velues des gens violents et capables d'abuser de ces avantages d'une nature bestiale. Ses dernières paroles annonçaient d'ailleurs quelque mystère auquel son attitude, sa physionomie et sa personne prêtaient un sens terrible.

– Vous êtes donc à mon service ? lui dit d'une voix douce Véronique.

– J'ai donc l'honneur de parler à madame Graslin ? dit Farrabesche.

– Oui, mon ami, répondit-elle.

Farrabesche disparut avec la rapidité d'une bête fauve, après avoir jeté sur sa maîtresse un regard plein de crainte. Véronique s'empressa de remonter à cheval et alla rejoindre ses deux domestiques qui commençaient à concevoir des inquiétudes sur elle, car on connaissait dans le pays l'inexplicable insalubrité de la *Roche-Vive*. Colorat pria sa maîtresse de descendre par une petite vallée qui conduisait dans la plaine. « Il serait, dit-il, dangereux de revenir par les hauteurs où les chemins déjà si peu frayés se croisaient, et où, malgré sa connaissance du pays, il pourrait se perdre.

Une fois en plaine, Véronique ralentit le pas de son cheval.

– Quel est ce Farrabesche que vous employez ? dit-elle à son garde général.

– Madame l'a rencontré, s'écria Colorat.

– Oui, mais il s'est enfui.

– Le pauvre homme ! peut-être ne sait-il pas combien madame est bonne.

– Enfin qu'a-t-il fait ?

– Mais, madame, Farrabesche est un assassin, répondit naïvement Champion.

– On lui a donc fait grâce, à lui ? demanda Véronique d'une voix émue.

– Non, madame, répondit Colorat. Farrabesche a passé aux Assises, il a été condamné à dix ans de travaux forcés, il a fait son temps, et il est revenu du bagne en 1827. Il doit la vie à monsieur le curé qui l'a décidé à se livrer. Condamné à mort par contumace, tôt ou tard il eût été pris, et son cas n'eût pas été bon. Monsieur Bonnet est allé le trouver tout seul, au risque de se faire tuer. On ne sait pas ce qu'il a dit à Farrabesche. Ils sont restés seuls pendant deux jours, le troisième il l'a ramené à Tulle, où l'autre s'est livré. Monsieur Bonnet est allé voir un bon avocat, lui a recommandé la cause de Farrabesche, Farrabesche en a été quitte pour dix ans de fers, et monsieur le curé l'a visité dans sa prison. Ce gars-là, qui était la terreur du pays, est devenu doux comme une jeune fille, il s'est laissé emmener au bagne tranquillement. À son retour, il est venu s'établir ici sous la protection de monsieur le curé ; personne ne lui dit plus haut que son nom, il va tous les dimanches et les jours de fêtes aux offices, à la messe. Quoiqu'il ait sa place parmi nous, il se tient le long d'un mur, tout seul. Il fait ses dévotions de temps en temps ; mais à la sainte table, il se met aussi à l'écart.

– Et cet homme a tué un autre homme ?

– Un, dit Colorat, il en a bien tué plusieurs ? Mais c'est un bon homme tout de même !

– Est-ce possible ! s'écria Véronique qui dans sa stupeur laissa tomber la bride sur le cou de son cheval.

– Voyez-vous, madame, reprit le garde qui ne demandait pas

mieux que de raconter cette histoire, Farrabesche a peut-être eu raison dans le principe, il était le dernier des Farrabesche, une vieille famille de la Corrèze, quoi ! Son frère aîné, le capitaine Farrabesche, est donc mort dix ans auparavant en Italie, à Montenotte, capitaine à vingt-deux ans. Était-ce avoir du guignon ? Et un homme qui avait des moyens, il savait lire et écrire, il se promettait d'être fait général. Il y eut des regrets dans la famille, et il y avait de quoi vraiment ! Moi, qui dans ce temps étais avec l'Autre, j'ai entendu parler de sa mort ! Oh ! le capitaine Farrabesche a fait une belle mort, il a sauvé l'armée et le petit caporal ! Je servais déjà sous le général Steingel, un Allemand, c'est-à-dire un Alsacien, un fameux général, mais il avait la vue courte, et ce défaut-là fut cause de sa mort arrivée quelque temps après celle du capitaine Farrabesche. Le petit dernier, qui est celui-ci, avait donc six ans quand il entendit parler de la mort de son grand frère. Le second frère servait aussi, mais comme soldat ; il mourut sergent, premier régiment de la garde, un beau poste, à la bataille d'Austerlitz, où, voyez-vous, madame, on a manœuvré aussi tranquillement que dans les Tuileries... J'y étais aussi ! Oh ! j'ai eu du bonheur, j'ai été de tout, sans attraper une blessure. Notre Farrabesche donc, quoiqu'il soit brave, se mit dans la tête de ne pas partir. Au fait, l'armée n'était pas saine pour cette famille-là. Quand le sous-préfet l'a demandé en 1811, il s'est enfui dans les bois ; réfractaire quoi, comme on les appelait. Pour lors, il s'est joint à un parti de chauffeurs, de gré ou de force ; mais enfin il a chauffé ! Vous comprenez que personne autre que monsieur le curé ne sait ce qu'il a fait avec ces mâtins-là, parlant par respect ! Il s'est souvent battu avec les gendarmes et avec la ligne aussi ! Enfin, il s'est trouvé dans sept rencontres...

– Il passe pour avoir tué deux soldats et trois gendarmes ! dit Champion.

– Est-ce qu'on sait le compte ? il ne l'a pas dit, reprit Colorat. Enfin, madame, presque tous les autres ont été pris ; mais lui, dame ! jeune et agile, connaissant mieux le pays, il a toujours échappé. Ces chauffeurs-là se tenaient aux environs de Brives et de Tulle ; ils rabattaient souvent par ici, à cause de la facilité que Farrabesche avait de les cacher. En 1814, on ne s'est plus occupé de lui, la conscription était abolie ; mais il a été forcé de passer l'année de 1815 dans les bois. Comme il n'avait pas ses aises pour vivre, il a encore aidé à arrêter la malle, dans la gorge, là-bas ; mais enfin, d'après l'avis de monsieur le curé, il s'est livré. Il n'a pas été facile de lui trouver des témoins, personne n'osait déposer contre lui. Pour lors, son avocat et monsieur le curé ont tant fait, qu'il en a été quitte pour dix ans. Il a eu du bonheur, après avoir chauffé, car il a chauffé !

– Mais qu'est-ce que c'était que de chauffer ?

– Si vous le voulez, madame, je vas vous dire comment ils faisaient, autant que je le sais par les uns et les autres, car, vous comprenez, je n'ai point chauffé ! Ça n'est pas beau, mais la nécessité ne connaît point de loi. Donc, ils tombaient sept ou huit chez un fermier ou chez un propriétaire soupçonné d'avoir de l'argent ; ils vous allumaient du feu, soupaient au milieu de la nuit ; puis, entre la poire et le fromage, si le maître de la maison ne voulait pas leur donner la somme demandée, ils lui attachaient les pieds à la crémaillère, et ne les détachaient qu'après avoir reçu leur argent : voilà. Ils venaient masqués. Dans le nombre de leurs expéditions, il y en a eu de malheureuses. Dame ! il y a toujours des obstinés, des gens avares. Un fermier, le père Cochegrue, qui aurait bien tondu sur un œuf, s'est laissé brûler les pieds ! Ah ! ben, il en est mort. La femme de monsieur David, auprès de Brives, est morte des suites de la frayeur que ces gens-là lui ont faite, rien que d'avoir vu lier les pieds de son mari. – Donne-leur donc ce que tu as ! qu'elle s'en allait lui disant. Il ne voulait pas, elle leur a montré la cachette. Les chauffeurs ont été la terreur du pays pendant cinq ans ; mais mettez-vous bien dans la boule, pardon, madame, que plus d'un fils de bonne maison était des leurs, et que c'est pas ceux-là qui se laissaient gober.

Madame Graslin écoutait sans répondre. Il y eut un moment de silence. Le petit Champion, jaloux d'amuser sa maîtresse, voulut dire ce qu'il savait de Farrabesche.

– Il faut dire aussi à madame tout ce qui en est, Farrabesche n'a pas son pareil à la course, ni à cheval. Il tue un bœuf d'un coup de poing ! Il porte sept cents, dà ! personne ne tire mieux que lui. Quand j'étais petit, on me racontait les aventures de Farrabesche. Un jour il est surpris avec trois de ses compagnons : ils se battent, bien ! deux sont blessés et le troisième meurt, bon ! Farrabesche se voit pris ; bah ! il saute sur le cheval d'un gendarme, en croupe, derrière l'homme, pique le cheval qui s'emporte ; le met au grand galop et disparaît en tenant le gendarme à bras-le-corps ; il le serrait si fort qu'à une certaine distance, il a pu le jeter à terre, rester seul sur le cheval, et il s'évada maître du cheval ! Et il a eu le toupet de l'aller vendre à dix lieues au-delà de Limoges. De ce coup, il resta pendant trois mois caché et introuvable. On avait promis cent louis à celui qui le livrerait.

– Une autre fois, dit Colorat, à propos des cent louis promis pour lui par le préfet de Tulle, il les fit gagner à un de ses cousins, Giriex de Vizay. Son cousin le dénonça et eut l'air de le livrer ! Oh ! il le livra. Les gendarmes étaient bien heureux de le mener à Tulle. Mais il n'alla pas loin, on fut obligé de l'enfermer dans la prison de Lubersac, d'où il s'évada pendant la première nuit, en profitant d'une percée qu'y avait faite un de ses complices, un nommé Gabilleau, un déserteur du 17e, exécuté à Tulle, et qui fut transféré avant la nuit où il comptait se sauver. Ces aventures donnaient à Farrabesche une fameuse couleur. La troupe avait ses affidés, vous comprenez ! D'ailleurs on les aimait les chauffeurs. Ah dame ! ces gens-là n'étaient pas comme ceux d'aujourd'hui, chacun de ces gaillards dépensait royalement son argent. Figurez-vous, madame, un soir, Farrabesche est poursuivi par des gendarmes, n'est-ce pas ; eh, bien ! il leur a échappé cette fois en restant pendant vingt-quatre heures dans la mare d'une ferme, il respirait de l'air par un tuyau de paille à fleur du fumier. Qu'est-ce que c'était que ce petit désagrément pour lui qui a passé des nuits au fin sommet des arbres où les moineaux se tiennent à peine, en voyant les soldats qui le cherchaient passant et repassant sous lui. Farrabesche a été l'un de cinq à six chauffeurs que la Justice n'a pas pu prendre ; mais, comme il était du pays et par force avec eux, enfin il n'avait fui que pour éviter la conscription, les femmes étaient pour lui, et c'est beaucoup !

– Ainsi Farrabesche a bien certainement tué plusieurs hommes, dit encore madame Graslin.

– Certainement, reprit Colorat, il a même, dit-on, tué le voyageur qui était dans la malle en 1812 ; mais le courrier, le postillon, les seuls témoins qui pussent le reconnaître, étaient morts lors de son jugement.

– Pour le voler, dit madame Graslin.

– Oh ! ils ont tout pris ; mais les vingt-cinq mille francs qu'ils ont trouvés étaient au Gouvernement.

Madame Graslin chemina silencieusement pendant une lieue. Le soleil était couché, la lune éclairait la plaine grise, il semblait alors que ce fût la pleine mer. Il y eut un moment où Champion et Colorat regardèrent madame Graslin dont le profond silence les inquiétait ; ils éprouvèrent une violente sensation en lui voyant sur les joues deux traces brillantes, produites par d'abondantes larmes, elle avait les yeux rouges et remplis de pleurs qui tombaient goutte à goutte.

– Oh ! madame, dit Colorat, ne le plaignez pas ! Le gars a eu du bon temps, il a eu de jolies maîtresses ; et maintenant, quoique sous la surveillance de la haute police, il est protégé par l'estime et l'amitié de monsieur le curé ; car il s'est repenti, sa conduite au bagne a été des plus exemplaires. Chacun sait qu'il est aussi honnête homme que le plus honnête d'entre nous ; seulement il est fier, il ne veut pas s'exposer à recevoir quelque marque de répugnance, et il vit tranquillement en faisant du bien à sa manière. Il vous a mis de l'autre côté de la Roche-Vive une dizaine d'arpents en pépinières, et il plante dans la forêt aux places où il aperçoit la chance de faire venir un arbre ; puis il émonde les arbres, il ramasse le bois mort, il fagotte et tient le bois à la disposition des pauvres gens. Chaque pauvre, sûr d'avoir du bois tout fait, tout prêt, vient lui en demander au lieu d'en prendre et de faire du tort à vos bois, en sorte qu'aujourd'hui s'il chauffe le monde, il leur fait du bien ! Farrabesche aime votre forêt, il en a soin comme de son bien.

– Et il vit !... tout seul, s'écria madame Graslin qui se hâta d'ajouter les deux derniers mots.

– Faites excuse, madame, il prend soin d'un petit garçon qui va sur quinze ans, dit Maurice Champion.

– Ma foi, oui, dit Colorat, car la Curieux a eu cet enfant-là quelque temps avant que Farrabesche se soit livré.

– C'est son fils ? dit madame Graslin.

– Mais chacun le pense.

– Et pourquoi n'a-t-il pas épousé cette fille ?

– Et comment ? on l'aurait pris ! Aussi, quand la Curieux sut qu'il était condamné, la pauvre fille a-t-elle quitté le pays.

– Était-elle jolie ?

– Oh ! dit Maurice, ma mère prétend qu'elle ressemblait beaucoup, tenez... à une autre fille qui, elle aussi, a quitté le pays, à Denise Tascheron.

– Il était aimé ? dit madame Graslin.

– Bah ! parce qu'il chauffait, dit Colorat, les femmes aiment l'extraordinaire. Cependant rien n'a plus éloigné le pays que cet amour-là. Catherine Curieux vivait sage comme une Sainte Vierge, elle passait pour une perle de vertu dans son village, à Vizay, un fort bourg de la Corrèze, sur la ligne des deux départements. Son père et sa mère y sont fermiers de messieurs Brézac. La Catherine Curieux avait bien ses dix-sept ans lors du jugement de Farrabesche. Les Farrabesche étaient une vieille famille du même pays, qui se sont établis sur les domaines de Montégnac, ils tenaient la ferme du village. Le père et la mère Farrabesche sont morts ; mais les trois sœurs à la Curieux sont mariées, une à Aubusson, une à Limoges, une à Saint-Léonard.

– Croyez-vous que Farrabesche sache où est Catherine ? dit madame Graslin.

– S'il le savait, il romprait son ban, oh ! il irait... Dès son arrivée, il a fait demander par monsieur Bonnet le petit Curieux au père et à la mère qui en avaient soin ; monsieur Bonnet le lui a obtenu tout de même.

– Personne ne sait ce qu'elle est devenue.

– Bah ! dit Colorat, cette jeunesse s'est crue perdue ! elle a eu peur de rester dans le pays ! Elle est allée à Paris. Et qu'y fait-elle ? Voilà le *hic*. La chercher là, c'est vouloir trouver une bille dans les cailloux de cette plaine !

Colorat montrait la plaine de Montégnac du haut de la rampe par laquelle montait alors madame Graslin, qui n'était plus qu'à quelques pas de la grille du château. La Sauviat inquiète, Aline, les gens attendaient là, ne sachant que penser d'une si longue absence.

– Eh ! bien, dit la Sauviat en aidant sa fille à descendre de cheval, tu dois être horriblement fatiguée.

– Non, ma mère, dit madame Graslin d'une voix si altérée, que la Sauviat regarda sa fille et vit alors qu'elle avait beaucoup pleuré.

Madame Graslin rentra chez elle avec Aline, qui avait ses ordres pour tout ce qui concernait sa vie intérieure, elle s'enferma chez elle sans y admettre sa mère ; et quand la Sauviat voulut y venir, Aline dit à la vieille Auvergnate : « Madame est endormie. »

Le lendemain Véronique partit à cheval accompagnée de Maurice seulement. Pour se rendre rapidement à la Roche-Vive, elle prit le chemin par lequel elle en était revenue la veille. En montant par le fond de la gorge qui séparait ce pic de la dernière colline de la forêt, car vue de la plaine, la Roche-Vive semblait isolée. Véronique dit à Maurice de lui indiquer la maison de Farrabesche et de l'attendre en gardant les chevaux ; elle voulut aller seule : Maurice la conduisit donc vers un sentier qui descend sur le versant de la Roche-Vive, opposé à celui de la plaine, et lui montra le toit en chaume d'une habitation presque perdue à moitié de cette montagne, et au bas de laquelle s'étendent des pépinières. Il était alors environ midi. Une fumée légère qui sortait de la cheminée indiquait la maison auprès de laquelle Véronique arriva bientôt ; mais elle ne se montra pas tout d'abord. À l'aspect de cette modeste demeure assise au milieu d'un jardin entouré d'une haie en épines sèches, elle resta pendant quelques instants perdue en des pensées qui ne furent connues que d'elle. Au bas du jardin serpentent quelques arpents de prairies encloses d'une haie vive, et où, çà et là, s'étalent les têtes aplaties des pommiers, des poiriers et des pruniers. Au-dessus de la maison, vers le haut de la montagne où le terrain devient sablonneux, s'élèvent les cimes jaunies d'une superbe châtaigneraie. En ouvrant la porte à claire-voie faite en planches presque pourries qui sert de clôture, madame Graslin aperçut une étable, une petite basse-cour et tous les pittoresques, les vivants accessoires des habitations du pauvre, qui certes ont de le poésie aux champs. Quel être a pu voir sans émotion les linges étendus sur la haie, la botte d'oignons pendue au plancher, les marmites en fer qui sèchent, le banc de bois ombragé de chèvrefeuilles, et les joubarbes sur le faite du chaume qui accompagnent presque toutes les chaumières en France et qui révèlent une vie humble, presque végétative.

Il fut impossible à Véronique d'arriver chez son garde sans être aperçue, deux beaux chiens de chasse aboyèrent aussitôt que le bruit de son amazone se fit entendre dans les feuilles sèches ; elle prit la queue de cette large robe sous son bras, et s'avança vers la maison. Farrabesche et son enfant, qui étaient assis sur un banc de bois en dehors, se levèrent et se découvrirent tous deux, en gardant une attitude respectueuse, mais sans la moindre apparence de servilité.

– J'ai su, dit Véronique en regardant avec attention l'enfant, que vous preniez mes intérêts, j'ai voulu voir par moi-même votre maison, les pépinières, et vous questionner ici même sur les améliorations à faire.

– Je suis aux ordres de madame, répondit Farrabesche.

Véronique admira l'enfant qui avait une charmante figure, un peu hâlée, brune, mais très régulière, un ovale parfait, un front purement dessiné, des yeux orange d'une vivacité excessive, des cheveux noirs, coupés sur le front et longs de chaque côté du visage. Plus grand que ne l'est ordinairement un enfant de cet âge, ce petit avait près de cinq pieds. Son pantalon était comme sa chemise en grosse toile écrue, son gilet de gros drap bleu très usé avait des boutons de corne, il portait une veste de ce drap si plaisamment nommé velours de Maurienne et avec lequel s'habillent les savoyards, de gros souliers ferrés et point de bas. Ce costume était exactement celui du père ; seulement, Farrabesche avait sur la tête un grand feutre de paysan et le petit avait sur la sienne un bonnet de laine brune. Quoique spirituelle et animée, la physionomie de cet enfant gardait sans effort la gravité particulière aux créatures qui vivent dans la solitude ; il avait dû se mettre en harmonie avec le silence et la vie des bois. Aussi Farrabesche et son fils étaient-ils surtout développés du côté physique, ils possédaient les propriétés remarquables des sauvages : une vue perçante, une attention constante, un empire certain sur eux-mêmes, l'ouïe sûre, une agilité visible, une intelligente adresse. Au premier regard que l'enfant lança sur son père, madame Graslin devina une de ces affections sans bornes où l'instinct s'est trempé dans la pensée, et où le bonheur le plus agissant confirme et le vouloir de l'instinct et l'examen de la pensée.

– Voilà l'enfant dont on m'a parlé ? dit Véronique en montrant le garçon.

– Oui, madame.

– Vous n'avez donc fait aucune démarche pour retrouver sa mère ? demanda Véronique à Farrabesche en l'emmenant à quelques pas par un signe.

– Madame ne sait sans doute pas qu'il m'est interdit de m'écarter de la commune sur laquelle je réside.

– Et n'avez-vous jamais eu de nouvelles ?

– À l'expiration de mon temps, répondit-il, le commissaire me remit une somme de mille francs qui m'avait été envoyée par petites portions de trois en trois mois, et que les règlements ne permettaient pas de me donner avant le jour de ma sortie. J'ai pensé que Catherine pouvait seule avoir songé à moi, puisque ce n'était pas monsieur Bonnet ; aussi ai-je gardé cette somme pour Benjamin.

– Et les parents de Catherine ?

– Ils n'ont plus pensé à elle après son départ. D'ailleurs, ils ont fait assez en prenant soin du petit.

– Eh ! bien, Farrabesche, dit Véronique en se retournant vers la maison, je ferai en sorte de savoir si Catherine vit encore, où elle est, et quel est son genre de vie...

– Oh ! quel qu'il soit, madame, s'écria doucement cet homme, je regarderai comme un bonheur de l'avoir pour femme. C'est à elle à se montrer difficile et non à moi. Notre mariage légitimerait ce pauvre garçon, qui ne soupçonne pas encore sa position.

Le regard que le père jeta sur le fils expliquait la vie de ces deux êtres abandonnés ou volontairement isolés : ils étaient tout l'un pour l'autre, comme deux compatriotes jetés dans un désert.

– Ainsi vous aimez Catherine ? demanda Véronique.

– Je ne l'aimerais pas, madame, répondit-il, que dans ma situation elle est pour moi la seule femme qu'il y ait dans le monde.

Madame Graslin se retourna vivement et alla jusque sous la châtaigneraie, comme atteinte d'une douleur. Le garde crut qu'elle était saisie par quelque caprice, et n'osa la suivre. Véronique resta là pendant un quart d'heure environ, occupée en apparence à regarder le paysage. De là elle apercevait toute la partie de la forêt qui meuble ce côté de la vallée où coule le torrent, alors sans eau, plein de pierres, et qui ressemblait à un immense fossé, serré entre les montagnes boisées dépendant de Montégnac et une autre chaîne de collines parallèles, mais rapides, sans végétation, à peine couronnées de quelques arbres mal venus. Cette autre chaîne où croissent quelques bouleaux, des genévriers et des bruyères d'un aspect assez désolé appartient à un domaine voisin et au département de la Corrèze. Un chemin vicinal qui suit les inégalités de la vallée sert de séparation à l'arrondissement de Montégnac et aux deux terres. Ce revers assez ingrat, mal exposé, soutient, comme une muraille de clôture, une belle partie de bois qui s'étend sur l'autre versant de cette longue côte dont l'aridité forme un contraste complet avec celle sur laquelle est assise la maison de Farrabesche. D'un côté, des formes âpres et tourmentées ; de l'autre, des formes gracieuses, des sinuosités élégantes ; d'un côté, l'immobilité froide et silencieuse de terres infécondes, maintenues par des blocs de pierres horizontaux, par des roches nues et pelées ; de l'autre, des arbres de différents verts, en ce moment dépouillés de feuillages pour la plupart, mais dont les beaux troncs droits et diversement colorés s'élancent de chaque pli de terrain, et dont les branchages se remuaient alors au gré du vent. Quelques arbres plus persistants que les autres, comme les chênes, les ormes, les hêtres, les châtaigniers conservaient des feuilles jaunes, bronzées ou violacées.

Vers Montégnac, où la vallée s'élargit démesurément, les deux côtes forment un immense fer-à-cheval, et de l'endroit où Véronique était allée s'appuyer à un arbre, elle put voir des vallons disposés comme les gradins d'un amphithéâtre où les cimes des arbres montent les unes au-dessus des autres comme des personnages. Ce beau paysage formait alors le revers de son parc, où depuis il fut compris. Du côté de la chaumière de Farrabesche, la vallée se rétrécit de plus en plus, et finit par un col d'environ cent pieds de large.

La beauté de cette vue, sur laquelle les yeux de madame Graslin erraient machinalement, la rappela bientôt à elle-même, elle revint vers la maison où le père et le fils restaient debout et silencieux, sans chercher à s'expliquer la singulière absence de leur maîtresse. Elle examina la maison qui, bâtie avec plus de soin que la couverture en chaume ne le faisait supposer, avait été sans doute abandonnée depuis le temps où les Navarreins ne s'étaient plus souciés de ce domaine. Plus de chasses, plus de gardes. Quoique cette maison fût inhabitée depuis plus de cent ans, les murs étaient bons ; mais de tous côtés le lierre et les plantes grimpantes les avaient embrassés. Quand on lui eut permis d'y rester, Farrabesche avait fait couvrir le toit en chaume, il avait dallé lui-même à l'intérieur la salle, et y avait apporté tout le mobilier. Véronique, en entrant, aperçut deux lits de paysan, une grande armoire en noyer, une huche au pain, un buffet, une table, trois chaises, et sur les planches du buffet quelques plats en terre brune, enfin les ustensiles nécessaires à la vie. Au-dessus de la cheminée étaient deux fusils et deux carniers. Une quantité de choses faites par le père pour l'enfant causa le plus profond attendrissement à Véronique : un vaisseau armé, une chaloupe, une tasse en bois sculpté, une boîte en bois d'un magnifique travail, un coffret en marqueterie de paille, un crucifix et un chapelet superbes. Le chapelet était en noyaux de prunes, qui avaient sur chaque face une tête d'une admirable finesse : Jésus-Christ, les apôtres, la Madone, saint Jean-Baptiste, saint Joseph, sainte Anne, les deux Madeleines.

– Je fais cela pour amuser le petit dans les longs soirs d'hiver, dit-il en ayant l'air de s'excuser.

Le devant de la maison est planté en jasmins, en rosiers à haute tige appliqués contre le mur, et qui fleurissent les fenêtres du premier étage inhabité, mais où Farrabesche serrait ses provisions ; il avait des poules, des canards, deux porcs ; il n'achetait que du pain, du sel, du sucre et quelques épiceries. Ni lui ni son fils ne buvaient de vin.

– Tout ce que l'on m'a dit de vous et ce que je vois, dit enfin madame Graslin à Farrabesche, me fait vous porter un intérêt qui ne sera pas stérile.

– Je reconnais bien là monsieur Bonnet, s'écria Farrabesche d'un ton touchant.

– Vous vous trompez, monsieur le curé ne m'a rien dit encore, le hasard ou Dieu peut-être a tout fait.

– Oui, madame, Dieu ! Dieu seul peut faire des merveilles pour un malheureux tel que moi.

– Si vous avez été malheureux, dit madame Graslin assez bas pour que l'enfant n'entendît rien par une attention d'une délicatesse féminine qui toucha Farrabesche, votre repentir, votre conduite et l'estime de monsieur le curé vous rendent digne d'être heureux. J'ai donné les ordres nécessaires pour terminer les constructions de la grande ferme que monsieur Graslin avait projeté d'établir auprès du château ; vous serez mon fermier, vous aurez l'occasion de déployer vos forces, votre activité, d'employer votre fils. Le Procureur-général à Limoges apprendra qui vous êtes, et l'humiliante condition de votre ban, qui gêne votre vie, disparaîtra, je vous le promets.

À ces mots, Farrabesche tomba sur ses genoux comme foudroyé par la réalisation d'une espérance vainement caressée ; il baisa le bas de l'amazone de madame Graslin, il lui baisa les pieds. En voyant des larmes dans les yeux de son père, Benjamin se mit à sangloter sans savoir pourquoi.

– Relevez-vous, Farrabesche dit madame Graslin, vous ne savez pas combien il est naturel que je fasse pour vous ce que je vous promets de faire. N'est-ce pas vous qui avez planté ces arbres verts ? dit-elle en montrant quelques épicéas, des pins du Nord, des sapins et des mélèzes au bas de l'aride et sèche colline opposée.

– Oui, madame.

– La terre est donc meilleure là ?

– Les eaux dégradent toujours ces rochers et mettent chez vous un peu de terre meuble ; j'en ai profité, car tout le long de la vallée ce qui est en dessous du chemin vous appartient. Le chemin sert de démarcation.

– Coule-t-il donc beaucoup d'eau au fond de cette longue vallée ?

– Oh ! madame, s'écria Farrabesche, dans quelques jours, quand le temps sera devenu pluvieux, peut-être entendrez-vous du château mugir le torrent ! Mais rien n'est comparable à ce qui se passe au temps de la fonte des neiges. Les eaux descendent des parties de forêt situées au revers de Montégnac, de ces grandes pentes adossées à la montagne sur laquelle sont vos jardins et le parc ; enfin toutes les eaux de ces collines y tombent et font un déluge. Heureusement pour vous, les arbres retiennent les terres, l'eau glisse sur les feuilles, qui sont, en automne, comme un tapis de toile cirée ; sans cela, le terrain s'exhausserait au fond de ce vallon, mais la pente est aussi bien rapide, et je ne sais pas si des terres entraînées y resteraient.

– Où vont les eaux ? demanda madame Graslin devenue attentive.

Farrabesche montra la gorge étroite qui semblait fermer ce vallon au-dessous de sa maison : – Elles se répandent sur un plateau crayeux qui sépare le Limousin de la Corrèze, et y séjournent en flaques vertes pendant plusieurs mois, elles se perdent dans les pores du sol, mais lentement. Aussi personne n'habite-t-il cette plaine insalubre où rien ne peut venir. Aucun bétail ne veut manger les joncs ni les roseaux qui viennent dans ces eaux saumâtres. Cette vaste lande, qui a peut-être trois mille arpents, sert de communaux à trois communes ; mais il en est comme de la plaine de Montégnac, on n'en peut rien faire. Encore, chez vous, y a-t-il du sable et un peu de terre dans vos cailloux ; mais là c'est le tuf tout pur.

– Envoyez chercher les chevaux, je veux aller voir tout ceci par moi-même.

Benjamin partit après que madame Graslin lui eut indiqué l'endroit où se tenait Maurice.

– Vous qui connaissez, m'a-t-on dit, les moindres particularités de ce pays, reprit madame Graslin, expliquez-moi pourquoi les versants de ma forêt qui regardent la plaine de Montégnac n'y jettent aucun cours d'eau, pas le plus léger torrent, ni dans les pluies, ni à la fonte des neiges ?

– Ah ! madame, dit Farrabesche, monsieur le curé, qui s'occupe tant de la prospérité de Montégnac en a deviné la raison, sans en avoir la preuve. Depuis que vous êtes arrivée, il m'a fait relever de place en place le chemin des eaux dans chaque ravine, dans tous les vallons. Je revenais hier du bas de la Roche-Vive, où j'avais examiné les mouvements du terrain, au moment où j'ai eu l'honneur de vous rencontrer. J'avais entendu le pas des chevaux et j'ai voulu savoir qui venait par ici. Monsieur Bonnet n'est pas seulement un saint, madame, c'est un savant. « Farrabesche, m'a-t-il dit, – je travaillais alors au chemin que la Commune achevait pour monter au château ; de là monsieur le curé me montrait toute la chaîne des montagnes, depuis Montégnac jusqu'à la Roche-Vive, près de deux lieues de longueur, – pour que ce versant n'épanche point d'eau dans la plaine, il faut que la nature ait fait une espèce de gouttière qui les verse ailleurs ! » Hé ! bien, madame, cette réflexion est si simple qu'elle en paraît bête, un enfant devrait la faire ! Mais personne, depuis que Montégnac est Montégnac, ni les seigneurs, ni les intendants, ni les gardes, ni les pauvres, ni les riches, qui, les uns comme les autres, voyaient la plaine inculte faute d'eau, ne se sont demandé où se perdaient les eaux du Gabou. Les trois communes qui ont les fièvres à cause des eaux stagnantes n'y cherchaient point de remèdes, et moi-même je n'y songeais point, il a fallu l'homme de Dieu...

Farrabesche eut les yeux humides en disant ce mot.

– Tout ce que trouvent les gens de génie, dit alors madame Graslin, est si simple que chacun croit qu'il l'aurait trouvé. Mais, se dit-elle à elle-même, le génie a cela de beau qu'il ressemble à tout le monde et que personne ne lui ressemble.

– Du coup, reprit Farrabesche, je compris monsieur Bonnet, il n'eut pas de grandes paroles à me dire pour m'expliquer ma besogne. Madame, le fait est d'autant plus singulier que, du côté de votre plaine, car elle est entièrement à vous, il y a des déchirures assez profondes dans les montagnes, qui sont coupées par des ravins et par des gorges très creuses ; mais, madame, toutes ces fentes, ces vallées, ces ravins, ces gorges, ces rigoles enfin par où coulent les eaux, se jettent dans ma petite vallée, qui est de quelques pieds plus basse que le sol de votre plaine. Je sais aujourd'hui la raison de ce phénomène, et la voici : de la Roche-Vive à Montégnac, il règne au bas des montagnes comme une banquette dont la hauteur varie entre vingt et trente pieds ; elle n'est rompue en aucun endroit, et se compose d'une espèce de roche que monsieur Bonnet nomme schiste. La terre, plus molle que la pierre, a cédé, s'est creusée, les eaux ont alors naturellement pris leur écoulement dans le Gabou, par les échancrures de chaque vallon. Les arbres, les broussailles, les arbustes cachent à la vue cette disposition du sol ; mais, après avoir suivi le mouvement des eaux et la trace que laisse leur passage, il est facile de se convaincre du fait. Le Gabou reçoit ainsi les eaux des deux versants, celles du revers des montagnes en haut desquelles est votre parc, et celles des roches qui nous font face. D'après les idées de monsieur le curé, cet état de choses cessera lorsque les conduits naturels du versant qui regarde votre plaine se boucheront par les terres, par les pierres que les eaux entraînent, et qu'ils seront plus élevés que le fond du Gabou. Votre plaine alors sera inondée comme le sont les communaux que vous voulez aller voir ; mais il faut des centaines d'années. D'ailleurs, est-ce à désirer, madame ? Si votre sol ne buvait pas comme fait celui des communaux cette masse d'eau, Montégnac aurait aussi des eaux stagnantes qui empesteraient le pays.

– Ainsi, les places où monsieur le curé me montrait, il y a quelques jours, des arbres qui conservent leurs feuillages encore verts, doivent être les conduits naturels par où les eaux se rendent dans le torrent du Gabou.

– Oui, madame. De la Roche-Vive à Montégnac, il se trouve trois montagnes, par conséquent trois cols où les eaux, repoussées par la banquette de schiste, s'en vont dans le Gabou. La ceinture de bois encore verts qui est au bas, et qui semble faire partie de votre plaine, indique cette gouttière devinée par monsieur le curé.

– Ce qui fait le malheur de Montégnac en fera donc bientôt la prospérité, dit avec un accent de conviction profonde madame Graslin. Et puisque vous avez été le premier instrument de cette œuvre, vous y participerez, vous chercherez des ouvriers actifs, dévoués, car il faudra remplacer le manque d'argent par le dévouement et par le travail.

Benjamin et Maurice arrivèrent au moment où Véronique achevait cette phrase ; elle saisit la bride de son cheval, et fit signe à Farrabesche de monter sur celui de Maurice.

– Menez-moi, dit-elle, au point où les eaux se répandent sur les communaux.

– Il est d'autant plus utile que madame y aille, dit Farrabesche, que, par le conseil de monsieur le curé, feu monsieur Graslin est devenu propriétaire, au débouché de cette gorge, de trois cents arpents sur lesquels les eaux laissent un limon qui a fini par produire de la bonne terre sur une certaine étendue. Madame verra le revers de la Roche-Vive sur lequel s'étendent des bois superbes, et où monsieur Graslin aurait placé sans doute une ferme. L'endroit le plus convenable serait celui où se perd la source qui se trouve auprès de ma maison et dont on pourrait tirer parti.

Farrabesche passa le premier pour montrer le chemin, et fit suivre à Véronique un sentier rapide qui menait à l'endroit où les deux côtes se resserraient et s'en allaient l'une à l'est, l'autre à l'ouest, comme renvoyées par un choc. Ce goulet, rempli de grosses pierres entre lesquelles s'élevaient de hautes herbes, avait environ soixante pieds de largeur. La Roche-Vive, coupée à vif, montrait comme une muraille de granit sur laquelle il n'y avait pas le moindre gravier, mais le haut de ce mur inflexible était couronné d'arbres dont les racines pendaient. Des pins y embrassaient le sol de leurs pieds fourchus et semblaient se tenir là comme des oiseaux accrochés à une branche. La colline opposée, creusée par le temps, avait un front sourcilleux, sablonneux et jaune ; elle montrait des cavernes peu profondes, des enfoncements sans fermeté ; sa roche molle et pulvérulente offrait des tons d'ocre. Quelques plantes à feuilles piquantes, au bas quelques bardanes, des joncs, des plantes aquatiques indiquaient et l'exposition au nord et la maigreur du sol. Le lit du torrent était en pierre assez dure, mais jaunâtre. Évidemment les deux chaînes, quoique parallèles et comme fendues au moment de la catastrophe qui a changé le globe, étaient, par un caprice inexplicable ou par une raison inconnue et dont la découverte appartient au génie, composées d'éléments entièrement dissemblables. Le contraste de leurs deux natures éclatait surtout en cet endroit. De là, Véronique aperçut un immense plateau sec, sans aucune végétation, crayeux ; ce qui expliquait l'absorption des eaux, et parsemé de flaques d'eau saumâtre ou de places où le sol était écaillé. À droite, se voyaient les monts de la Corrèze. À gauche, la vue s'arrêtait sur la bosse immense de la Roche-Vive, chargée des plus beaux arbres, et au bas de laquelle s'étalait une prairie d'environ deux cents arpents dont la végétation contrastait avec le hideux aspect de ce plateau désolé.

– Mon fils et moi nous avons fait le fossé que vous apercevez là-bas, dit Farrabesche, et que vous indiquent de hautes herbes, il va rejoindre celui qui limite votre forêt. De ce côté, vos domaines sont bornés par un désert, car le premier village est à une lieue d'ici.

Véronique s'élança vivement dans cette horrible plaine où elle fut suivie par son garde. Elle fit sauter le fossé à son cheval, courut à bride abattue dans ce sinistre paysage, et parut prendre un sauvage plaisir à contempler cette vaste image de la désolation. Farrabesche avait raison. Aucune force, aucune puissance ne pouvait tirer parti de ce sol, il résonnait sous le pied des chevaux comme s'il eût été creux. Quoique cet effet soit produit par les craies naturellement poreuses, il s'y trouvait aussi des fissures par où les eaux disparaissaient et s'en allaient alimenter sans doute des sources éloignées.

– Il y a pourtant des âmes qui sont ainsi, s'écria Véronique en arrêtant son cheval après avoir galopé pendant un quart d'heure.

Elle resta pensive au milieu de ce désert où il n'y avait ni animaux ni insectes, et que les oiseaux ne traversaient point. Au moins dans la plaine de Montégnac se trouvait-il des cailloux, des sables, quelques terres meubles ou argileuses, des débris, une croûte de quelques pouces où la culture pouvait mordre ; mais là, le tuf le plus ingrat, qui n'était pas encore la pierre et n'était plus la terre, brisait durement le regard ; aussi là, fallait-il absolument reporter ses yeux dans l'immensité de l'éther. Après avoir contemplé la limite de ses forêts et la prairie achetée par son mari, Véronique revint vers l'entrée du Gabou, mais lentement. Elle surprit alors Farrabesche regardant une espèce de fosse qui semblait faire croire qu'un spéculateur avait essayé de sonder ce coin désolé, en imaginant que la nature y avait caché des richesses.

– Qu'avez-vous ? lui dit Véronique en apercevant sur cette mâle figure une expression de profonde tristesse.

– Madame, je dois la vie à cette fosse, ou, pour parler avec plus de justesse, le temps de me repentir et de racheter mes fautes aux yeux des hommes...

Cette façon d'expliquer la vie eut pour effet de clouer madame Graslin devant la fosse où elle arrêta son cheval.

– Je me cachais là, madame. Le terrain est si sonore que, l'oreille appliquée contre la terre, je pouvais entendre à plus d'une lieue les chevaux de la gendarmerie ou le pas des soldats, qui a quelque chose de particulier. Je me sauvais par le Gabou dans un endroit où j'avais un cheval, et je mettais toujours entre moi et ceux qui étaient à ma poursuite des cinq ou six lieues. Catherine m'apportait à manger là pendant la nuit ; si elle ne me trouvait point, j'y trouvais toujours du pain et du vin dans un trou couvert d'une pierre.

Ce souvenir de sa vie errante et criminelle, qui pouvait nuire à Farrabesche, trouva la plus indulgente pitié chez madame Graslin ; mais elle s'avança vivement vers le Gabou, où la suivit le garde. Pendant qu'elle mesurait cette ouverture, à travers laquelle on apercevait la longue vallée si riante d'un côté, si ruinée de l'autre, et dans le fond, à plus d'une lieue, les collines étagées du revers de Montégnac, Farrabesche dit : – Dans quelques jours il y aura là de fameuses cascades !

– Et l'année prochaine, à pareil jour, jamais il ne passera plus par là une goutte d'eau. Je suis chez moi de l'un et l'autre côté, je ferai bâtir une muraille assez solide, assez haute pour arrêter les eaux. Au lieu d'une vallée qui ne rapporte rien, j'aurai un lac de vingt, trente, quarante ou cinquante pieds de profondeur, sur une étendue d'une lieue, un immense réservoir qui fournira l'eau des irrigations avec laquelle je fertiliserai toute la plaine de Montégnac.

– Monsieur le curé avait raison, madame, quand il nous disait, lorsque nous achevions votre chemin : « Vous travaillez pour votre mère ! » Que Dieu répande ses bénédictions sur une pareille entreprise.

– Taisez-vous là-dessus, Farrabesche, dit madame Graslin, la pensée en est à monsieur Bonnet.

Revenue à la maison de Farrabesche, Véronique y prit Maurice et retourna promptement au château. Quand sa mère et Aline aperçurent Véronique, elles furent frappées du changement de sa physionomie, l'espoir de faire le bien de ce pays lui avait rendu l'apparence du bonheur. Madame Graslin écrivit à Grossetête de demander à monsieur de Grandville la liberté complète du pauvre forçat libéré, sur la conduite duquel elle donna des renseignements qui furent confirmés par un certificat du maire de Montégnac et par une lettre de monsieur Bonnet. Elle joignit à cette dépêche des renseignements sur Catherine Curieux, en priant Grossetête d'intéresser le Procureur-général à la bonne action qu'elle méditait, et de faire écrire à la Préfecture de Police de Paris pour retrouver cette fille. La seule circonstance de l'envoi des fonds au bagne où Farrabesche avait subi sa peine devait fournir des indices suffisants. Véronique tenait à savoir pourquoi Catherine avait manqué à venir auprès de son enfant et de Farrabesche. Puis elle fit part à son vieil ami de ses découvertes au torrent du Gabou, et insista sur le choix de l'homme habile qu'elle lui avait déjà demandé.

Le lendemain était un dimanche, et le premier où, depuis son installation à Montégnac, Véronique se trouvait en état d'aller entendre la messe à l'église, elle y vint et prit possession du banc qu'elle y possédait à la chapelle de la Vierge. En voyant combien cette pauvre église était dénuée, elle se promit de consacrer chaque année une somme aux besoins de la fabrique et à l'ornement des autels. Elle entendit la parole douce, onctueuse, angélique du curé, dont le prône, quoique dit en termes simples et à la portée de ces intelligences, fut vraiment sublime. Le sublime vient du cœur, l'esprit ne le trouve pas, et la religion est une source intarissable de ce sublime sans faux brillants ; car le catholicisme, qui pénètre et change les cœurs, est tout cœur. Monsieur Bonnet trouva dans l'épître un texte à développer qui signifiait que, tôt ou tard, Dieu accomplit ses promesses, favorise les siens et encourage les bons. Il fit comprendre les grandes choses qui résulteraient pour la paroisse de la présence d'un riche charitable, en expliquant que les devoirs du pauvre étaient aussi étendus envers le riche bienfaisant que ceux du riche l'étaient envers le pauvre, leur aide devait être mutuelle.

Farrabesche avait parlé à quelques-uns de ceux qui le voyaient avec plaisir, par suite de cette charité chrétienne que monsieur Bonnet avait mise en pratique dans la paroisse, de la bienveillance dont il était l'objet. La conduite de madame Graslin envers lui venait d'être le sujet des conversations de toute la commune, rassemblée sur la place de l'église avant la messe, suivant l'usage des campagnes. Rien n'était plus propre à concilier à cette femme l'amitié de ces esprits, éminemment susceptibles. Aussi, quand Véronique sortit de l'église, trouva-t-elle presque toute la paroisse rangée en deux haies. Chacun, à son passage, la salua respectueusement dans un profond silence. Elle fut touchée de cet accueil sans savoir quel en était le vrai motif, elle aperçut Farrabesche un des derniers et lui dit : – Vous êtes un adroit chasseur, n'oubliez pas de nous apporter du gibier.

Quelques jours après, Véronique alla se promener avec le curé dans la partie de la forêt qui avoisinait le château, et voulut descendre avec lui les vallées étagées qu'elle avait aperçues de la maison de Farrabesche. Elle acquit alors la certitude de la disposition des hauts affluents du Gabou. Par suite de cet examen, le curé remarqua que les eaux qui arrosaient quelques parties du haut Montégnac venaient des monts de la Corrèze. Ces chaînes se mariaient en cet endroit à la montagne par cette côte aride, parallèle à la chaîne de la Roche-Vive. Le curé manifestait une joie d'enfant au retour de cette promenade : il voyait avec la naïveté d'un poète la prospérité de son cher village. Le poète n'est-il pas l'homme qui réalise ses espérances avant le temps ? Monsieur Bonnet fauchait ses foins, en montrant du haut de la terrasse la plaine encore inculte.

Le lendemain Farrabesche et son fils vinrent chargés de gibier. Le garde apportait pour Francis Graslin une tasse en coco sculpté, vrai chef-d'œuvre qui représentait une bataille. Madame Graslin se promenait en ce moment sur sa terrasse, elle était du côté qui avait vue sur les Tascherons. Elle s'assit alors sur un banc, prit la tasse et regarda longtemps cet ouvrage de fée. Quelques larmes lui vinrent aux yeux.

– Vous avez dû beaucoup souffrir, dit-elle à Farrabesche après un long moment de silence.

– Que faire, madame, répondit-il, quand on se trouve là sans avoir la pensée de s'enfuir qui soutient la vie de presque tous les condamnés.

– C'est une horrible vie, dit-elle avec un accent plaintif en invitant et du geste et du regard Farrabesche à parler.

Farrabesche prit pour un violent intérêt de curiosité compatissante le tremblement convulsif et tous les signes d'émotion qu'il vit chez madame Graslin. En ce moment, la Sauviat se montra dans une allée, et paraissait vouloir venir ; mais Véronique tira son mouchoir, fit avec un signe négatif, et dit avec une vivacité qu'elle n'avait jamais montrée à la vieille Auvergnate : – Laissez-moi, ma mère !

– Madame, reprit Farrabesche, pendant dix ans, j'ai porté, dit-il en montrant sa jambe, une chaîne attachée par un gros anneau de fer, et qui me liait à un autre homme. Durant mon temps, j'ai été forcé de vivre avec trois condamnés. J'ai couché sur un lit de camp en bois. Il a fallu travailler extraordinairement pour me procurer un petit matelas, appelé *serpentin*. Chaque salle contient huit cents hommes. Chacun des lits qui y sont, et qu'on nomme des *tolards*, reçoit vingt-quatre hommes tous attachés deux à deux. Chaque soir et chaque matin, on passe la chaîne de chaque couple dans une grande chaîne appelée le *filet de ramas*. Ce filet maintient tous les couples par les pieds, et borde le tolard. Après deux ans, je n'étais pas encore habitué au bruit de cette ferraille, qui vous répète à tous moments : – Tu es au bagne ! Si l'on s'endort pendant un moment, quelque mauvais compagnon se remue ou se dispute, et vous rappelle où vous êtes. Il y a un apprentissage à faire, rien que pour savoir dormir. Enfin, je n'ai connu le sommeil qu'en arrivant au bout de mes forces par une fatigue excessive. Quand j'ai pu dormir, j'ai du moins eu les nuits pour oublier. Là, c'est quelque chose, madame, que l'oubli ! Dans les plus petites choses, un homme, une fois là, doit apprendre à satisfaire ses besoins de la manière fixée par le plus impitoyable règlement. Jugez, madame, quel effet cette vie produisait sur un garçon comme moi qui avais vécu dans les bois, à la façon des chevreuils et des oiseaux ! Si je n'avais pas durant six mois mangé mon pain entre les quatre murs d'une prison, malgré les belles paroles de monsieur Bonnet, qui, je peux le dire, a été le père de mon âme, ah ! je me serais jeté dans la mer en voyant mes compagnons. Au grand air, j'allais encore ; mais, une fois dans la salle, soit pour dormir, soit pour manger, car on y mange dans des baquets, et chaque baquet est préparé pour trois couples, je ne vivais plus, les atroces visages et le langage de mes compagnons m'ont toujours été insupportables. Heureusement, dès cinq heures en été, dès sept heures et demie en hiver, nous allions, malgré le vent, le froid, le chaud ou la pluie, à la *fatigue,* c'est-à-dire au travail. La plus grande partie de cette vie se passe en plein air, et l'air semble bien bon quand on sort d'une salle où grouillent huit cents condamnés. Cet air, songez-y bien, est l'air de la mer. On jouit des brises, on s'entend avec le soleil, on s'intéresse aux nuages qui passent, on espère la beauté du jour. Moi je m'intéressais à mon travail.

Farrabesche s'arrêta, deux grosses larmes roulaient sur les joues de Véronique.

– Oh ! madame, je ne vous ai dit que les roses de cette existence, s'écria-t-il en prenant pour lui l'expression du visage de madame Graslin. Les terribles précautions adoptées par le gouvernement, l'inquisition constante exercée par les argousins, la visite des fers, soir et matin, les aliments grossiers, les vêtements hideux qui vous humilient à tout instant, la gêne pendant le sommeil, le bruit horrible de quatre cents doubles chaînes dans une salle sonore, la perspective d'être fusillés et mitraillés, s'il plaisait à six mauvais sujets de se révolter, ces conditions terribles ne sont rien : voilà les roses, comme je vous le disais. Un homme, un bourgeois qui aurait le malheur d'aller là doit y mourir de chagrin en peu de temps. Ne faut-il pas vivre avec un autre ? N'êtes-vous pas obligé de subir la compagnie de cinq hommes pendant vos repas, et de vingt-trois pendant votre sommeil, d'entendre leurs discours. Cette société, madame, a ses lois secrètes ; dispensez-vous d'y obéir, vous êtes assassiné ; mais obéissez-y, vous devenez assassin ! Il faut être ou victime ou bourreau ! Après tout, mourir d'un seul coup, ils vous guériraient de cette vie ; mais. ils se connaissent à faire le mal, et il est impossible de tenir à la haine de ces hommes, ils ont tout pouvoir sur un condamné qui leur déplaît, et peuvent faire de sa vie un supplice de tous les instants, pire que la mort. L'homme qui se repent et veut se bien conduire, est l'ennemi commun ; avant tout, on le soupçonne de délation. La délation est punie de mort, sur un simple soupçon. Chaque salle a son tribunal où l'on juge les crimes commis envers la société. Ne pas obéir aux usages est criminel, et un homme dans ce cas est susceptible de jugement : ainsi chacun doit coopérer à toutes les évasions ; chaque condamné a son heure pour s'évader, heure à laquelle le bagne tout entier lui doit aide, protection. Révéler ce qu'un condamné tente dans l'intérêt de son évasion est un crime. Je ne vous parlerai pas des horribles mœurs du bagne, à la lettre, on ne s'y appartient pas. L'administration, pour neutraliser les tentatives de révolte ou d'évasion, accouple toujours des intérêts contraires et rend ainsi le supplice de la chaîne insupportable, elle met ensemble des gens qui ne peuvent pas se souffrir ou qui se défient l'un de l'autre.

– Comment avez-vous fait ! demanda madame Graslin.

– Ah ! voilà, reprit Farrabesche, j'ai eu du bonheur : je ne suis pas tombé au sort pour tuer un homme condamné, je n'ai jamais voté la mort de qui que ce soit, je n'ai jamais été puni, je n'ai pas été pris en grippe, et j'ai fait bon ménage avec les trois compagnons que l'on m'a successivement donnés, ils m'ont tous trois craint et aimé. Mais aussi, madame, étais-je célèbre au bagne avant d'y arriver. Un chauffeur ! car je passais pour être un de ces brigands-là. J'ai vu chauffer, reprit Farrabesche après une pause et à voix basse, mais je n'ai jamais voulu ni me prêter à chauffer, ni recevoir d'argent des vols. J'étais réfractaire, voilà tout. J'aidais les camarades, j'espionnais, je me battais, je me mettais en sentinelle perdue ou à l'arrière-garde ; mais je n'ai jamais versé le sang d'un homme qu'à mon corps défendant ! Ah ! j'ai tout dit à monsieur Bonnet et à mon avocat : aussi les juges savaient-ils bien que je n'étais pas un assassin ! Mais je suis tout de même un grand criminel, rien de ce que j'ai fait n'est permis. Deux de mes camarades avaient déjà parlé de moi comme d'un homme capable des plus grandes choses. Au bagne, voyez-vous, madame, il n'y a rien qui vaille cette réputation, pas même l'argent. Pour être tranquille dans cette république de misère, un assassinat est un passeport. Je n'ai rien fait pour détruire cette opinion. J'étais triste, résigné ; on pouvait se tromper à ma figure, et l'on s'y est trompé. Mon attitude sombre, mon silence, ont été pris pour des signes de férocité. Tout le monde, forçats, employés, les jeunes, les vieux m'ont respecté. J'ai présidé ma salle. On n'a jamais tourmenté mon sommeil et je n'ai jamais été soupçonné de délation. Je me suis conduit honnêtement d'après leurs règles : je n'ai jamais refusé un service, je n'ai jamais témoigné le moindre dégoût, enfin j'ai hurlé avec les loups en dehors et je priais Dieu en dedans. Mon dernier compagnon a été un soldat de vingt-deux ans qui avait volé et déserté par suite de son vol ; je l'ai eu quatre ans, nous avons été amis ; et partout où je serai, je suis sûr de lui quand il sortira. Ce pauvre diable nommé Guépin n'était pas un scélérat, mais un étourdi, ses dix ans le guériront. Oh ! si mes camarades avaient découvert que je me soumettais par religion à mes peines ; que, mon temps fait, je comptais vivre dans un coin, sans faire savoir où je serais, avec l'intention d'oublier cette épouvantable population, et de ne jamais me trouver sur le chemin de l'un d'eux, ils m'auraient peut-être fait devenir fou.

– Mais alors, pour un pauvre et tendre jeune homme entraîné par une passion, et qui gracié de la peine de mort...

– Oh ! madame, il n'y a pas de grâce entière pour les assassins ! On commence par commuer la peine en vingt ans de travaux. Mais surtout pour un jeune homme propre, c'est à faire frémir ! on ne peut pas vous dire la vie qui les attend, il vaut mieux cent fois mourir. Oui, mourir sur l'échafaud est alors un bonheur.

– Je n'osais le penser, dit madame Graslin.

Véronique était devenue blanche d'une blancheur de cierge. Pour cacher son visage, elle s'appuya le front sur la balustrade, et y resta pendant quelques instants. Farrabesche ne savait plus s'il devait partir ou rester. Madame Graslin se leva, regarda Farrabesche d'un air presque majestueux, et lui dit, à son grand étonnement : – Merci, mon ami ! d'une voix qui lui remua le cœur. – Mais où avez-vous puisé le courage de vivre et de souffrir ? lui demanda-t-elle après une pause.

– Ah ! madame, monsieur Bonnet avait mis un trésor dans mon âme ! Aussi l'aimé-je plus que je n'ai aimé personne au monde.

– Plus que Catherine ? dit madame Graslin en souriant avec une sorte d'amertume.

– Ah ! madame, presque autant.

– Comment s'y est-il donc pris ?

– Madame, la parole et la voix de cet homme m'ont dompté. Il fut amené par Catherine à l'endroit que je vous ai montré l'autre jour dans les communaux, et il est venu seul à moi : il était, me dit-il, le nouveau curé de Montégnac, j'étais son paroissien, il m'aimait, il me savait seulement égaré, et non encore perdu ; il ne voulait pas me trahir, mais me sauver ; il m'a dit enfin de ces choses qui vous agitent jusqu'au fond de l'âme ! Et cet homme-là, voyez-vous, madame, il vous commande de faire le bien avec la force de ceux qui vous font faire le mal. Il m'annonça, pauvre cher homme, que Catherine était mère, j'allais livrer deux créatures à la honte et à l'abandon ? « – Eh ! bien, lui ai-je dit, elles seront comme moi, je n'ai pas d'avenir. » Il me répondit que j'avais deux avenirs mauvais : celui de l'autre monde et celui d'ici-bas, si je persistais à ne pas réformer ma vie. Ici-bas, je mourrais sur l'échafaud. Si j'étais pris, ma défense serait impossible devant la justice. Au contraire, si je profitais de l'indulgence du nouveau gouvernement pour les affaires suscitées par la conscription ; si je me livrais, il se faisait fort de me sauver la vie : il me trouverait un bon avocat qui me tirerait d'affaire moyennant dix ans de travaux. Puis monsieur Bonnet me parla de l'autre vie. Catherine pleurait comme une Madeleine. Tenez, madame, dit Farrabesche en montrant sa main droite, elle avait la figure sur cette main, et je trouvai ma main toute mouillée. Elle m'a supplié de vivre ! Monsieur le curé me promit de me ménager une existence douce et heureuse ainsi qu'à mon enfant, ici même, en me garantissant de tout affront. Enfin, il me catéchisa comme un petit garçon. Après trois visites nocturnes, il me rendit souple comme un gant. Voulez-vous savoir pourquoi, madame ?

Ici Farrabesche et madame Graslin se regardèrent en ne s'expliquant pas à eux-mêmes leur mutuelle curiosité.

– Hé ! bien, reprit le pauvre forçat libéré, quand il partit la première fois, que Catherine m'eut laissé pour le reconduire, je restai seul. Je sentis alors dans mon âme comme une fraîcheur, un calme, une douceur, que je n'avais pas éprouvés depuis mon enfance. Cela ressemblait au bonheur que m'avait donné cette pauvre Catherine. L'amour de ce cher homme qui venait me chercher, le soin qu'il avait de moi-même, de mon avenir, de mon âme, tout cela me remua, me changea. Il se fit une lumière en moi. Tant qu'il me parlait, je lui résistais. Que voulez-vous ? Il était prêtre, et nous autres bandits, nous ne mangions pas de leur pain.

Mais quand je n'entendis plus le bruit de son pas ni celui de Catherine, oh ! je fus, comme il me le dit deux jours après, éclairé par la grâce, Dieu me donna dès ce moment la force de tout supporter : la prison, le jugement, le ferrement, et le départ, et la vie du bagne. Je comptai sur sa parole comme sur l'Évangile, je regardai mes souffrances comme une dette à payer. Quand je souffrais trop, je voyais, au bout de dix ans, cette maison dans les bois, mon petit Benjamin et Catherine. Il a tenu parole, ce bon monsieur Bonnet. Mais quelqu'un m'a manqué. Catherine n'était ni à la porte du bagne, ni dans les communaux. Elle doit être morte de chagrin. Voilà pourquoi je suis toujours triste. Maintenant, grâce à vous, j'aurai des travaux utiles à faire, et je m'y emploierai corps et âme, avec mon garçon, pour qui je vis...

– Vous me faites comprendre comment monsieur le curé a pu changer cette commune...

– Oh ! rien ne lui résiste, dit Farrabesche.

– Oui, oui, je le sais, répondit brièvement Véronique en faisant à Farrabesche un signe d'adieu.

Farrabesche se retira. Véronique resta pendant une partie de la journée à se promener le long de cette terrasse, malgré une pluie fine qui dura jusqu'au soir. Elle était sombre. Quand son visage se contractait ainsi, ni sa mère, ni Aline n'osaient l'interrompre. Elle ne vit pas au crépuscule sa mère causant avec monsieur Bonnet, qui eut l'idée d'interrompre cet accès de tristesse horrible, en l'envoyant chercher par son fils. Le petit Francis alla prendre par la main sa mère qui se laissa emmener. Quand elle vit monsieur Bonnet, elle fit un geste de surprise où il y avait un peu d'effroi. Le curé la ramena sur la terrasse, et lui dit : – Eh ! bien, madame, de quoi causiez-vous donc avec Farrabesche ?

Pour ne pas mentir, Véronique ne voulut pas répondre, elle interrogea monsieur Bonnet.

– Cet homme est votre première victoire !

– Oui, répondit-il. Sa conquête devait me donner tout Montégnac, et je ne me suis pas trompé.

Véronique serra la main de monsieur Bonnet, et lui dit d'une voix pleine de larmes : – Je suis dès aujourd'hui votre pénitente, monsieur le curé. J'irai demain vous faire une confession générale.

Ce dernier mot révélait chez cette femme un grand effort intérieur, une terrible victoire remportée sur elle-même, le curé la ramena, sans lui rien dire, au château, et lui tint compagnie jusqu'au moment du dîner, en lui parlant des immenses améliorations de Montégnac.

– L'agriculture est une question de temps, dit-il, et le peu que j'en sais m'a fait comprendre quel gain il y a dans un hiver mis à profit. Voici les pluies qui commencent, bientôt nos montagnes seront couvertes de neige, vos opérations deviendront impossibles, ainsi pressez monsieur Grossetête.

Insensiblement, monsieur Bonnet, qui fit des frais et força madame Graslin de se mêler à la conversation, à se distraire, la laissa presque remise des émotions de cette journée. Néanmoins, la Sauviat trouva sa fille si violemment agitée qu'elle passa la nuit auprès d'elle.

Le surlendemain, un exprès, envoyé de Limoges par monsieur Grossetête à madame Graslin, lui remit les lettres suivantes.

À MADAME GRASLIN.

« Ma chère enfant, quoiqu'il fût difficile de vous trouver des chevaux, j'espère que vous êtes contente des trois que je vous ai envoyés. Si vous voulez des chevaux de labour ou des chevaux de trait, il faudra se pourvoir ailleurs. Dans tous les cas, il vaut mieux faire vos labours et vos transports avec des bœufs. Tous les pays où les travaux agricoles se font avec des chevaux perdent un capital quand le cheval est hors de service ; tandis qu'au lieu de constituer une perte, les bœufs donnent un profit aux cultivateurs qui s'en servent.

» J'approuve en tout point votre entreprise, mon enfant : vous y emploierez cette dévorante activité de votre âme qui se tournait contre vous et vous faisait dépérir. Mais ce que vous m'avez demandé de trouver outre les chevaux, cet homme capable de vous seconder et qui surtout puisse vous comprendre, est une de ces raretés que nous n'élevons pas en province ou que nous n'y gardons point. L'éducation de ce haut bétail est une spéculation à trop longue date et trop chanceuse pour que nous la fassions. D'ailleurs ces gens d'intelligence supérieure nous effraient, et nous les appelons *des originaux*. Enfin les personnes appartenant à la catégorie scientifique d'où vous voulez tirer votre coopérateur sont ordinairement si sages et si rangées que je n'ai pas voulu vous écrire combien je regardais cette trouvaille impossible. Vous me demandiez un poète ou si vous voulez un fou ; mais nos fous vont tous à Paris. J'ai parlé de votre dessein à de jeunes employés du Cadastre, à des entrepreneurs de terrassement, à des conducteurs qui ont travaillé à des canaux, et personne n'a trouvé d'*avantages* à ce que vous proposez. Tout à coup le hasard m'a jeté dans les bras l'homme que vous souhaitez, un jeune homme que j'ai cru obliger ; car vous verrez par sa lettre que la bienfaisance ne doit pas se faire au hasard. Ce qu'il faut le plus raisonner en ce monde, est une bonne action. On ne sait jamais si ce qui nous a paru bien, n'est pas plus tard un mal. Exercer la bienfaisance, je le sais aujourd'hui, c'est se faire le Destin !...

En lisant cette phrase, madame Graslin laissa tomber les lettres, et demeura pensive pendant quelques instants : – Mon Dieu ! dit-elle, quand cesseras-tu de me frapper par toutes les mains ! Puis, elle reprit les papiers et continua.

» Gérard me semble avoir une tête froide et le cœur ardent, voilà bien l'homme qui vous est nécessaire. Paris est en ce moment travaillé de doctrines nouvelles, je serais enchanté que ce garçon ne donnât pas dans les pièges que tendent des esprits ambitieux aux instincts de la généreuse jeunesse française. Si je n'approuve pas entièrement la vie assez hébétée de la province, je ne saurais non plus approuver cette vie passionnée de Paris, cette ardeur de rénovation qui pousse la jeunesse dans des voies nouvelles. Vous seule connaissez mes opinions : selon moi, le monde moral tourne sur lui-même comme le monde matériel. Mon pauvre protégé demande des choses impossibles. Aucun pouvoir ne tiendrait devant des ambitions si violentes, si impérieuses, absolues. Je suis l'ami du terre à terre, de la lenteur en politique, et j'aime peu les déménagements sociaux auxquels tous ces grands esprits nous soumettent. Je vous confie mes principes de vieillard monarchique et encroûté parce que vous êtes discrète ! ici, je me tais au milieu de braves gens qui, plus ils s'enfoncent, plus ils croient au progrès ; mais je souffre en voyant les maux irréparables déjà faits à notre cher pays.

» J'ai donc répondu à ce jeune homme, qu'une tâche digne de lui l'attendait. Il viendra vous voir ; et quoique sa lettre, que je joins à la mienne, vous permette de le juger, vous l'étudierez encore, n'est-ce pas ? Vous autres femmes, vous devinez beaucoup de choses à l'aspect des gens. D'ailleurs, tous les hommes, même les plus indifférents dont vous vous servez doivent vous plaire. S'il ne vous convient pas, vous pourrez le refuser, mais s'il vous convenait, chère enfant, guérissez-le de son ambition mal déguisée, faites-lui épouser la vie heureuse et tranquille des champs où la bienfaisance est perpétuelle, où les qualités des âmes grandes et fortes peuvent s'exercer continuellement, où l'on découvre chaque jour dans les productions naturelles des raisons d'admiration et dans les vrais progrès, dans les réelles améliorations, une occupation digne de l'homme. Je n'ignore point que les grandes idées engendrent de grandes actions, mais comme ces sortes d'idées sont fort rares, je trouve, qu'à l'ordinaire, les choses valent mieux que les idées. Celui qui fertilise un coin de terre, qui perfectionne un arbre à fruit, qui applique une herbe à un terrain ingrat est bien au-dessus de ceux qui cherchent des formules pour l'Humanité. En quoi la science de Newton a-t-elle changé le sort de l'habitant des campagnes ? Oh ! chère, je vous aimais ; mais aujourd'hui, moi qui comprends bien ce que vous allez tenter, je vous adore. Personne à Limoges ne vous oublie, l'on y admire votre grande résolution d'améliorer Montégnac. Sachez-nous un peu gré d'avoir l'esprit d'admirer ce qui est beau, sans oublier que le premier de vos admirateurs est aussi votre premier ami,

» F. GROSSETÊTE. »

GÉRARD À GROSSETÊTE.

« Je viens, monsieur, vous faire de tristes confidences ; mais vous avez été pour moi comme un père, quand vous pouviez n'être qu'un protecteur. C'est donc à vous seul, à vous qui m'avez fait tout ce que je suis, que je puis les dire. Je suis atteint d'une cruelle maladie, maladie morale d'ailleurs : j'ai dans l'âme des sentiments et dans l'esprit des dispositions qui me rendent complètement impropre à ce que l'État ou la Société veulent de moi. Ceci vous paraîtra peut-être un acte d'ingratitude, tandis que c'est tout simplement un acte d'accusation. Quand j'avais douze ans, vous, mon généreux parrain, vous avez deviné chez le fils d'un simple ouvrier une certaine aptitude aux sciences exactes et un précoce désir de parvenir ; vous avez donc favorisé mon essor vers les régions supérieures, alors que ma destinée primitive était de rester charpentier comme mon pauvre père, qui n'a pas assez vécu pour jouir de mon élévation. Assurément, monsieur, vous avez bien fait, et il ne se passe pas de jour que je ne vous bénisse ; aussi, est-ce moi peut-être qui ai tort. Mais que j'aie raison ou que je me trompe, je souffre ; et n'est-ce pas vous mettre bien haut que de vous adresser mes plaintes ? n'est-ce pas vous prendre, comme Dieu, pour un juge suprême ? Dans tous les cas, je me confie à votre indulgence.

» Entre seize et dix-huit ans, je me suis adonné à l'étude des sciences exactes de manière à me rendre malade, vous le savez. Mon avenir dépendait de mon admission à l'École Polytechnique. Dans ce temps, mes travaux ont démesurément cultivé mon cerveau, j'ai failli mourir, j'étudiais nuit et jour, je me faisais plus fort que la nature de mes organes ne le permettait peut-être. Je voulais passer des examens si satisfaisants, que ma place à l'École fût certaine et assez avancée pour me donner le droit à la remise de la pension que je voulais vous éviter de payer : j'ai triomphé ! Je frémis aujourd'hui quand je pense à l'effroyable conscription de cerveaux livrés chaque année à l'État par l'ambition des familles qui, plaçant de si cruelles études au temps où l'adulte achève ses diverses croissances, doit produire des malheurs inconnus, en tuant à la lueur des lampes certaines facultés précieuses qui plus tard se développeraient grandes et fortes. Les lois de la Nature sont impitoyables, elles ne cèdent rien aux entreprises ni aux vouloirs de la Société. Dans l'ordre moral comme dans l'ordre naturel, tout abus se paie. Les fruits demandés avant le temps en serre chaude à un arbre, viennent aux dépens de l'arbre même ou de la qualité de ses produits. La Quintinie tuait des orangers pour donner à Louis XIV un bouquet de fleurs, chaque matin, en toute saison. Il en est de même pour les intelligences. La force demandée à des cerveaux adultes est un escompte de leur avenir. Ce qui manque essentiellement à notre époque est l'esprit législatif. L'Europe n'a point encore eu de vrais législateurs depuis Jésus-Christ, qui, n'ayant point donné son Code politique, a laissé son œuvre incomplète. Ainsi, avant d'établir les Écoles Spéciales et leur mode de recrutement, y a-t-il eu de ces grands penseurs qui tiennent dans leur tête l'immensité des relations totales d'une Institution avec les forces humaines, qui en balancent les avantages et les inconvénients, qui étudient dans le passé les lois de l'avenir ? S'est-on enquis du sort des hommes exceptionnels qui, par un hasard fatal, savaient les sciences humaines avant le temps ? En a-t-on calculé la rareté ? En a-t-on examiné la fin ? A-t-on recherché les moyens par lesquels ils ont pu soutenir la perpétuelle étreinte de la pensée ? Combien, comme Pascal, sont morts prématurément, usés par la science ? A-t-on recherché l'âge auquel ceux qui ont vécu longtemps avaient commencé leurs études ? Savait-on, sait-on, au moment où j'écris, les dispositions intérieures des cerveaux qui peuvent supporter l'assaut prématuré des connaissances humaines ? Soupçonne-t-on que cette question tient à la physiologie de l'homme avant tout ? Eh ! bien, je crois, moi, maintenant, que la règle générale est de rester longtemps dans l'état végétatif de l'adolescence. L'exception que constitue la force des organes dans l'adolescence a, la plupart du temps, pour résultat l'abréviation de la vie. Ainsi, l'homme de génie qui résiste à un précoce exercice de ses facultés doit être une exception dans l'exception. Si je suis d'accord avec les faits sociaux et l'observation médicale, le mode suivi en France pour le recrutement des Écoles spéciales est donc une mutilation dans le genre de celle de la Quintinie, exercée sur les plus beaux sujets de chaque génération. Mais je poursuis, et je joindrai mes doutes à chaque ordre de faits. Arrivé à l'École, j'ai travaillé de nouveau et avec bien plus d'ardeur, afin d'en sortir aussi triomphalement que j'y étais entré. De dix-neuf à vingt et un ans, j'ai donc étendu chez moi toutes les aptitudes, nourri mes facultés par un exercice constant. Ces deux années ont bien couronné les trois premières, pendant lesquelles je m'étais seulement préparé à bien faire. Aussi, quel ne fut pas mon orgueil d'avoir conquis le droit de choisir celle des carrières qui me plairait le plus, du Génie militaire ou maritime, de l'Artillerie ou de l'État-major, des Mines ou des Ponts-et-chaussées. Par votre conseil, j'ai choisi les Ponts-et-chaussées. Mais, là où j'ai triomphé, combien de jeunes gens succombent ! Savez-vous que, d'année en année, l'État augmente ses exigences scientifiques à l'égard de l'École, les études y deviennent plus fortes, plus âpres, de période en période ? Les travaux préparatoires auxquels je me suis livré n'étaient rien comparés aux ardentes études de l'École, qui ont pour objet de mettre la totalité des sciences physiques, mathématiques, astronomiques, chimiques, avec leurs nomenclatures, dans la tête de jeunes gens de dix-neuf à vingt et un ans. L'État, qui en France semble, en bien des choses, vouloir se substituer au pouvoir paternel, est sans entrailles ni paternité ; il fait ses expériences *in anima vili*. Jamais il n'a demandé l'horrible statistique des souffrances qu'il a causées ; il ne s'est pas enquis depuis trente-six ans du nombre de fièvres cérébrales qui se déclarent, ni des désespoirs qui éclatent au milieu de cette jeunesse, ni des destructions morales qui la déciment. Je vous signale ce côté douloureux de la question, car il est un des contingents antérieurs du résultat définitif : pour quelques têtes faibles, le résultat est proche au lieu d'être retardé. Vous savez aussi que les sujets chez lesquels la conception est lente, ou qui sont momentanément annulés par l'excès du travail, peuvent rester trois ans au lieu de deux à l'École, et que ceux-là sont l'objet d'une suspicion peu favorable à leur capacité. Enfin, il y a chance pour des jeunes gens, qui plus tard peuvent se montrer supérieurs, de sortir de l'École sans être employés, faute de présenter aux examens définitifs la somme de science demandée. On les appelle des *fruits secs*, et Napoléon en faisait des sous-lieutenants ! Aujourd'hui le *fruit sec* constitue en capital une perte énorme pour les familles, et un temps perdu pour l'individu. Mais enfin, moi j'ai triomphé ! À vingt et un ans, je possédais les sciences mathématiques au point où les ont amenées tant d'hommes de génie, et j'étais impatient de me distinguer en les continuant. Ce désir est si naturel, que presque tous les Élèves, en sortant, ont les yeux fixés sur ce soleil moral nommé la Gloire ! Notre première pensée à tous a été d'être des Newton, des Laplace ou des Vauban. Tels sont les efforts que la France demande aux jeunes gens qui sortent de cette célèbre École !

» Voyons maintenant les destinées de ces hommes triés avec tant de soin dans toute la génération ? À vingt et un ans on rêve toute la vie, on s'attend à des merveilles. J'entrai à l'École des Ponts-et-chaussées, j'étais Élève-ingénieur. J'étudiai la science des constructions, et avec quelle ardeur ! vous devez vous en souvenir. J'en suis sorti en 1826, âgé de vingt-quatre ans, je n'étais encore qu'Ingénieur-Aspirant, l'État me donnait cent cinquante francs par mois. Le moindre teneur de livres gagne cette somme à dix-huit ans, dans Paris, en ne donnant, par jour, que quatre heures de son temps. Par un bonheur inouï, peut-être à cause de la distinction que mes études m'avaient value, je fus nommé à vingt-cinq ans, en 1828, ingénieur ordinaire. On m'envoya, vous savez où, dans une Sous-préfecture, à deux mille cinq cents francs d'appointements. La question d'argent n'est rien. Certes, mon sort est plus brillant que ne devait l'être celui du fils d'un charpentier ; mais quel est le garçon épicier qui, jeté dans une boutique à seize ans, ne se trouverait à vingt-six sur le chemin d'une fortune indépendante ? J'appris alors à quoi tendaient ces terribles déploiements d'intelligence, ces efforts gigantesques demandés par l'État. L'État m'a fait compter et mesurer des pavés ou des tas de cailloux sur les routes. J'ai eu à entretenir, réparer et quelquefois construire des cassis, des ponceaux, à faire régler des accotements, à curer ou bien à ouvrir des fossés. Dans le cabinet, j'avais à répondre à des demandes d'alignement ou de plantation et d'abattage d'arbres. Telles sont, en effet, les principales et souvent les uniques occupations des ingénieurs ordinaires, en y joignant de temps en temps quelques opérations de nivellement qu'on nous oblige à faire nous-mêmes, et que le moindre de nos conducteurs, avec son expérience seule, fait toujours beaucoup mieux que nous, malgré toute notre science. Nous sommes près de quatre cents ingénieurs ordinaires ou élèves-ingénieurs, et comme il n'y a que cent et quelques ingénieurs en chef, tous les ingénieurs ordinaires ne peuvent pas atteindre à ce grade supérieur ; d'ailleurs, au-dessus de l'ingénieur en chef il n'existe pas de classe absorbante ; il ne faut pas compter comme moyen d'absorption douze ou quinze places d'inspecteurs généraux ou divisionnaires, places à peu près aussi inutiles dans notre corps que celles des colonels le sont dans l'artillerie, où la batterie est l'unité. L'ingénieur ordinaire, de même que le capitaine d'artillerie, sait toute la science ; il ne devrait y avoir au-dessus qu'un chef d'administration pour relier les quatre-vingt-six ingénieurs à l'État ; car un seul ingénieur, aidé par deux aspirants, suffit à un Département. La hiérarchie, en de pareils corps, a pour effet de subordonner les capacités actives à d'anciennes capacités éteintes qui, tout en croyant mieux faire, altèrent ou dénaturent ordinairement les conceptions qui leur sont soumises, peut-être dans le seul but de ne pas voir mettre leur existence en question ; car telle me semble être l'unique influence qu'exerce sur les travaux publics, en France, le Conseil général des Ponts-et-chaussées. Supposons néanmoins qu'entre trente et quarante ans, je sois ingénieur de première classe et ingénieur en chef avant l'âge de cinquante ans ? Hélas ! je vois mon avenir, il est écrit à mes yeux. Mon ingénieur en chef a soixante ans, il est sorti avec honneur, comme moi, de cette fameuse École ; il a blanchi dans deux départements à faire ce que je fais, il y est devenu l'homme le plus ordinaire qu'il soit possible d'imaginer, il est retombé de toute la hauteur à laquelle il s'était élevé ; bien plus, il n'est pas au niveau de la science, la science a marché, il est resté stationnaire ; bien mieux, il a oublié ce qu'il savait ! L'homme qui se produisait à vingt-deux ans avec tous les symptômes de la supériorité, n'en a plus aujourd'hui que l'apparence. D'abord, spécialement tourné vers les sciences exactes et les mathématiques par son éducation, il a négligé tout ce qui n'était pas *sa partie*. Aussi ne sauriez-vous imaginer jusqu'où va sa nullité dans les autres branches des connaissances humaines. Le calcul lui a desséché le cœur et le cerveau. Je n'ose confier qu'à vous le secret de sa nullité, abritée par le renom de l'École Polytechnique. Cette étiquette impose, et sur la foi du préjugé, personne n'ose mettre en doute sa capacité. À vous seul je dirai que l'extinction de ses talents l'a conduit à faire dépenser dans une seule affaire un million au lieu de deux cent mille francs au Département. J'ai voulu protester, éclairer le préfet ; mais un ingénieur de mes amis m'a cité l'un de nos camarades devenu la bête noire de l'Administration pour un fait de ce genre. – « Serais-tu bien aise, quand tu seras ingénieur en chef, de voir tes erreurs relevées par ton subordonné ? me dit-il. Ton ingénieur en chef va devenir inspecteur divisionnaire. Dès qu'un des nôtres commet une lourde faute, l'Administration, qui ne doit jamais avoir tort, le retire du service actif en le faisant inspecteur. » Voilà comment la récompense due au talent est dévolue à la nullité. La France entière a vu le désastre, au cœur de Paris, du premier pont suspendu que voulut élever un ingénieur, membre de l'Académie des sciences, triste chute qui fut causée par des fautes que ni le constructeur du canal de Briare, sous Henri IV, ni le moine qui a bâti le Pont-Royal, n'eussent faites, et que l'Administration consola en appelant cet ingénieur au Conseil général. Les Écoles Spéciales seraient-elles donc de grandes fabriques d'incapacités ? Ce sujet exige de longues observations. Si j'avais raison, il voudrait une réforme au moins dans le mode de procéder, car je n'ose mettre en doute l'utilité des Écoles. Seulement, en regardant le passé, voyons-nous que la France ait jamais manqué jadis des grands talents nécessaires à l'État, et qu'aujourd'hui l'État voudrait faire éclore à son usage par le procédé de Monge ? Vauban est-il sorti d'une École autre que cette grande École appelée la Vocation ? Quel fut le précepteur de Riquet ? Quand les génies surgissent ainsi du milieu social, poussés par la vocation, ils sont presque toujours complets, l'homme alors n'est pas seulement spécial, il a le don d'universalité. Je ne crois pas qu'un ingénieur sorti de l'École puisse jamais bâtir un de ces miracles d'architecture que savait élever Léonard de Vinci, à la fois mécanicien, architecte, peintre, un des inventeurs de l'hydraulique, un infatigable constructeur de canaux. Façonnés, dès le jeune âge, à la simplicité absolue des théorèmes, les sujets sortis de l'École perdent le sens de l'élégance et de l'ornement ; une colonne leur semble inutile, ils reviennent au point où l'art commence, en s'en tenant à l'utile. Mais ceci n'est rien en comparaison de la maladie qui me mine ! Je sens s'accomplir en moi la plus terrible métamorphose ; je sens dépérir mes forces et mes facultés, qui, démesurément tendues, s'affaissent. Je me laisse gagner par le prosaïsme de ma vie. Moi qui, par la nature de mes efforts, me destinais à de grandes choses, je me vois face à face avec les plus petites, à vérifier des mètres de cailloux, visiter des chemins, arrêter des états d'approvisionnement. Je n'ai pas à m'occuper deux heures par jour. Je vois mes collègues se marier, tomber dans une situation contraire à l'esprit de la société moderne. Mon ambition est-elle donc démesurée ? je voudrais être utile à mon pays. Le pays m'a demandé des forces extrêmes, il m'a dit de devenir un des représentants de toutes les sciences, et je me croise les bras au fond d'une province ? Il ne me permet pas de sortir de la localité dans laquelle je suis parqué pour exercer mes facultés en essayant des projets utiles. Une défaveur occulte et réelle est la récompense assurée à celui de nous qui, cédant à ses inspirations, dépasse ce que son service spécial exige de lui. Dans ce cas, la faveur que doit espérer un homme supérieur est l'oubli de son talent, de son outrecuidance, et l'enterrement de son projet dans les cartons de la direction. Quelle sera la récompense de Vicat, celui d'entre nous qui a fait faire le seul progrès réel à la science pratique des constructions ? Le conseil général des Ponts-et-chaussées, composé en partie de gens usés par de longs et quelquefois honorables services, mais qui n'ont plus de force que pour la négation, et qui rayent ce qu'ils ne comprennent plus, est l'étouffoir dont on se sert pour anéantir les projets des esprits audacieux. Ce Conseil semble avoir été créé pour paralyser les bras de cette belle jeunesse qui ne demande qu'à travailler, qui veut servir la France ! Il se passe à Paris des monstruosités : l'avenir d'une province dépend du *visa* de ces centralisateurs qui, par des intrigues que je n'ai pas le loisir de vous détailler, arrêtent l'exécution des meilleurs plans ; les meilleurs sont en effet ceux qui offrent le plus de prise à l'avidité des compagnies ou des spéculateurs, qui choquent ou renversent le plus d'abus, et l'Abus est constamment plus fort en France que l'Amélioration.

» Encore cinq ans, je ne serai donc plus moi-même, je verrai s'éteindre mon ambition, mon noble désir d'employer les facultés que mon pays m'a demandé de déployer, et qui se rouilleront dans le coin obscur où je vis. En calculant les chances les plus heureuses, l'avenir me semble être peu de chose. J'ai profité d'un congé pour venir à Paris, je veux changer de carrière, chercher l'occasion d'employer mon énergie, mes connaissances et mon activité. Je donnerai ma démission, j'irai dans les pays où les hommes spéciaux de ma classe manquent et peuvent accomplir de grandes choses. Si rien de tout cela n'est possible, je me jetterai dans une des doctrines nouvelles qui paraissent devoir faire des changements importants à l'ordre social actuel, en dirigeant mieux les travailleurs. Que sommes-nous, sinon des travailleurs sans ouvrage, des outils dans un magasin ? Nous sommes organisés comme s'il s'agissait de remuer le globe, et nous n'avons rien à faire. Je sens en moi quelque chose de grand qui s'amoindrit, qui va périr, et je vous le dis avec une franchise mathématique. Avant de changer de condition, je voudrais avoir votre avis, je me regarde comme votre enfant et ne ferai jamais de démarches importantes sans vous les soumettre, car votre expérience égale votre bonté. Je sais bien que l'État, après avoir obtenu ses hommes spéciaux, ne peut pas inventer exprès pour eux des monuments à élever, il n'a pas trois cents ponts à construire par année ; et il ne peut pas plus faire bâtir des monuments à ses ingénieurs qu'il ne déclare de guerre pour donner lieu de gagner des batailles et de faire surgir de grands capitaines ; mais alors, comme jamais l'homme de génie n'a manqué de se présenter quand les circonstances le réclamaient, qu'aussitôt qu'il y a beaucoup d'or à dépenser et de grandes choses à produire, il s'élance de la foule un de ces hommes uniques, et qu'en ce genre surtout un Vauban suffit, rien ne démontre mieux l'inutilité de l'Institution. Enfin, quand on a stimulé par tant de préparations un homme de choix, comment ne pas comprendre qu'il fera mille efforts avant de se laisser annuler. Est-ce de la bonne politique ? N'est-ce pas allumer d'ardentes ambitions ? Leur aurait-on dit à tous ces ardents cerveaux de savoir calculer tout, excepté leur destinée ? Enfin, dans ces six cents jeunes gens, il existe des exceptions, des hommes forts qui résistent à leur démonétisation, et j'en connais ; mais si l'on pouvait raconter leurs luttes avec les hommes et les choses, quand, armés de projets utiles, de conceptions qui doivent engendrer la vie et les richesses chez des provinces inertes, ils rencontrent des obstacles là où pour eux l'État a cru leur faire trouver aide et protection, on regarderait l'homme puissant, l'homme à talent, l'homme dont la nature est un miracle, comme plus malheureux cent fois et plus à plaindre que l'homme dont la nature abâtardie se prête à l'amoindrissement de ses facultés. Aussi aimé-je mieux diriger une entreprise commerciale ou industrielle, vivre de peu de chose en cherchant à résoudre un des nombreux problèmes qui manquent à l'industrie, à la société, que de rester dans le poste où je suis. Vous me direz que rien ne m'empêche d'occuper, dans ma résidence, mes forces intellectuelles, de chercher dans le silence de cette vie médiocre la solution de quelque problème utile à l'humanité. Eh ! monsieur, ne connaissez-vous pas l'influence de la province et l'action relâchante d'une vie précisément assez occupée pour user le temps en des travaux presque futiles et pas assez néanmoins pour exercer les riches moyens que notre éducation a créés. Ne me croyez pas, mon cher protecteur, dévoré par l'envie de faire fortune, ni par quelque désir insensé de gloire. Je suis trop calculateur pour ignorer le néant de la gloire. L'activité nécessaire à cette vie ne me fait pas souhaiter de me marier, car en voyant ma destination actuelle, je n'estime pas assez l'existence pour faire ce triste présent à un autre moi-même. Quoique je regarde l'argent comme un des plus puissants moyens qui soient donnés à l'homme social pour agir, ce n'est, après tout, qu'un moyen. Je mets donc mon seul plaisir dans la certitude d'être utile à mon pays. Ma plus grande jouissance serait d'agir dans le milieu convenable à mes facultés. Si, dans le cercle de votre contrée, de vos connaissances, si dans l'espace où vous rayonnez, vous entendiez parler d'une entreprise qui exigeât quelques-unes des capacités que vous me savez, j'attendrai pendant six mois une réponse de vous. Ce que je vous écris là, monsieur et ami, d'autres le pensent. J'ai vu beaucoup de mes camarades ou d'anciens élèves, pris comme moi dans le traquenard d'une spécialité, des ingénieurs-géographes, des capitaines-professeurs, des capitaines du génie militaire qui se voient capitaines pour le reste de leurs jours et qui regrettent amèrement de ne pas avoir passé dans l'armée active. Enfin, à plusieurs reprises, nous nous sommes, entre nous, avoué la longue mystification de laquelle nous étions victimes et qui se reconnaît lorsqu'il n'est plus temps de s'y soustraire, quand l'animal est fait à la machine qu'il tourne, quand le malade est accoutumé à sa maladie. En examinant bien ces tristes résultats, je me suis posé les questions suivantes et je vous les communique, à vous homme de sens et capable de les mûrement méditer, en sachant qu'elles sont le fruit de méditations épurées au feu des souffrances. Quel but se propose l'État ? Veut-il obtenir des capacités ? Les moyens employés vont directement contre la fin, il a bien certainement créé les plus honnêtes médiocrités qu'un gouvernement ennemi de la supériorité pourrait souhaiter. Veut-il donner une carrière à des intelligences choisies ? Il leur a préparé la condition la plus médiocre : il n'est pas un des hommes sortis des Écoles qui ne regrette, entre cinquante et soixante ans, d'avoir donné dans le piège que cachent les promesses de l'État. Veut-il obtenir des hommes de génie ? Quel immense talent ont produit les Écoles depuis 1790 ? Sans Napoléon, Cachin, l'homme de génie à qui l'on doit Cherbourg, eût-il existé ? Le despotisme impérial l'a distingué, le régime constitutionnel l'aurait étouffé. L'Académie des sciences compte-t-elle beaucoup d'hommes sortis des Écoles spéciales ? Peut-être y en a-t-il deux ou trois ! L'homme de génie se révélera toujours en dehors des Écoles spéciales. Dans les sciences dont s'occupent ces Écoles, le génie n'obéit qu'à ses propres lois, il ne se développe que par des circonstances sur lesquelles l'homme ne peut rien : ni l'État, ni la science de l'homme, l'Anthropologie, ne les connaissent. Riquet, Perronet, Léonard de Vinci, Cachin, Palladio, Brunelleschi, Michel-Ange, Bramante, Vauban, Vicat tiennent leur génie de causes inobservées et préparatoires auxquelles nous donnons le nom de hasard, le grand mot des sots. Jamais, avec ou sans Écoles, ces ouvriers sublimes ne manquent à leurs siècles. Maintenant est-ce que, par cette organisation, l'État gagne des travaux d'utilité publique mieux faits ou à meilleur marché ? D'abord, les entreprises particulières se passent très bien des ingénieurs ; puis, les travaux de notre gouvernement sont les plus dispendieux et coûtent de plus l'immense état-major des Ponts-et-chaussées. Enfin, dans les autres pays, en Allemagne, en Angleterre, en Italie où ces institutions n'existent pas, les travaux analogues sont au moins aussi bien faits et moins coûteux qu'en France. Ces trois pays se font remarquer par des inventions neuves et utiles en ce genre. Je sais qu'il est de mode, en parlant de nos Écoles, de dire que l'Europe nous les envie ; mais depuis quinze ans, l'Europe qui nous observe n'en a point créé de semblables. L'Angleterre, cette habile calculatrice, a de meilleures Écoles dans sa population ouvrière d'où surgissent des hommes pratiques qui grandissent en un moment quand ils s'élèvent de la Pratique à la Théorie. Sthéphenson et Mac-Adam ne sont pas sortis de nos fameuses Écoles. Mais à quoi bon ? Quand de jeunes et habiles ingénieurs, pleins de feu, d'ardeur, ont, au début de leur carrière, résolu le problème de l'entretien des routes en France qui demande des centaines de millions par quart de siècle, et qui sont dans un pitoyable état, ils ont eu beau publier de savants ouvrages, des mémoires ; tout s'est engouffré dans la Direction Générale, dans ce centre parisien où tout entre et d'où rien ne sort, où les vieillards jalousent les jeunes gens, où les places élevées servent à retirer le vieil ingénieur qui se fourvoie. Voilà comment, avec un corps savant répandu sur toute la France, qui compose un des rouages de l'administration, qui devrait manier le pays et l'éclairer sur les grandes questions de son ressort, il arrivera que nous discuterons encore sur les chemins de fer quand les autres pays auront fini les leurs. Or si jamais la France avait dû démontrer l'excellence de l'institution des Écoles Spéciales, n'était-ce pas dans cette magnifique phase de travaux publics, destinée à changer la face des États, à doubler la vie humaine en modifiant les lois de l'espace et du temps. La Belgique, les États-Unis, l'Allemagne, l'Angleterre, qui n'ont pas d'Écoles Polytechniques, auront chez elles des réseaux de chemins de fer, quand nos ingénieurs en seront encore à tracer les nôtres, quand de hideux intérêts cachés derrière des projets en arrêteront l'exécution. On ne pose pas une pierre en France sans que dix paperassiers parisiens n'aient fait de sots et inutiles rapports. Ainsi, quant à l'État, il ne tire aucun profit de ses Écoles Spéciales ; quant à l'individu, sa fortune est médiocre, sa vie est une cruelle déception. Certes, les moyens que l'Élève a déployés entre seize et vingt-six ans, prouvent que, livré à sa seule destinée, il l'eût faite plus grande et plus riche que celle à laquelle le gouvernement l'a condamné. Commerçant, savant, militaire, cet homme d'élite eut agi dans un vaste milieu, si ses précieuses facultés et son ardeur n'avaient pas été sottement et prématurément énervées. Où donc est le Progrès ? L'État et l'Homme perdent assurément au système actuel. Une expérience d'un demi-siècle ne réclame-t-elle pas des changements dans la mise en œuvre de l'Institution ? Quel sacerdoce constitue l'obligation de trier en France, parmi toute une génération, les hommes destinés à être la partie savante de la nation ? Quelles études ne devraient pas avoir faites ces grands-prêtres du Sort ? Les connaissances mathématiques ne leur sont peut-être pas aussi nécessaires que les connaissances physiologiques. Ne vous semble-t-il pas qu'il faille un peu de cette seconde vue qui est la sorcellerie des grands Hommes ? Les Examinateurs sont d'anciens professeurs, des hommes honorables, vieillis dans le travail, dont la mission se borne à chercher les meilleures mémoires : ils ne peuvent rien faire que ce qu'on leur demande. Certes, leurs fonctions devraient être les plus grandes de l'État, et veulent des hommes extraordinaires. Ne pensez pas, monsieur et ami, que mon blâme s'arrête uniquement à l'École de laquelle je sors, il ne frappe pas seulement sur l'Institution en elle-même, mais encore et surtout sur le mode employé pour l'alimenter. Ce mode est celui du *Concours*, invention moderne, essentiellement mauvaise, et mauvaise non seulement dans la Science, mais encore partout où elle s'emploie, dans les Arts, dans toute élection d'hommes, de projets ou de choses. S'il est malheureux pour nos célèbres Écoles de n'avoir pas plus produit de gens supérieurs, que toute autre réunion de jeunes gens en eût donnés, il est encore plus honteux que les premiers grands prix de l'Institut n'aient fourni ni un grand peintre, ni un grand musicien, ni un grand architecte, ni un grand sculpteur ; de même que, depuis vingt ans, l'Élection n'a pas, dans sa marée de médiocrités, amené au pouvoir un seul grand homme d'État. Mon observation porte sur une erreur qui vicie, en France, et l'éducation et la politique. Cette cruelle erreur repose sur le principe suivant que les organisateurs ont méconnu :

» *Rien, ni dans l'expérience, ni dans la nature des choses ne peut donner la certitude que les qualités intellectuelles de l'adulte seront celles de l'homme fait.*

» En ce moment, je suis lié avec plusieurs hommes distingués qui se sont occupés de toutes les maladies morales par lesquelles la France est dévorée. Ils ont reconnu, comme moi, que l'Instruction supérieure fabrique des capacités temporaires parce qu'elles sont sans emploi ni avenir ; que les lumières répandues par l'Instruction inférieure sont sans profit pour l'État, parce qu'elles sont dénuées de croyance et de sentiment. Tout notre système d'Instruction Publique exige un vaste remaniement auquel devra présider un homme d'un profond savoir, d'une volonté puissante et doué de ce génie législatif qui ne s'est peut-être rencontré chez les modernes que dans la tête de Jean-Jacques Rousseau. Peut-être le trop plein des spécialités devrait-il être employé dans l'enseignement élémentaire, si nécessaire aux peuples. Nous n'avons pas assez de patients, de dévoués instituteurs pour manier ces masses. La quantité déplorable de délits et de crimes accuse une plaie sociale dont la source est dans cette demi-instruction donnée au peuple, et qui tend à détruire les liens sociaux en le faisant réfléchir assez pour qu'il déserte les croyances religieuses favorables au pouvoir et pas assez pour qu'il s'élève à la théorie de l'Obéissance et du Devoir qui est le dernier terme de la Philosophie Transcendante. Il est impossible de faire étudier Kant à toute une nation ; aussi la Croyance et l'Habitude valent-elles mieux pour les peuples que l'Étude et le Raisonnement. Si j'avais à recommencer la vie, peut-être entrerais-je dans un séminaire et voudrais-je être un simple curé de campagne, ou l'instituteur d'une Commune. Je suis trop avancé dans ma voie pour n'être qu'un simple instituteur primaire, et d'ailleurs, je puis agir sur un cercle plus étendu que ceux d'une École ou d'une Cure. Les Saint-Simoniens, auxquels j'étais tenté de m'associer, veulent prendre une route dans laquelle je ne saurais les suivre ; mais, en dépit de leurs erreurs, ils ont touché plusieurs points douloureux, fruits de notre législation, auxquels on ne remédiera que par des palliatifs insuffisants et qui ne feront qu'ajourner en France une grande crise morale et politique. Adieu, cher monsieur, trouvez ici l'assurance de mon respectueux et fidèle attachement qui, nonobstant ces observations, ne pourra jamais que s'accroître.

» GRÉGOIRE GÉRARD. »

Selon sa vieille habitude de banquier, Grossetête avait minuté la réponse suivante sur le dos même de cette lettre en mettant au-dessus le mot sacramentel : *Répondue.*

« Il est d'autant plus inutile, mon cher Gérard, de discuter les observations contenues dans votre lettre, que, par un jeu du hasard (je me sers du mot des sots), j'ai une proposition à vous faire dont l'effet est de vous tirer de la situation où vous vous trouvez si mal. Madame Graslin, propriétaire des forêts de Montégnac et d'un plateau fort ingrat qui s'étend au bas de la longue chaîne de collines sur laquelle est sa forêt, a le dessein de tirer parti de cet immense domaine, d'exploiter ses bois et de cultiver ses plaines caillouteuses. Pour mettre ce projet à exécution, elle a besoin d'un homme de votre science et de votre ardeur, qui ait à la fois votre dévouement désintéressé et vos idées d'utilité pratique. Peu d'argent et beaucoup de travaux à faire ! un résultat immense par de petits moyens ! un pays à changer en entier ! Faire jaillir l'abondance du milieu le plus dénué, n'est-ce pas ce que vous souhaitez, vous qui voulez construire un poème ? D'après le ton de sincérité qui règne dans votre lettre, je n'hésite pas à vous dire de venir me voir à Limoges ; mais, mon ami, ne donnez pas votre démission, faites-vous seulement détacher de votre corps en expliquant à votre Administration que vous allez étudier des questions de votre ressort, en dehors des travaux de l'État. Ainsi vous ne perdrez rien de vos droits, et vous aurez le temps de juger si l'entreprise conçue par le curé de Montégnac, et qui sourit à madame Graslin, est exécutable. Je vous expliquerai de vive voix les avantages que vous pourrez trouver, le cas où ces vastes changements seraient possibles. Comptez toujours sur l'amitié de votre tout dévoué,

» GROSSETÊTE. »

Madame Graslin ne répondit pas autre chose à Grossetête que ce peu de mots : « Merci, mon ami, j'attends votre protégé. » Elle montra la lettre de l'ingénieur à monsieur Bonnet, en lui disant : – Encore un blessé qui cherche le grand hôpital.

Le curé lut la lettre, il la relut, fit deux ou trois tours de terrasse en silence, et la rendit en disant à madame Graslin : – C'est d'une belle âme et d'un homme supérieur ! Il dit que les Écoles inventées par le génie révolutionnaire fabriquent des incapacités, moi je les appelle des fabriques d'incrédules, car si monsieur Gérard n'est pas un athée, il est protestant...

– Nous le demanderons, dit-elle frappée de cette réponse.

Quinze jours après, dans le mois de décembre, malgré le froid, monsieur Grossetête vint au château de Montégnac pour y présenter son protégé que Véronique et monsieur Bonnet attendaient impatiemment.

– Il faut vous bien aimer, mon enfant, dit le vieillard en prenant les deux mains de Véronique dans les siennes et les lui baisant avec cette galanterie de vieilles gens qui n'offense jamais les femmes, oui, bien vous aimer pour avoir quitté Limoges par un temps pareil ; mais je tenais à vous faire moi-même cadeau de monsieur Grégoire Gérard que voici. C'est un homme selon votre cœur, monsieur Bonnet, dit l'ancien banquier en saluant affectueusement le curé.

L'extérieur de Gérard était peu prévenant. De moyenne taille, épais de forme, le cou dans les épaules, selon l'expression vulgaire, il avait les cheveux jaunes d'or, les yeux rouges de l'albinos, des cils et des sourcils presque blancs. Quoique son teint, comme celui des gens de cette espèce, fût d'une blancheur éclatante, des marques de petite vérole et des coutures très apparentes lui ôtaient son éclat primitif ; l'étude lui avait sans doute altéré la vue, car il portait des conserves. Quand il se débarrassa d'un gros manteau de gendarme, l'habillement qu'il montra ne rachetait point la disgrâce de son extérieur. La manière dont ses vêtements étaient mis et boutonnés, sa cravate négligée, sa chemise sans fraîcheur offraient les marques de ce défaut de soin sur eux-mêmes que l'on reproche aux hommes de science, tous plus ou moins distraits.

Comme chez presque tous les penseurs, sa contenance et son attitude, le développement du buste et la maigreur des jambes annonçaient une sorte d'affaissement corporel produit par les habitudes de la méditation ; mais la puissance de cœur et l'ardeur d'intelligence, dont les preuves étaient écrites dans sa lettre, éclataient sur son front qu'on eût dit taillé dans du marbre de Carrare. La nature semblait s'être réservé cette place pour y mettre les signes évidents de la grandeur, de la constance, de la bonté de cet homme. Le nez, comme chez tous les hommes de race gauloise, était d'une forme écrasée. Sa bouche, ferme et droite, indiquait une discrétion absolue, et le sens de l'économie ; mais tout le masque fatigué par l'étude avait prématurément vieilli.

– Nous avons déjà, monsieur, à vous remercier, dit madame Graslin à l'ingénieur, de bien vouloir venir diriger des travaux dans un pays qui ne vous offrira d'autres agréments que la satisfaction de savoir qu'on peut y faire du bien.

– Madame, répondit-il, monsieur Grossetête m'en a dit assez sur vous pendant que nous cheminions pour que déjà je fusse heureux de vous être utile, et que la perspective de vivre auprès de vous et de monsieur Bonnet me parût charmante. À moins que l'on ne me chasse du pays, j'y compte finir mes jours.

– Nous tâcherons de ne pas vous faire changer d'avis, dit en souriant madame Graslin.

– Voici, dit Grossetête à Véronique en la prenant à part, des papiers que le Procureur-général m'a remis ; il a été fort étonné que vous ne vous soyez pas adressée à lui. Tout ce que vous avez demandé s'est fait avec promptitude et dévouement. D'abord, votre protégé sera rétabli dans tous ses droits de citoyen ; puis, d'ici à trois mois, Catherine Curieux vous sera envoyée.

– Où est-elle ? demanda Véronique.

– À l'hôpital Saint-Louis, répondit le vieillard. On attend sa guérison pour lui faire quitter Paris.

– Ah ! la pauvre fille est malade !

– Vous trouverez ici tous les renseignements désirables, dit Grossetête en remettant un paquet à Véronique.

Elle revint vers ses hôtes pour les emmener dans la magnifique salle à manger du rez-de-chaussée où elle alla, conduite par Grossetête et Gérard auxquels elle donna le bras. Elle servit elle-même le dîner sans y prendre part. Depuis son arrivée à Montégnac, elle s'était fait une loi de prendre ses repas seule, et Aline, qui connaissait le secret de cette réserve, le garda religieusement jusqu'au jour où sa maîtresse fut en danger de mort.

Le maire, le juge de paix et le médecin de Montégnac avaient été naturellement invités.

Le médecin, jeune homme de vingt-sept ans, nommé Roubaud, désirait vivement connaître la femme célèbre du Limousin. Le curé fut d'autant plus heureux d'introduire ce jeune homme au château, qu'il souhaitait composer une espèce de société à Véronique, afin de la distraire et de donner des aliments à son esprit. Roubaud était un de ces jeunes médecins absolument instruits, comme il en sort actuellement de l'École de Médecine de Paris et qui, certes, aurait pu briller sur le vaste théâtre de la capitale ; mais, effrayé du jeu des ambitions à Paris, se sentant d'ailleurs plus de savoir que d'intrigue, plus d'aptitude que d'avidité, son caractère doux l'avait ramené sur le théâtre étroit de la province, où il espérait être apprécié plus promptement qu'à Paris. À Limoges, Roubaud se heurta contre des habitudes prises et des clientèles inébranlables ; il se laissa donc gagner par monsieur Bonnet, qui, sur sa physionomie douce et prévenante, le jugea comme un de ceux qui devaient lui appartenir et coopérer à son œuvre. Petit et blond, Roubaud avait une mine assez fade ; mais ses yeux gris trahissaient la profondeur du physiologiste et la ténacité des gens studieux. Montégnac ne possédait qu'un ancien chirurgien de régiment, beaucoup plus occupé de sa cave que de ses malades, et trop vieux d'ailleurs pour continuer le dur métier d'un médecin de campagne. En ce moment il se mourait. Roubaud habitait Montégnac depuis dix-huit mois, et s'y faisait aimer. Mais ce jeune élève des Desplein et des successeurs de Cabanis ne croyait pas au catholicisme. Il restait en matière de religion dans une indifférence mortelle et n'en voulait pas sortir. Aussi désespérait-il le curé, non qu'il fît le moindre mal, il ne parlait jamais religion, ses occupations justifiaient son absence constante de l'église, et d'ailleurs incapable de prosélytisme, il se conduisait comme se serait conduit le meilleur catholique ; mais il s'était interdit de songer à un problème qu'il considérait comme hors de la portée humaine. En entendant dire au médecin que le panthéisme était la religion de tous les grands esprits, le curé le croyait incliné vers les dogmes de Pythagore sur les transformations. Roubaud, qui voyait madame Graslin pour la première fois, éprouva la plus violente sensation à son aspect ; la science lui fit deviner dans la physionomie, dans l'attitude, dans les dévastations du visage, des souffrances inouïes, et morales et physiques, un caractère d'une force surhumaine, les grandes facultés qui servent à supporter les vicissitudes les plus opposées ; il y entrevit tout, même les espaces obscurs et cachés à dessein. Aussi aperçut-il le mal qui dévorait le cœur de cette belle créature ; car, de même que la couleur d'un fruit y laisse soupçonner la présence d'un ver rongeur, de même certaines teintes dans le visage permettent aux médecins de reconnaître une pensée vénéneuse. Dès ce moment, monsieur Roubaud s'attacha si vivement à madame Graslin, qu'il eut peur de l'aimer au-delà de la simple amitié permise. Le front, la démarche et surtout les regards de Véronique avaient une éloquence que les hommes comprennent toujours, et qui disait aussi énergiquement qu'elle était morte à l'amour, que d'autres femmes disent le contraire par une contraire éloquence ; le médecin lui voua tout à coup un culte chevaleresque. Il échangea rapidement un regard avec le curé. Monsieur Bonnet se dit alors en lui-même : – Voilà le coup de foudre qui le changera. Madame Graslin aura plus d'éloquence que moi.

Le maire, vieux campagnard ébahi par le luxe de cette salle à manger, et surpris de dîner avec l'un des hommes les plus riches du Département, avait mis ses meilleurs habits, mais il s'y trouvait un peu gêné, et sa gêne morale s'en augmenta ; madame Graslin, dans son costume de deuil, lui parut d'ailleurs extrêmement imposante ; il fut donc un personnage muet. Ancien fermier à Saint-Léonard, il avait acheté la seule maison habitable du bourg, et cultivait lui-même les terres qui en dépendaient, Quoiqu'il sût lire et écrire, il ne pouvait remplir ses fonctions qu'avec le secours de l'huissier de la justice de paix qui lui préparait sa besogne. Aussi désirait-il vivement la création d'une charge de notaire, pour se débarrasser sur cet officier ministériel du fardeau de ses fonctions. Mais la pauvreté du canton de Montégnac y rendait une Étude à peu près inutile, et les habitants étaient exploités par les notaires du chef-lieu d'arrondissement.

Le juge de paix, nommé Clousier, était un ancien avocat de Limoges où les causes l'avaient fui, car il voulut mettre en pratique ce bel axiome, que l'avocat est le premier juge du client et du procès. Il obtint vers 1809 cette place, dont les maigres appointements lui permirent de vivre. Il était alors arrivé à la plus honorable, mais à la plus complète misère. Après vingt-deux ans d'habitation dans cette pauvre Commune, le bonhomme, devenu campagnard, ressemblait, à sa redingote près, aux fermiers du pays. Sous cette forme quasi grossière, Clousier cachait un esprit clairvoyant, livré à de hautes méditations politiques, mais tombé dans une entière insouciance due à sa parfaite connaissance des hommes et de leurs intérêts. Cet homme, qui pendant longtemps trompa la perspicacité de monsieur Bonnet, et qui, dans la sphère supérieure, eût rappelé Lhospital, incapable d'aucune intrigue comme tous les gens réellement profonds, avait fini par vivre à l'état contemplatif des anciens solitaires. Riche sans doute de toutes ses privations, aucune considération n'agissait sur son esprit, il savait les lois et jugeait impartialement. Sa vie, réduite au simple nécessaire, était pure et régulière. Les paysans aimaient monsieur Clousier et l'estimaient à cause du désintéressement paternel avec lequel il accordait leurs différends et leur donnait ses conseils dans leurs moindres affaires.

Le bonhomme Clousier, comme disait tout Montégnac, avait depuis deux ans pour greffier un de ses neveux, jeune homme assez intelligent, et qui, plus tard, contribua beaucoup à la prospérité du canton. La physionomie de ce vieillard se recommandait par un front large et vaste. Deux buissons de cheveux blanchis étaient ébouriffés de chaque côté de son crâne chauve. Son teint coloré, son embonpoint majeur eussent fait croire, en dépit de sa sobriété, qu'il cultivait autant Bacchus que Troplong et Toullier. Sa voix presque éteinte indiquait l'oppression d'un asthme. Peut-être l'air sec du Haut-Montégnac avait-il contribué à le fixer dans ce pays. Il y logeait dans une maisonnette arrangée pour lui par un sabotier assez riche à qui elle appartenait. Clousier avait déjà vu Véronique à l'église, et il l'avait jugée sans avoir communiqué ses idées à personne, pas même à monsieur Bonnet, avec lequel il commençait à se familiariser. Pour la première fois de sa vie, le juge de paix allait se trouver au milieu de personnes en état de le comprendre.

Une fois placés autour d'une table richement servie, car Véronique avait envoyé tout son mobilier de Limoges à Montégnac, ces six personnages éprouvèrent un moment d'embarras. Le médecin, le maire et le juge de paix ne connaissaient ni Grossetête ni Gérard. Mais, pendant le premier service, la bonhomie du vieux banquier fondit insensiblement les glaces d'une première rencontre. Puis l'amabilité de madame Graslin entraîna Gérard et encouragea monsieur Roubaud. Maniées par elle, ces âmes pleines de qualités exquises reconnurent leur parenté. Chacun se sentit bientôt dans un milieu sympathique. Aussi, lorsque le dessert fut mis sur la table, quand les cristaux et les porcelaines à bords dorés étincelèrent, quand des vins choisis circulèrent servis par Aline, par Champion et par le domestique de Grossetête, la conversation devint-elle assez confidentielle pour que ces quatre hommes d'élite réunis par le hasard se dissent leur vraie pensée sur les matières importantes qu'on aime à discuter en se trouvant tous de bonne foi.

– Votre congé a coïncidé avec la Révolution de Juillet, dit Grossetête à Gérard d'un air par lequel il lui demandait son opinion.

– Oui, répondit l'ingénieur. J'étais à Paris durant les trois fameux jours, j'ai tout vu ; j'en ai conclu de tristes choses.

– Et quoi ? dit monsieur Bonnet avec vivacité.

– Il n'y a plus de patriotisme que sous les chemises sales,

répliqua Gérard. Là est la perte de la France. Juillet est la défaite volontaire des supériorités de nom, de fortune et de talent. Les masses dévouées ont remporté la victoire sur des classes riches, intelligentes, chez qui le dévouement est antipathique.

– À en juger par ce qui arrive depuis un an, reprit monsieur Clousier, le juge de paix, ce changement est une prime donnée au mal qui nous dévore, à l'individualisme. D'ici à quinze ans, toute question généreuse se traduira par : *Qu'est-ce que cela me fait ?* le grand cri du Libre-Arbitre descendu des hauteurs religieuses où l'ont introduit Luther, Calvin, Zwingle et Knox jusque dans l'Économie politique. *Chacun pour soi, chacun chez soi*, ces deux terribles phrases formeront, avec le *Qu'est-ce que cela me fait ?* la sagesse trinitaire du bourgeois et du petit propriétaire. Cet égoïsme est le résultat des vices de notre législation civile, un peu trop précipitamment faite, et à laquelle la Révolution de Juillet vient de donner une terrible consécration.

Le juge de paix rentra dans son silence habituel après cette sentence, dont les motifs durent occuper les convives. Enhardi par cette parole de Clousier, et par le regard que Gérard et Grossetête échangèrent, monsieur Bonnet osa davantage.

– Le bon roi Charles X, dit-il, vient d'échouer dans la plus prévoyante et la plus salutaire entreprise qu'un monarque ait jamais formée pour le bonheur des peuples qui lui sont confiés, et l'Église doit être fière de la part qu'elle a eue dans ses conseils. Mais le cœur et l'intelligence ont failli aux classes supérieures, comme ils lui avaient déjà failli dans la grande question de la loi sur le droit d'aînesse, l'éternel honneur du seul homme d'État hardi qu'ait eu la Restauration, le comte de Peyronnet. Reconstituer la Nation par la Famille, ôter à la Presse son action venimeuse en ne lui laissant que le droit d'être utile, faire rentrer la Chambre Élective dans ses véritables attributions, rendre à la Religion sa puissance sur le peuple, tels ont été les quatre points cardinaux de la politique intérieure de la maison de Bourbon. Eh ! bien, d'ici à vingt ans, la France entière aura reconnu la nécessité de cette grande et saine politique. Le roi Charles X était d'ailleurs plus menacé dans la situation qu'il a voulu quitter que dans celle où son paternel pouvoir a péri. L'avenir de notre beau pays, où tout sera périodiquement mis en question, où l'on discutera sans cesse au lieu d'agir, où la Presse, devenue souveraine, sera l'instrument des plus basses ambitions, prouvera la sagesse de ce roi qui vient d'emporter avec lui les vrais principes du gouvernement, et l'Histoire lui tiendra compte du courage avec lequel il a résisté à ses meilleurs amis, après avoir sondé la plaie, en avoir reconnu l'étendue et vu la nécessité des moyens curatifs qui n'ont pas été soutenus par ceux pour lesquels il se mettait sur la brèche.

– Hé ! bien, monsieur le curé, vous y allez franchement et sans le moindre déguisement, s'écria Gérard ; mais je ne vous contredirai pas. Napoléon, dans sa campagne de Russie, était de quarante ans en avant sur l'esprit de son siècle, il n'a pas été compris. La Russie et l'Angleterre de 1830 expliquent la campagne de 1812. Charles X a éprouvé le même malheur : dans vingt-cinq ans, ses ordonnances deviendront peut-être des lois.

– La France, pays trop éloquent pour n'être pas bavard, trop plein de vanité pour qu'on y reconnaisse les vrais talents, est, malgré le sublime bon sens de sa langue et de ses masses, le dernier de tous où le système des deux assemblées délibérantes pouvait être admis, reprit le juge de paix. Au moins, les inconvénients de notre caractère devaient-ils être combattus par les admirables restrictions que l'expérience de Napoléon y avait opposées. Ce système peut encore aller dans un pays dont l'action est circonscrite par la nature du sol, comme en Angleterre ; mais le droit d'aînesse, appliqué à la transmission de la terre, est toujours nécessaire, et quand ce droit est supprimé, le système représentatif devient une folie. L'Angleterre doit son existence à la loi quasi féodale qui attribue les terres et l'habitation de la famille aux aînés. La Russie est assise sur le droit féodal pur. Aussi ces deux nations sont-elles aujourd'hui dans une voie de progrès effrayant. L'Autriche n'a pu résister à nos invasions et recommencer la guerre contre Napoléon qu'en vertu de ce droit d'aînesse qui conserve agissantes les forces de la famille et maintient les grandes productions nécessaires à l'État. La maison de Bourbon, en se sentant couler au troisième rang en Europe par la faute de la France, a voulu se maintenir à sa place, et le pays l'a renversée au moment où elle sauvait le pays. Je ne sais où nous fera descendre le système actuel.

– Vienne la guerre, la France sera sans chevaux comme Napoléon en 1813, qui, réduit aux seules ressources de la France, n'a pu profiter des deux victoires de Lutzen et Bautzen, et s'est vu écraser à Leipsick, s'écria Grossetête. Si la paix se maintient, le mal ira croissant : dans vingt-cinq ans d'ici, les races bovine et chevaline auront diminué de moitié en France.

– Monsieur Grossetête a raison, dit Gérard. Aussi l'œuvre que vous voulez tenter ici, madame, reprit-il en s'adressant à Véronique, est-elle un service rendu au pays.

– Oui, dit le juge de paix, parce que madame n'a qu'un fils. Le hasard de cette succession se perpétuera-t-il ? Pendant un certain laps de temps, la grande et magnifique culture que vous établirez, espérons-le, n'appartenant qu'à un seul propriétaire, continuera de produire des bêtes à cornes et des chevaux. Mais malgré tout, un jour viendra où forêts et prairies seront ou partagées ou vendues par lots. De partages en partages, les six mille arpents de votre plaine auront mille ou douze cents propriétaires, et dès lors, plus de chevaux ni de haut bétail.

– Oh ! dans ce temps-là... dit le maire.

– Entendez-vous le : Qu'est-ce que cela me fait ? signalé par monsieur Clousier, s'écria monsieur Grossetête, le voilà pris sur le fait ! Mais, monsieur, reprit le banquier d'un ton grave en s'adressant au maire stupéfait, ce temps est venu ! Sur un rayon de dix lieues autour de Paris, la campagne, divisée à l'infini, peut à peine nourrir les vaches laitières. La commune d'Argenteuil compte trente-huit mille huit cent quatre-vingt-cinq parcelles de terrain dont plusieurs ne donnent pas quinze centimes de revenu. Sans les puissants engrais de Paris, qui permettent d'obtenir des fourrages de qualités supérieures, je ne sais comment les nourrisseurs pourraient se tirer d'affaire. Encore cette nourriture violente et le séjour des vaches à l'étable les fait-elle mourir de maladies inflammatoires. On use les vaches autour de Paris comme on y use les chevaux dans les rues. Des cultures plus productives que celle de l'herbe, les cultures maraîchères, le fruitage, les pépinières, la vigne y anéantissent les prairies. Encore quelques années, et le lait viendra en poste à Paris, comme y vient la marée. Ce qui se passe autour de Paris a lieu de même aux environs de toutes les grandes villes. Le mal de cette division excessive des propriétés s'étend autour de cent villes en France, et la dévorera quelque jour tout entière. À peine, selon Chaptal, comptait-on, en 1800, deux millions d'hectares en vignobles ; une statistique exacte vous en donnerait au moins dix aujourd'hui. Divisée à l'infini par le système de nos successions, la

Normandie perdra la moitié de sa production chevaline et bovine ; mais elle aura le monopole du lait à Paris, car son climat s'oppose heureusement à la culture de la vigne. Aussi sera-ce un phénomène curieux que celui de l'élévation progressive du prix de la viande. En 1850, dans vingt ans d'ici, Paris, qui payait la viande sept et onze sous la livre en 1814, la paiera vingt sous, à moins qu'il ne survienne un homme de génie qui sache exécuter la pensée de Charles X.

– Vous avez mis le doigt sur la grande plaie de la France, reprit le juge de paix. La cause du mal gît dans le Titre des Successions du Code civil, qui ordonne le partage égal des biens. Là est le pilon dont le jeu perpétuel émiette le territoire, individualise les fortunes en leur ôtant une stabilité nécessaire, et qui, décomposant sans recomposer jamais, finira par tuer la France. La Révolution française a émis un virus destructif auquel les journées de Juillet viennent de communiquer une activité nouvelle. Ce principe morbifique est l'accession du paysan à la propriété. Si le Titre des Successions est le principe du mal, le paysan en est le moyen. Le paysan ne rend rien de ce qu'il a conquis. Une fois que cet Ordre a pris un morceau de terre dans sa gueule toujours béante, il le subdivise tant qu'il y a trois sillons. Encore alors ne s'arrête-t-il pas ! Il partage les trois sillons dans leur longueur, comme monsieur vient de vous le prouver par l'exemple de la commune d'Argenteuil. La valeur insensée que le paysan attache aux moindres parcelles, rend impossible la recomposition de la Propriété. D'abord la Procédure et le Droit sont annulés par cette division, la propriété devient un non-sens. Mais ce n'est rien que de voir expirer la puissance du Fisc et de la Loi sur des parcelles qui rendent impossibles ses dispositions les plus sages, il y a des maux encore plus grands. On a des propriétaires de quinze, de vingt-cinq centimes de revenu ! Monsieur, dit-il en indiquant Grossetête, vient de vous parler de la diminution des races bovine et chevaline, le système légal y est pour beaucoup. Le paysan propriétaire n'a que des vaches, il en tire sa nourriture, il vend les veaux, il vend même le beurre, il ne s'avise pas d'élever des bœufs, encore moins des chevaux ; mais comme il ne récolte jamais assez de fourrage pour soutenir une année de sécheresse, il envoie sa vache au marché quand il ne peut plus la nourrir. Si, par un hasard fatal, la récolte du foin manquait pendant deux années de suite, vous verriez à Paris, la troisième année, d'étranges changements dans le prix du bœuf, mais surtout dans celui du veau.

– Comment pourra-t-on faire alors les banquets patriotiques ? dit en souriant le médecin.

– Oh ! s'écria madame Graslin en regardant Roubaud, la politique ne peut donc se passer nulle part du petit journal, même ici ?

– La Bourgeoisie, reprit Clousier, remplit dans cette horrible tâche le rôle des pionniers en Amérique. Elle achète les grandes terres sur lesquelles le paysan ne peut rien entreprendre, elle se les partage ; puis, après les avoir mâchées, divisées, la licitation ou la vente en détail les livre plus tard au paysan. Tout se résume par des chiffres aujourd'hui. Je n'en sais pas de plus éloquents que ceux-ci : la France a quarante-neuf millions d'hectares qu'il serait convenable de réduire à quarante ; il faut en distraire les chemins, les routes, les dunes, les canaux et les terrains infertiles, incultes ou désertés par les capitaux, comme la plaine de Montégnac. Or, sur quarante millions d'hectares pour trente-deux millions d'habitants, il se trouve cent vingt-cinq millions de parcelles sur la cote générale des impositions foncières. J'ai négligé les fractions, Ainsi, nous sommes au-delà de la Loi Agraire, et nous ne sommes au bout ni de la Misère, ni de la Discorde ! Ceux qui mettent le territoire en miettes et amoindrissent la Production auront des organes pour crier que la vraie justice sociale consisterait à ne donner à chacun que l'usufruit de sa terre. Ils diront que la propriété perpétuelle est un vol ! Les saint-simoniens ont commencé.

– Le magistrat a parlé, dit Grossetête, voici ce que le banquier ajoute à ces courageuses considérations. La propriété, rendue accessible au paysan et au petit bourgeois, cause à la France un tort immense que le gouvernement ne soupçonne même pas. On peut évaluer à trois millions de familles la masse des paysans, abstraction faite des indigents. Ces familles vivent de salaires. Le salaire se paie en argent au lieu de se payer en denrées...

– Encore une faute immense de nos lois, s'écria Clousier en interrompant. La faculté de payer en denrées pouvait être ordonnée en 1790 ; mais, aujourd'hui, porter une pareille loi, ce serait risquer une révolution.

– Ainsi le prolétaire attire à lui l'argent du pays. Or, reprit Grossetête, le paysan n'a pas d'autre passion, d'autre désir, d'autre vouloir, d'autre point de mire que de mourir propriétaire. Ce désir, comme l'a fort bien établi monsieur Clousier, est né de la Révolution ; il est le résultat de la vente des biens nationaux. Il faudrait n'avoir aucune idée de ce qui se passe au fond des campagnes, pour ne pas admettre comme un fait constant, que ces trois millions de familles enterrent annuellement cinquante francs, et soustraient ainsi cent cinquante millions au mouvement de l'argent. La science de l'Économie politique a mis à l'état d'axiome qu'un écu de cinq francs, qui passe dans cent mains pendant une journée, équivaut d'une manière absolue à cinq cents francs. Or, il est certain pour nous autres, vieux observateurs de l'état des campagnes, que le paysan choisit sa terre ; il la guette et l'attend, il ne place jamais ses capitaux. L'acquisition par les paysans doit donc se calculer par périodes de sept années. Les paysans laissent donc par sept années, inerte et sans mouvement, une somme de onze cents millions. Certes, la petite bourgeoisie en enterre bien autant, et se conduit de même à l'égard des propriétés auxquelles le paysan ne peut pas mordre. En quarante-deux ans, la France aura donc perdu, par chaque période de sept années, les intérêts d'au moins deux milliards, c'est-à-dire environ cent millions par sept ans, ou six cents millions en quarante-deux ans. Mais elle n'a pas perdu seulement six cents millions, elle a manqué à créer pour six cents millions de productions industrielles ou agricoles qui représentent une perte de douze cents millions ; car si le produit industriel n'était pas le double en valeur de son prix de revient en argent, le commerce n'existerait pas. Le prolétariat perd donc six cents millions de salaires ! Ces six cent millions de perte sèche, mais qui, pour un sévère économiste, représentent, par les bénéfices manquants de la circulation, une perte d'environ douze cents millions, expliquent l'état d'infériorité où se trouvent notre commerce, notre marine, et notre agriculture, à l'égard de celles de l'Angleterre. Malgré la différence qui existe entre les deux territoires, et qui est de plus des deux tiers en notre faveur, l'Angleterre pourrait remonter la cavalerie de deux armées françaises, et la viande y existe pour tout le monde. Mais aussi, dans ce pays, comme l'assiette de la propriété rend son acquisition presque impossible aux classes inférieures, tout écu devient commerçant et roule. Ainsi, outre la plaie du morcellement, celle de la diminution des races bovine, chevaline et ovine, le Titre des Successions nous vaut encore six cents millions d'intérêts perdus par l'enfouissement des capitaux du paysan et du bourgeois, douze cents millions de productions en moins, ou trois milliards de non-circulation par demi-siècle.

– L'effet moral est pire que l'effet matériel ! s'écria le curé. Nous fabriquons des propriétaires mendiants chez le peuple, des demi-savants chez les petits bourgeois, et le : Chacun chez soi, chacun pour soi, qui avait fait son effet dans les classes élevées en juillet de cette année, aura bientôt gangrené les classes moyennes. Un prolétariat déshabitué de sentiments, sans autre Dieu que l'Envie, sans autre fanatisme que le désespoir de la Faim, sans foi ni croyance, s'avancera et mettra le pied sur le cœur du pays. L'étranger, grandi sous la loi monarchique, nous trouvera sans roi avec la Royauté, sans lois avec la Légalité, sans propriétaires avec la Propriété, sans gouvernement avec l'Élection, sans force avec le Libre-Arbitre, sans bonheur avec l'Égalité. Espérons que, d'ici là, Dieu suscitera en France un homme providentiel, un de ces élus qui donnent aux nations un nouvel esprit, et que, soit Marius, soit Sylla, qu'il s'élève d'en bas ou vienne d'en haut, il refera la Société.

– On commencera par l'envoyer en Cour d'Assise ou en Police correctionnelle, répondit Gérard. Le jugement de Socrate et celui de Jésus-Christ seraient rendus contre eux en 1831 comme autrefois à Jérusalem et dans l'Attique. Aujourd'hui, comme autrefois, les Médiocrités jalouses laissent mourir de misère les penseurs, les grands médecins politiques qui ont étudié les plaies de la France, et qui s'opposent à l'esprit de leur siècle. S'ils résistent à la misère, nous les ridiculisons ou nous les traitons de rêveurs. En France, on se révolte dans l'Ordre Moral contre le grand homme d'avenir, comme on se révolte dans l'Ordre Politique contre le souverain.

– Autrefois les sophistes parlaient à un petit nombre d'hommes, aujourd'hui la presse périodique leur permet d'égarer toute une nation, s'écria le juge de paix ; et la presse qui plaide pour le bon sens n'a pas d'écho !

Le maire regardait monsieur Clousier dans un profond étonnement. Madame Graslin, heureuse de rencontrer dans un simple juge de paix un homme occupé de questions si graves, dit à monsieur Roubaud, son voisin : – Connaissiez-vous monsieur Clousier ?

– Je ne le connais que d'aujourd'hui. Madame, vous faites des miracles, lui répondit-il à l'oreille. Cependant voyez son front, quelle belle forme ! Ne ressemble-t-il pas au front classique ou traditionnel donné par les statuaires à Lycurgue et aux sages de la Grèce ? – Évidemment la Révolution de Juillet a un sens anti-politique, dit à haute voix et après avoir embrassé les calculs exposés par Grossetête cet ancien étudiant qui peut-être aurait fait une barricade.

– Ce sens est triple, dit Clousier. Vous avez compris le Droit et la Finance, mais voici pour le Gouvernement. Le pouvoir royal, affaibli par le dogme de la souveraineté nationale en vertu de laquelle vient de se faire l'élection du 9 août 1830, essayera de combattre ce principe rival, qui laisserait au peuple le droit de se donner une nouvelle dynastie chaque fois qu'il ne devinerait pas la pensée de son roi ; et nous aurons une lutte intérieure qui certes arrêtera pendant longtemps encore les progrès de la France.

– Tous ces écueils ont été sagement évités par l'Angleterre, reprit Gérard ; j'y suis allé, j'admire cette ruche qui essaime sur l'univers et le civilise, chez qui la discussion est une comédie politique destinée à satisfaire le peuple et à cacher l'action du pouvoir, qui se meut librement dans sa haute sphère, et où l'élection n'est pas dans les mains de la stupide bourgeoisie comme elle l'est en France. Avec le morcellement de la propriété, l'Angleterre n'existerait plus déjà. La haute propriété, les lords y gouvernent le mécanisme social. Leur marine, au nez de l'Europe, s'empare de portions entières du globe pour y satisfaire les exigences de leur commerce et y jeter les malheureux et les mécontents. Au lieu de faire la guerre aux capacités, de les annuler, de les méconnaître, l'aristocratie anglaise les cherche, les récompense, et se les assimile constamment. Chez les Anglais, tout est prompt dans ce qui concerne l'action du gouvernement, dans le choix des hommes et des choses, tandis que chez nous tout est lent ; et ils sont lents et nous sommes impatients. Chez eux l'argent est hardi et affairé, chez nous il est effrayé et soupçonneux. Ce qu'a dit monsieur Grossetête des pertes industrielles que le paysan cause à la France, a sa preuve dans un tableau que je vais vous dessiner en deux mots. Le Capital anglais, par son continuel mouvement, a créé pour dix milliards de valeurs industrielles et d'actions portant rente, tandis que le Capital français, supérieur comme abondance, n'en a pas créé la dixième partie.

– C'est d'autant plus extraordinaire, dit Roubaud, qu'ils sont lymphatiques et que nous sommes généralement sanguins ou nerveux.

– Voilà, monsieur, dit Clousier, une grande question à étudier. Rechercher les Institutions propres à réprimer le tempérament d'un peuple. Certes, Cromwell fut un grand législateur. Lui seul a fait l'Angleterre actuelle, en inventant *l'acte de navigation*, qui a rendu les Anglais les ennemis de toutes les autres nations, qui leur a inoculé un féroce orgueil, leur point d'appui. Mais malgré leur citadelle de Malte, si la France et la Russie comprennent le rôle de la mer Noire et de la Méditerranée, un jour, la route d'Asie par l'Égypte ou par l'Euphrate, régularisée au moyen des nouvelles découvertes, tuera l'Angleterre, comme jadis la découverte du Cap de Bonne-Espérance a tué Venise.

– Et rien de Dieu ! s'écria le curé. Monsieur Clousier, monsieur Roubaud, sont indifférents en matière de religion. Et monsieur ? dit-il en interrogeant Gérard.

– Protestant, répondit Grossetête.

– Vous l'aviez deviné, s'écria Véronique en regardant le curé pendant qu'elle offrait sa main à Clousier pour monter chez elle.

Les préventions que donnait contre lui l'extérieur de monsieur Gérard s'étaient promptement dissipées, et les trois notables de Montégnac se félicitèrent d'une semblable acquisition.

– Malheureusement, dit monsieur Bonnet, il existe entre la Russie et les pays catholiques que baigne la Méditerranée, une cause d'antagonisme dans le schisme de peu d'importance qui sépare la religion grecque de la religion latine, un grand malheur pour l'avenir de l'humanité.

– Chacun prêche pour son saint, dit en souriant madame Graslin ; monsieur Grossetête pense à des milliards perdus, monsieur Clousier au Droit bouleversé, le médecin voit dans la Législation une question de tempéraments, monsieur le curé voit dans la Religion un obstacle à l'entente de la Russie et de la France...

– Ajoutez, madame, dit Gérard, que je vois dans l'enfouissement des capitaux du petit bourgeois et du paysan, l'ajournement de l'exécution des chemins de fer en France.

– Que voudriez-vous donc ? dit-elle.

– Oh ! les admirables Conseillers-d'État qui, sous l'Empereur, méditaient les lois, et ce Corps-Législatif, élu par les capacités du pays aussi bien que par les propriétaires, et dont le seul rôle était de s'opposer à des lois mauvaises ou à des guerres de caprice. Aujourd'hui, telle qu'elle est constituée, la Chambre des Députés arrivera, vous le verrez, à gouverner, ce qui constituera l'Anarchie légale.

– Mon Dieu ! s'écria le curé dans un accès de patriotisme sacré, comment se fait-il que des esprits aussi éclairés que ceux-ci, dit-il en montrant Clousier, Roubaud et Gérard, voient le mal, en indiquent le remède, et ne commencent pas par se l'appliquer à eux-mêmes ? Vous tous, qui représentez les classes attaquées, vous reconnaissez la nécessité de l'obéissance passive des masses dans l'État, comme à la guerre chez les soldats ; vous voulez l'unité du pouvoir, et vous désirez qu'il ne soit jamais mis en question. Ce que l'Angleterre a obtenu par le développement de l'orgueil et de l'intérêt humain, qui sont une croyance, ne peut s'obtenir ici que par les sentiments dus au catholicisme, et vous n'êtes pas catholiques ! Moi, prêtre, je quitte mon rôle, je raisonne avec des raisonneurs. Comment voulez-vous que les masses deviennent religieuses et obéissent, si elles voient l'irréligion et l'indiscipline au-dessus d'elles ? Les peuples unis par une foi quelconque auront toujours bon marché des peuples sans croyance. La loi de l'Intérêt général, qui engendre le Patriotisme, est immédiatement détruite par la loi de l'Intérêt particulier, qu'elle autorise, et qui engendre l'Égoïsme. Il n'y a de solide et de durable que ce qui est naturel, et la chose naturelle en politique est la Famille. La Famille doit être le point de départ de toutes les Institutions. Un effet universel démontre une cause universelle ; et ce que vous avez signalé de toutes parts vient du Principe social même, qui est sans force parce qu'il a pris le Libre Arbitre pour base, et que le Libre Arbitre est le père de l'Individualisme. Faire dépendre le bonheur de la sécurité, de l'intelligence, de la capacité de tous, n'est pas aussi sage que de faire dépendre le bonheur de la sécurité, de l'intelligence des institutions et de la capacité d'un seul. On trouve plus facilement la sagesse chez un homme que chez toute une nation. Les peuples ont un cœur et n'ont pas d'yeux, ils sentent et ne voient pas. Les gouvernements doivent voir et ne jamais se déterminer par les sentiments. Il y a donc une évidente contradiction entre les premiers mouvements des masses et l'action du

175/222

pouvoir qui doit en déterminer la force et l'unité. Rencontrer un grand prince est un effet du hasard, pour parler votre langage ; mais se fier à une assemblée quelconque, fût-elle composée d'honnêtes gens, est une folie. La France est folle en ce moment ! Hélas ! vous en êtes convaincus aussi bien que moi. Si tous les hommes de bonne foi comme vous donnaient l'exemple autour d'eux, si toutes les mains intelligentes relevaient les autels de la grande république des âmes, de la seule Église qui ait mis l'Humanité dans sa voie, nous pourrions revoir en France les miracles qu'y firent nos pères.

– Que voulez-vous, monsieur le curé, dit Gérard, s'il faut vous parler comme au confessionnal, je regarde la Foi comme un mensonge qu'on se fait à soi-même, l'Espérance comme un mensonge qu'on se fait sur l'avenir, et votre Charité, comme une ruse d'enfant qui se tient sage pour avoir des confitures.

– On dort cependant bien, monsieur, dit madame Graslin, quand l'Espérance nous berce.

Cette parole arrêta Roubaud qui allait parler, et fut appuyée par un regard de Grossetête et du curé.

– Est-ce notre faute à nous, dit Clousier, si Jésus-Christ n'a pas eu le temps de formuler un gouvernement d'après sa morale, comme l'ont fait Moïse et Confucius, les deux plus grands législateurs humains ; car les Juifs et les Chinois existent, les uns malgré leur dispersion sur la terre entière, et les autres malgré leur isolement, en corps de nation.

– Ah ! vous me donnez bien de l'ouvrage, s'écria naïvement le curé, mais je triompherai, je vous convertirai tous !... Vous êtes plus près que vous ne le croyez de la Foi. C'est derrière le mensonge que se tapit la vérité, avancez d'un pas et retournez-vous !

Sur ce cri du curé, la conversation changea.

Le lendemain, avant de partir, monsieur Grossetête promit à Véronique de s'associer à ses plans, dès que leur réalisation serait jugée possible ; madame Graslin et Gérard accompagnèrent à cheval sa voiture, et ne le quittèrent qu'à la jonction de la route de Montégnac et de celle de Bordeaux à Lyon. L'ingénieur était si impatient de reconnaître le terrain et Véronique si furieuse de le lui montrer, qu'ils avaient tous deux projeté cette partie la veille. Après avoir fait leurs adieux au bon vieillard, ils se lancèrent dans la vaste plaine et côtoyèrent le pied de la chaîne des montagnes depuis la rampe qui menait au château jusqu'au pic de la Roche-Vive. L'ingénieur reconnut alors l'existence du banc continu signalé par Farrabesche, et qui formait comme une dernière assise de fondations sous les collines. Ainsi, en dirigeant les eaux de manière à ce qu'elles n'engorgeassent plus le canal indestructible que la Nature avait fait elle-même, et le débarrassant des terres qui l'avaient comblé, l'irrigation serait facilitée par cette longue gouttière, élevée d'environ dix pieds au-dessus de la plaine. La première opération et la seule décisive était d'évaluer la quantité d'eau qui s'écoulait par le Gabou, et de s'assurer si les flancs de cette vallée ne la laisseraient pas échapper.

Véronique donna un cheval à Farrabesche, qui devait accompagner l'ingénieur et lui faire part de ses moindres observations. Après quelques jours d'études, Gérard trouva la base des deux chaînes parallèles assez solide, quoique de composition différente, pour retenir les eaux. Pendant le mois de janvier de l'année suivante, qui fut pluvieux, il évalua la quantité d'eau qui passait par le Gabou. Cette quantité, jointe à l'eau de trois sources qui pouvaient être conduites dans le torrent, produisait une masse suffisante à l'arrosement d'un territoire trois fois plus considérable que la plaine de Montégnac. Le barrage du Gabou, les travaux et les ouvrages nécessaires pour diriger les eaux par les trois vallons dans la plaine, ne devaient pas coûter plus de soixante mille francs, car l'ingénieur découvrit sur les communaux une masse calcaire qui fournirait de la chaux à bon marché, la forêt était proche, la pierre et le bois ne coûtaient rien et n'exigeaient point de transports. En attendant la saison pendant laquelle le Gabou serait à sec, seul temps propice à ces travaux, les approvisionnements nécessaires et les préparatifs pouvaient se faire de manière à ce que cette importante construction s'élevât rapidement. Mais la préparation de la plaine coûterait au moins, selon Gérard, deux cent mille francs, sans y comprendre ni l'ensemencement ni les plantations. La plaine devait être divisée en compartiments carrés de deux cent cinquante arpents chacun, où le terrain devait être non pas défriché, mais débarrassé de ses plus gros cailloux. Des terrassiers auraient à creuser un grand nombre de fossés et à les empierrer, afin de ne pas laisser se perdre l'eau, et la faire courir ou monter à volonté. Cette entreprise voulait les bras actifs et dévoués de travailleurs consciencieux. Le hasard donnait un terrain sans obstacles, une plaine unie ; les eaux, qui offraient dix pieds de chute, pouvaient être distribuées à souhait ; rien n'empêchait d'obtenir les plus beaux résultats agricoles en offrant aux yeux ces magnifiques tapis de verdure, l'orgueil et la fortune de la Lombardie. Gérard fit venir du pays où il avait exercé ses fonctions un vieux conducteur expérimenté, nommé Fresquin.

Madame Graslin écrivit donc à Grossetête de lui négocier un emprunt de deux cent cinquante mille francs, garanti par ses inscriptions de rentes, qui, abandonnées pendant six ans, suffiraient, d'après le calcul de Gérard, à payer les intérêts et le capital. Cet emprunt fut conclu dans le courant du mois de mars. Les projets de Gérard, aidé par Fresquin son conducteur, furent alors entièrement terminés, ainsi que les nivellements, les sondages, les observations et les devis. La nouvelle de cette vaste entreprise, répandue dans toute la contrée, avait stimulé la population pauvre. L'infatigable Farrabesche, Colorat, Clousier, le maire de Montégnac, Roubaud, tous ceux qui s'intéressaient au pays ou à madame Graslin choisirent des travailleurs ou signalèrent les indigents qui méritaient d'être occupés. Gérard acheta pour son compte et pour celui de monsieur Grossetête un millier d'arpents de l'autre côté de la route de Montégnac. Fresquin, le conducteur, prit aussi cinq cents arpents, et fit venir à Montégnac sa femme et ses enfants.

Dans les premiers jours du mois d'avril 1833, monsieur Grossetête vint voir les terrains achetés par Gérard, mais son voyage à Montégnac fut principalement déterminé par l'arrivée de Catherine Curieux que madame Graslin attendait, et venue de Paris par la diligence à Limoges. Il trouva madame Graslin prête à partir pour l'église. Monsieur Bonnet devait dire une messe pour appeler les bénédictions du ciel sur les travaux qui allaient s'ouvrir. Tous les travailleurs, les femmes, les enfants y assistaient.

– Voici votre protégée, dit le vieillard en présentant à Véronique une femme d'environ trente ans, souffrante et faible.

– Vous êtes Catherine Curieux ? lui dit madame Graslin.

– Oui, madame.

Véronique regarda Catherine pendant un moment. Assez grande, bien faite et blanche, cette fille avait des traits d'une excessive douceur et que ne démentait pas la belle nuance grise de ses yeux. Le tour du visage, la coupe du front offraient une noblesse à la fois auguste et simple qui se rencontre parfois dans la campagne chez les très jeunes filles, espèce de fleur de beauté que les travaux des champs, les soins continus du ménage, le hâle, le manque de soins enlèvent avec une effrayante rapidité. Son attitude annonçait cette aisance dans les mouvements qui caractérise les filles de la campagne, et à laquelle les habitudes involontairement prises à Paris avaient encore donné de la grâce. Restée dans la Corrèze, certes Catherine eût été déjà ridée, flétrie, ses couleurs autrefois vives seraient devenues fortes ; mais Paris, en la pâlissant, lui avait conservé sa beauté ; la maladie, les fatigues, les chagrins l'avaient douée des dons mystérieux de la mélancolie, de cette pensée intime qui manque aux pauvres campagnards habitués à une vie presque animale. Sa toilette, pleine de ce goût parisien que toutes les femmes, même les moins coquettes, contractent si promptement, la distinguait encore des paysannes. Dans l'ignorance où elle était de son sort, et incapable de juger madame Graslin, elle se montrait assez honteuse.

– Aimez-vous toujours Farrabesche ? lui demanda Véronique, que Grossetête avait laissée seule un instant.

– Oui, madame, répondit-elle en rougissant.

– Pourquoi, si vous lui avez envoyé mille francs pendant le temps qu'a duré sa peine, n'êtes-vous pas venue le retrouver à sa sortie ? Y a-t-il chez vous une répugnance pour lui ? parlez-moi comme à votre mère. Aviez-vous peur qu'il ne se fût tout à fait vicié, qu'il ne voulût plus de vous ?

– Non, madame ; mais je ne savais ni lire ni écrire, je servais une vieille dame très exigeante, elle est tombée malade, on la veillait, j'ai dû la garder. Tout en calculant que le moment de la libération de Jacques approchait, je ne pouvais quitter Paris qu'après la mort de cette dame, qui ne m'a rien laissé, malgré mon dévouement à ses intérêts et à sa personne. Avant de revenir, j'ai voulu me guérir d'une maladie causée par les veilles et par le mal que je me suis donné. Après avoir mangé mes économies, j'ai dû me résoudre à entrer à l'hôpital Saint-Louis, d'où je sors guérie.

– Bien, mon enfant, dit madame Graslin émue de cette explication si simple. Mais dites-moi maintenant pourquoi vous avez abandonné vos parents brusquement, pourquoi vous avez laissé votre enfant, pourquoi vous n'avez pas donné de vos nouvelles, ou fait écrire...

Pour toute réponse, Catherine pleura.

– Madame, dit-elle rassurée par un serrement de main de Véronique, je ne sais si j'ai eu tort, mais il a été au-dessus de mes forces de rester dans le pays. Je n'ai pas douté de moi, mais des autres, j'ai eu peur des bavardages, des caquets. Tant que Jacques courait ici des dangers, je lui étais nécessaire, mais lui parti, je me suis sentie sans force : être fille avec un enfant, et pas de mari ! La plus mauvaise créature aurait valu mieux que moi. Je ne sais pas ce que je serais devenue si j'avais entendu dire le moindre mot sur Benjamin ou sur son père. Je me serais fait périr moi-même, je serais devenue folle. Mon père ou ma mère, dans un moment de colère, pouvaient me faire un reproche. Je suis trop vive pour supporter une querelle ou une injure, moi qui suis douce ! J'ai été bien punie puisque je n'ai pu voir mon enfant, moi qui n'ai pas été un seul jour sans penser à lui ! J'ai voulu être oubliée, et, je l'ai été. Personne n'a pensé à moi. On m'a crue morte, et cependant j'ai bien des fois voulu tout quitter pour venir passer un jour ici, voir mon petit.

– Votre petit, tenez, mon enfant, voyez-le !

Catherine aperçut Benjamin et fut prise comme d'un frisson de fièvre.

– Benjamin, dit madame Graslin, viens embrasser ta mère.

– Ma mère ? s'écria Benjamin surpris. Il sauta au cou de Catherine, qui le serra sur elle avec une force sauvage. Mais l'enfant lui échappa et se sauva en criant : – Je vais *le quérir*.

Madame Graslin, obligée d'asseoir Catherine qui défaillait, aperçut alors monsieur Bonnet, et ne put s'empêcher de rougir en recevant de son confesseur un regard perçant qui lisait dans son cœur.

– J'espère, monsieur le curé, lui dit-elle en tremblant, que vous ferez promptement le mariage de Catherine et de Farrabesche. Ne reconnaissez-vous pas monsieur Bonnet, mon enfant ? il vous dira que Farrabesche, depuis son retour, s'est conduit en honnête homme, il a l'estime de tout le pays, et s'il est au monde un endroit où vous puissiez vivre heureux et considérés, c'est à Montégnac. Vous y ferez, Dieu aidant, votre fortune, car vous serez mes fermiers. Farrabesche est redevenu citoyen.

– Tout cela est vrai, mon enfant, dit le curé.

En ce moment, Farrabesche arriva traîné par son fils ; il resta pâle et sans parole en présence de Catherine et de madame Graslin. Il devinait combien la bienfaisance de l'une avait été active et tout ce que l'autre avait dû souffrir pour n'être pas venue. Véronique emmena le curé, qui, de son côté, voulait l'emmener. Dès qu'ils se trouvèrent assez loin pour n'être pas entendus, monsieur Bonnet regarda fixement sa pénitente et la vit rougissant, elle baissa les yeux comme une coupable.

– Vous dégradez le bien, lui dit-il sévèrement.

– Et comment ? répondit-elle en relevant la tête.

– Faire le bien, reprit monsieur Bonnet, est une passion aussi supérieure à l'amour, que l'humanité, madame, est supérieure à la créature. Or, tout ceci ne s'accomplit pas par la seule force et avec la naïveté de la vertu. Vous retombez de toute la grandeur de l'humanité au culte d'une seule créature ! Votre bienfaisance envers Farrabesche et Catherine comporte des souvenirs et des arrière-pensées qui en ôtent le mérite aux yeux de Dieu. Arrachez vous-même de votre cœur les restes du javelot qu'y a planté l'esprit du Mal. Ne dépouillez pas ainsi vos actions de leur valeur. Arriverez-vous donc enfin à cette sainte ignorance du bien que vous faites, et qui est la grâce suprême des actions humaines ?

Madame Graslin s'était retournée afin d'essuyer ses yeux, dont les larmes disaient au curé que sa parole attaquait quelque endroit saignant du cœur où son doigt fouillait une plaie mal fermée. Farrabesche, Catherine et Benjamin vinrent pour remercier leur bienfaitrice ; mais elle leur fit signe de s'éloigner, et de la laisser avec monsieur Bonnet.

– Voyez comme je les chagrine, lui dit-elle en les lui montrant attristés, et le curé, dont l'âme était tendre, leur fit alors signe de revenir. – Soyez, leur dit-elle, complètement heureux ; voici l'ordonnance qui vous rend tous vos droits de citoyen et vous exempte des formalités qui vous humiliaient, ajouta-t-elle en tendant à Farrabesche un papier qu'elle gardait à sa main.

Farrabesche baisa respectueusement la main de Véronique et la regarda d'un œil à la fois tendre et soumis, calme et dévoué que rien ne devait altérer, comme celui du chien fidèle pour son maître.

– Si Jacques a souffert, madame, dit Catherine, dont les beaux yeux souriaient, j'espère pouvoir lui rendre autant de bonheur qu'il a eu de peine ; car, quoi qu'il ait fait, il n'est pas méchant.

Madame Graslin détourna la tête, elle paraissait brisée par l'aspect de cette famille alors heureuse, et monsieur Bonnet la quitta pour aller à l'église, où elle se traîna sur le bras de monsieur Grossetête.

Après le déjeuner, tous allèrent assister à l'ouverture des travaux, que vinrent voir aussi tous les vieux de Montégnac. De la rampe sur laquelle montait l'avenue du château, monsieur Grossetête et monsieur Bonnet, entre lesquels était Véronique, purent apercevoir la disposition des quatre premiers chemins que l'on ouvrit, et qui servirent de dépôt aux pierres ramassées. Cinq terrassiers rejetaient les bonnes terres au bord des champs, en déblayant un espace de dix-huit pieds, la largeur de chaque chemin. De chaque côté, quatre hommes, occupés à creuser le fossé, en mettaient aussi la bonne terre sur le champ en forme de berge. Derrière eux, à mesure que cette berge avançait, deux hommes y pratiquaient des trous et y plantaient des arbres. Dans chaque pièce, trente indigents valides, vingt femmes et quarante filles ou enfants, en tout quatre-vingt-dix personnes, ramassaient les pierres que des ouvriers métraient le long des berges afin de constater la quantité produite par chaque groupe. Ainsi tous les travaux marchaient de front et allaient rapidement, avec des ouvriers choisis et pleins d'ardeur. Grossetête promit à madame Graslin de lui envoyer des arbres et d'en demander pour elle à ses amis. Évidemment, les pépinières du château ne suffiraient pas à de si nombreuses plantations. Vers la fin de la journée qui devait se terminer par un grand dîner au château, Farrabesche pria madame Graslin de lui accorder un moment d'audience.

– Madame, lui dit-il en se présentant avec Catherine, vous avez eu la bonté de me promettre la ferme du château. En m'accordant une pareille faveur, votre intention est de me donner une occasion de fortune ; mais Catherine a sur notre avenir des idées que je viens vous soumettre. Si je fais fortune, il y aura des jaloux, un mot est bientôt dit, je puis avoir des désagréments, je les craindrais, et d'ailleurs Catherine serait toujours inquiète ; enfin le voisinage du monde ne nous convient pas. Je viens donc vous demander simplement de nous donner à ferme les terres situées au débouché du Gabou sur les communaux, avec une petite partie de bois au revers de la Roche-Vive. Vous aurez là, vers juillet, beaucoup d'ouvriers, il sera donc alors facile de bâtir une ferme dans une situation favorable, sur une éminence. Nous y serons heureux. Je ferai venir Guépin. Mon pauvre libéré travaillera comme un cheval, je le marierai peut-être. Mon garçon n'est pas un fainéant, personne ne viendra nous regarder dans le blanc des yeux, nous coloniserons ce coin de terre, et je mettrai mon ambition à vous y faire une fameuse ferme. D'ailleurs, j'ai à vous proposer pour fermier de votre grande ferme un cousin de Catherine qui a de la fortune, et qui sera plus capable que moi de conduire une machine aussi considérable que cette ferme-là. S'il plaît à Dieu que votre entreprise réussisse, vous aurez dans cinq ans d'ici entre cinq à six mille bêtes à cornes ou chevaux sur la plaine qu'on défriche, et il faudra certes une forte tête pour s'y reconnaître.

Madame Graslin accorda la demande de Farrabesche en rendant justice au bon sens qui la lui dictait.

Depuis l'ouverture des travaux de la plaine, la vie de madame Graslin prit la régularité d'une vie de campagne. Le matin, elle allait entendre la messe, elle prenait soin de son fils, qu'elle idolâtrait, et venait voir ses travailleurs. Après son dîner, elle recevait ses amis de Montégnac dans son petit salon, situé au premier étage du pavillon de l'horloge. Elle apprit à Roubaud, à Clousier et au curé le whist, que savait Gérard. Après la partie, vers neuf heures, chacun rentrait chez soi. Cette vie douce eut pour seuls événements le succès de chaque partie de la grande entreprise. Au mois de juin, le torrent du Gabou étant à sec, monsieur Gérard s'installa dans la maison du garde. Farrabesche avait déjà fait bâtir sa ferme du Gabou. Cinquante maçons, revenus de Paris, réunirent les deux montagnes par une muraille de vingt pieds d'épaisseur, fondée à douze pieds de profondeur sur un massif en béton. La muraille, d'environ soixante pieds d'élévation, allait en diminuant, elle n'avait plus que dix pieds à son couronnement. Gérard y adossa, du côté de la vallée, un talus en béton, de douze pieds à sa base. Du côté des communaux, un talus semblable recouvert de quelques pieds de terre végétale appuya ce formidable ouvrage, que les eaux ne pouvaient renverser. L'ingénieur ménagea, en cas de pluies trop abondantes, un déversoir à une hauteur convenable. La maçonnerie fut poussée dans chaque montagne jusqu'au tuf ou jusqu'au granit, afin que l'eau ne trouvât aucune issue par les côtés. Ce barrage fut terminé vers le milieu du mois d'août. En même temps, Gérard prépara trois canaux dans les trois principaux vallons, et aucun de ces ouvrages n'atteignit au chiffre de ses devis. Ainsi la ferme du château put être achevée. Les travaux d'irrigation dans la plaine conduits par Fresquin correspondaient au canal tracé par la nature au bas de la chaîne des montagnes du côté de la plaine, et d'où partirent les rigoles d'arrosement. Des vannes furent adaptées aux fossés que l'abondance des cailloux avait permis d'empierrer, afin de tenir dans la plaine les eaux à des niveaux convenables.

Tous les dimanches après la messe, Véronique, l'ingénieur, le curé, le médecin, le maire descendaient par le parc et allaient y voir le mouvement des eaux. L'hiver de 1833 à 1834 fut très pluvieux. L'eau des trois sources qui avaient été dirigées vers le torrent et l'eau des pluies convertirent la vallée du Gabou en trois étangs, étagés avec prévoyance afin de créer une réserve pour les grandes sécheresses. Aux endroits où la vallée s'élargissait, Gérard avait profité de quelques monticules pour en faire des îles qui furent plantées en arbres variés. Cette vaste opération changea complètement le paysage ; mais il fallait cinq ou six années pour qu'il eût sa vraie physionomie. « – Le pays était tout nu, disait Farrabesche, et Madame vient de l'habiller. »

Depuis ces grands changements, Véronique fut appelée *madame* dans toute la contrée. Quand les pluies cessèrent, au mois de juin 1834, on essaya les irrigations dans la partie de prairies ensemencées, dont la jeune verdure ainsi nourrie offrit les qualités supérieures des *marciti* de l'Italie et des prairies suisses. Le système d'arrosement, modelé sur celui des fermes de la Lombardie, mouillait également le terrain, dont la surface était unie comme un tapis. Le nitre des neiges, en dissolution dans ces eaux, contribua sans doute beaucoup à la qualité de l'herbe. L'ingénieur espéra trouver dans les produits quelque analogie avec ceux de la Suisse, pour qui cette substance est, comme on le sait, une source intarissable de richesses. Les plantations sur les bords des chemins, suffisamment humectées par l'eau qu'on laissa dans les fossés, firent de rapides progrès. Aussi, en 1838, cinq ans après l'entreprise de madame Graslin à Montégnac, la plaine inculte, jugée infertile par vingt générations, était-elle verte, productive et entièrement plantée. Gérard y avait bâti cinq fermes de mille arpents chacune, sans compter le grand établissement du château. La ferme de Gérard, celle de Grossetête et celle de Fresquin, qui recevaient le trop-plein des eaux des domaines de madame Graslin, furent élevées sur le même plan et régies par les mêmes méthodes. Gérard se construisit un charmant pavillon dans sa propriété. Quand tout fut terminé, les habitants de Montégnac, sur la proposition du maire enchanté de donner sa démission, nommèrent Gérard maire de la commune.

En 1840, le départ du premier troupeau de bœufs envoyés par Montégnac sur les marchés de Paris, fut l'objet d'une fête champêtre. Les fermes de la plaine élevaient de gros bétail et des chevaux, car on avait généralement trouvé, par le nettoyage du terrain, sept pouces de terre végétale que la dépouille annuelle des arbres, les engrais apportés par le pacage des bestiaux, et surtout l'eau de neige contenue dans le bassin du Gabou, devaient enrichir constamment. Cette année, madame Graslin jugea nécessaire de donner un précepteur à son fils, qui avait onze ans ; elle ne voulait pas s'en séparer, et voulait néanmoins en faire un homme instruit. Monsieur Bonnet écrivit au séminaire. Madame Graslin, de son côté, dit quelques mots de son désir et de ses embarras à monseigneur Dutheil, nommé récemment archevêque. Ce fut une grande et sérieuse affaire que le choix d'un homme qui devait vivre pendant au moins neuf ans au château. Gérard s'était déjà offert à montrer les mathématiques à son ami Francis ; mais il était impossible de remplacer un précepteur, et ce choix à faire épouvantait d'autant plus madame Graslin, qu'elle sentait chanceler sa santé. Plus les prospérités de son cher Montégnac croissaient, plus elle redoublait les austérités secrètes de sa vie. Monseigneur Dutheil, avec qui elle correspondait toujours, lui trouva l'homme qu'elle souhaitait. Il envoya de son diocèse un jeune professeur de vingt-cinq ans, nommé Ruffin, un esprit qui avait pour vocation l'enseignement particulier ; ses connaissances étaient vastes ; il avait une âme d'une excessive sensibilité qui n'excluait pas la sévérité nécessaire à qui veut conduire un enfant ; chez lui, la piété ne nuisait en rien à la science ; enfin il était patient et d'un extérieur agréable. « C'est un vrai cadeau que je vous fais, ma chère fille, écrivit le prélat ; ce jeune homme est digne de faire l'éducation d'un prince ; aussi compté-je que vous saurez lui assurer un sort, car il sera le père spirituel de votre fils. »

Monsieur Ruffin plut si fort aux fidèles amis de madame Graslin, que son arrivée ne dérangea rien aux différentes intimités qui se groupaient autour de cette idole dont les heures et les moments étaient pris par chacun avec une sorte de jalousie.

L'année 1843 vit la prospérité de Montégnac s'accroître au-delà de toutes les espérances. La ferme du Gabou rivalisait avec les fermes de la plaine, et celle du château donnait l'exemple de toutes les améliorations. Les cinq autres fermes, dont le loyer progressif devait atteindre la somme de trente mille francs pour chacune à la douzième année du bail, donnaient alors en tout soixante mille francs de revenu. Les fermiers, qui commençaient à recueillir le fruit de leurs sacrifices et de ceux de madame Graslin, pouvaient alors amender les prairies de la plaine, où venaient des herbes de première qualité qui ne craignaient jamais la sécheresse. La ferme du Gabou paya joyeusement un premier fermage de quatre mille francs. Pendant cette année, un homme de Montégnac établit une diligence allant du chef-lieu d'arrondissement à Limoges, et qui partait tous les jours et de Limoges, et du chef-lieu. Le neveu de monsieur Clousier vendit son greffe et obtint la création d'une étude de notaire en sa faveur. L'administration nomma Fresquin percepteur du canton. Le nouveau notaire se bâtit une jolie maison dans le Haut-Montégnac, planta des mûriers dans les terrains qui en dépendaient, et fut l'adjoint de Gérard. L'ingénieur, enhardi par tant de succès, conçut un projet de nature à rendre colossale la fortune de madame Graslin, qui rentra cette année dans la possession des rentes engagées pour solder son emprunt. Il voulait canaliser la petite rivière, en y jetant les eaux surabondantes du Gabou. Ce canal, qui devait aller gagner la Vienne, permettrait d'exploiter les vingt mille arpents de l'immense forêt de Montégnac, admirablement entretenue par Colorat, et qui, faute de moyens de transport, ne donnait aucun revenu. On pouvait couper mille arpents par année en aménageant à vingt ans, et diriger ainsi sur Limoges de précieux bois de construction. Tel était le projet de Graslin, qui jadis avait peu écouté les plans du curé relativement à la plaine, et s'était beaucoup plus préoccupé de la canalisation de la petite rivière.

V

Véronique au tombeau

Au commencement de l'année suivante, malgré la contenance de madame Graslin, ses amis aperçurent en elle les symptômes avant-coureurs d'une mort prochaine. À toutes les observations de Roubaud, aux questions les plus ingénieuses des plus clairvoyants, Véronique faisait la même réponse : « Elle se portait à merveille. » Mais au printemps, elle alla visiter ses forêts, ses fermes, ses belles prairies en manifestant une joie enfantine qui dénotait en elle de tristes prévisions.

En se voyant forcé d'élever un petit mur en béton depuis le barrage du Gabou jusqu'au parc de Montégnac, le long et au bas de la colline dite de la Corrèze, Gérard avait eu l'idée d'enfermer la forêt de Montégnac et de la réunir au parc. Madame Graslin affecta trente mille francs par an à cet ouvrage, qui exigeait au moins sept années, mais qui soustrairait cette belle forêt aux droits qu'exerce l'Administration sur les bois non clos des particuliers. Les trois étangs de la vallée du Gabou devaient alors se trouver dans le parc. Chacun de ces étangs, orgueilleusement appelés des lacs, avait son île. Cette année, Gérard avait préparé, d'accord avec Grossetête, une surprise à madame Graslin pour le jour de sa naissance. Il avait bâti dans la plus grande de ces îles, la seconde, une petite chartreuse assez rustique au dehors et d'une parfaite élégance au dedans. L'ancien banquier trempa dans cette conspiration, à laquelle coopérèrent Farrabesche, Fresquin, le neveu de Clousier et la plupart des riches de Montégnac. Grossetête envoya un joli mobilier pour la chartreuse. Le clocher, copié sur celui de Vévay, faisait un charmant effet dans le paysage. Six canots, deux pour chaque étang, avaient été construits, peints et gréés en secret pendant l'hiver par Farrabesche et Guépin, aidés du charpentier de Montégnac. À la mi-mai donc, après le déjeuner que madame Graslin offrait à ses amis, elle fut emmenée par eux à travers le parc, supérieurement dessiné par Gérard qui depuis cinq ans le soignait en architecte et en naturaliste, vers la jolie prairie de la vallée du Gabou, où, sur la rive du premier lac, flottaient les deux canots. Cette prairie, arrosée par quelques ruisseaux clairs, avait été prise au bas du bel amphithéâtre où commence la vallée du Gabou. Les bois défrichés avec art et de manière à produire les plus élégantes masses ou des découpures charmantes à l'œil, embrassaient cette prairie en y donnant un air de solitude doux à l'âme. Gérard avait scrupuleusement rebâti sur une éminence ce chalet de la vallée de Sion qui se trouve sur la route de Brigg et que tous les voyageurs admirent. On devait y loger les vaches et la laiterie du château. De la galerie, on apercevait le paysage créé par l'ingénieur, et que ses lacs rendaient digne des plus jolis sites de la Suisse. Le jour était superbe. Au ciel bleu, pas un nuage ; à terre, mille accidents gracieux comme il s'en forme dans ce beau mois de mai. Les arbres plantés depuis dix ans sur les bords : saules pleureurs, saules marceau, des aulnes, des frênes, des blancs de Hollande, des peupliers d'Italie et de Virginie, des épines blanches et roses, des acacias, des bouleaux, tous sujets d'élite, disposés tous comme le voulait et le terrain et leur physionomie, retenaient dans leurs feuillages quelques vapeurs nées sur les eaux et qui ressemblaient à de légères fumées. La nappe d'eau, claire comme un miroir et calme comme le ciel, réfléchissait les hautes masses vertes de la forêt, dont les cimes nettement dessinées dans la limpide atmosphère, contrastaient avec les bocages d'en bas, enveloppés de leurs jolis voiles. Les lacs, séparés par de fortes chaussées, montraient trois miroirs à reflets différents, dont les eaux s'écoulaient de l'un dans l'autre par de mélodieuses cascades. Ces chaussées formaient des chemins pour aller d'un bord à l'autre sans avoir à tourner la vallée. On apercevait du chalet, par une échappée, le steppe ingrat des communaux crayeux et infertiles qui, vu du dernier balcon, ressemblait à la pleine mer, et qui contrastait avec la fraîche nature du lac et de ses bords. Quand Véronique vit la joie de ses amis qui lui tendaient la main pour la faire monter dans la plus grande des embarcations, elle eut des larmes dans les yeux, et laissa nager en silence jusqu'au moment où elle aborda la première chaussée. En y montant pour s'embarquer sur la seconde flotte, elle aperçut alors la Chartreuse et Grossetête assis sur un banc avec toute sa famille.

– Ils veulent donc me faire regretter la vie ? dit-elle au curé.

– Nous voulons vous empêcher de mourir, répondit Clousier.

– On ne rend pas la vie aux morts, répliqua-t-elle.

Monsieur Bonnet jeta sur sa pénitente un regard sévère qui la fit rentrer en elle-même.

– Laissez-moi seulement prendre soin de votre santé, lui demanda Roubaud d'une voix douce et suppliante, je suis certain de conserver à ce canton sa gloire vivante, et à tous nos amis le lien de leur vie commune.

Véronique baissa la tête et Gérard nagea lentement vers l'île, au milieu de ce lac, le plus large des trois et où le bruit des eaux du premier, alors trop plein, retentissait au loin en donnant une voix à ce délicieux paysage.

– Vous avez bien raison de me faire faire mes adieux à cette ravissante création, dit-elle en voyant la beauté des arbres tous si feuillus qu'ils cachaient les deux rives.

La seule désapprobation que ses amis se permirent fut un morne silence, et Véronique, sur un nouveau regard de monsieur Bonnet, sauta légèrement à terre en prenant un air gai qu'elle ne quitta plus. Redevenue châtelaine, elle fut charmante, et la famille Grossetête reconnut en elle la belle madame Graslin des anciens jours. « – Assurément, elle pouvait vivre encore ! » lui dit sa mère à l'oreille. Dans ce beau jour de fête, au milieu de cette sublime création opérée avec les seules ressources de la nature, rien ne semblait devoir blesser Véronique, et cependant elle y reçut son coup de grâce. On devait revenir sur les neuf heures par les prairies, dont les chemins, tous aussi beaux que des routes anglaises ou italiennes, faisaient l'orgueil de l'ingénieur. L'abondance du caillou, mis de côté par masses lors du nettoyage de la plaine, permettait de si bien les entretenir, que depuis cinq ans, elles s'étaient en quelque sorte macadamisées. Les voitures stationnaient au débouché du dernier vallon du côté de la plaine, presque au bas de la Roche-Vive. Les attelages, tous composés de chevaux élevés à Montégnac, étaient les premiers élèves susceptibles d'être vendus, le directeur du haras en avait fait dresser une dizaine pour les écuries du château, et leur essai faisait partie du programme de la fête. À la calèche de madame Graslin, un présent de Grossetête, piaffaient les quatre plus beaux chevaux harnachés avec simplicité. Après le dîner, la joyeuse compagnie alla prendre le café dans un petit kiosque en bois, copié sur l'un de ceux du Bosphore et situé à la pointe de l'île d'où la vue plongeait sur le dernier étang. La maison de Colorat, car le garde, incapable de remplir des fonctions aussi difficiles que celles de garde-général de Montégnac, avait eu la succession de Farrabesche, et l'ancienne maison restaurée formait une des fabriques de ce paysage, terminé par le grand barrage du Gabou qui arrêtait délicieusement les regards sur une masse de végétation riche et vigoureuse.

De là, madame Graslin crut voir son fils Francis aux environs de la pépinière due à Farrabesche ; elle le chercha du regard, ne le trouva pas, et monsieur Ruffin le lui montra jouant en effet, le long des bords, avec les enfants des petites-filles de Grossetête. Véronique craignit quelque accident. Sans écouter personne, elle descendit le kiosque, sauta dans une des chaloupes, se fit débarquer sur la chaussée et courut chercher son fils. Ce petit incident fut cause du départ. Le vénérable trisaïeul Grossetête proposa le premier d'aller se promener dans le beau sentier qui longeait les deux derniers lacs en suivant les caprices de ce sol montagneux. Madame Graslin aperçut de loin Francis dans les bras d'une femme en deuil. À en juger par la forme du chapeau, par la coupe des vêtements, cette femme devait être une étrangère. Véronique effrayée appela son fils, qui revint.

– Qui est cette femme ? demanda-t-elle aux enfants, et pourquoi Francis vous a-t-il quittés ?

– Cette dame l'a appelé par son nom, dit une petite fille.

En ce moment, la Sauviat et Gérard, qui avaient devancé toute la compagnie, arrivèrent.

– Qui est cette femme, mon cher enfant ? dit madame Graslin à Francis.

– Je ne la connais pas, dit l'enfant, mais il n'y a que toi et ma grand-mère qui m'embrassiez ainsi. Elle a pleuré, dit-il à l'oreille de sa mère.

– Voulez-vous que je coure après elle ? dit Gérard.

– Non, lui répondit madame Graslin avec une brusquerie qui n'était pas dans ses habitudes.

Par une délicatesse qui fut appréciée de Véronique, Gérard emmena les enfants, et alla au-devant de tout le monde en laissant la Sauviat, madame Graslin et Francis seuls.

– Que t'a-t-elle dit ? demanda la Sauviat à son petit-fils.

– Je ne sais pas, elle ne me parlait pas français.

– Tu n'as rien entendu ? dit Véronique.

– Ah ! elle a dit à plusieurs reprises, et voilà pourquoi j'ai pu le retenir : *dear brother !*

Véronique prit le bras de sa mère, et garda son fils à la main ; mais elle fit à peine quelques pas, ses forces l'abandonnèrent.

– Qu'a-t-elle ? qu'est-il arrivé ? demanda-t-on à la Sauviat.

– Oh ! ma fille est en danger, dit d'une voix gutturale et profonde la vieille Auvergnate.

Il fallut porter madame Graslin dans sa voiture ; elle voulut qu'Aline y montât avec Francis et désigna Gérard pour l'accompagner.

– Vous êtes allé, je crois, en Angleterre ? lui dit-elle quand elle eut recouvré ses esprits, et vous savez l'anglais. Que signifient ces mots : *dear brother ?*

– Qui ne le sait ? s'écria Gérard. Ça veut dire : *cher frère !*

Véronique échangea avec Aline et avec la Sauviat un regard qui les fit frémir ; mais elles continrent leurs émotions. Les cris de joie de tous ceux qui assistaient au départ des voitures, les pompes du soleil couchant dans les prairies, la parfaite allure des chevaux, les rires de ses amis qui suivaient, le galop que faisaient prendre à leurs montures ceux qui l'accompagnaient à cheval, rien ne tira madame Graslin de sa torpeur ; sa mère fit alors hâter le cocher, et leur voiture arriva la première au château. Quand la compagnie y fut réunie, on apprit que Véronique s'était renfermée chez elle et ne voulait voir personne.

– Je crains, dit Gérard à ses amis, que madame Graslin n'ait reçu quelque coup mortel...

– Où ? comment ? lui demanda-t-on.

– Au cœur, répondit Gérard.

Le surlendemain, Roubaud partit pour Paris ; il avait trouvé madame Graslin si grièvement atteinte, que, pour l'arracher à la mort, il allait réclamer les lumières et le secours du meilleur médecin de Paris. Mais Véronique n'avait reçu Roubaud que pour mettre un terme aux importunités de sa mère et d'Aline, qui la suppliaient de se soigner : elle se sentit frappée à mort. Elle refusa de voir monsieur Bonnet, en lui faisant répondre qu'il n'était pas temps encore. Quoique tous ses amis, venus de Limoges pour sa fête, voulussent rester près d'elle, elle les pria de l'excuser si elle ne remplissait pas les devoirs de l'hospitalité ; mais elle désirait rester dans la plus profonde solitude. Après le brusque départ de Roubaud, les hôtes du château de Montégnac retournèrent alors à Limoges, moins désappointés que désespérés, car tous ceux que Grossetête avait amenés adoraient Véronique. On se perdit en conjectures sur l'événement qui avait pu causer ce mystérieux désastre.

Un soir, deux jours après le départ de la nombreuse famille des Grossetête, Aline introduisit Catherine dans l'appartement de madame Graslin. La Farrabesche resta clouée à l'aspect du changement qui s'était si subitement opéré chez sa maîtresse, à qui elle voyait un visage presque décomposé.

– Mon Dieu ! madame, s'écria-t-elle, quel mal a fait cette pauvre fille ! Si nous avions pu le prévoir, Farrabesche et moi nous ne l'aurions jamais reçue ; elle vient d'apprendre que madame est malade, et m'envoie dire à madame Sauviat qu'elle désire lui parler.

– Ici ! s'écria Véronique. Enfin où est-elle ?

– Mon mari l'a conduite au chalet.

– C'est bien, répondit madame Graslin, laissez-nous, et dites à Farrabesche de se retirer. Annoncez à cette dame que ma mère ira la voir, et qu'elle attende.

Quand la nuit fut venue, Véronique, appuyée sur sa mère, chemina lentement à travers le parc jusqu'au chalet. La lune brillait de tout son éclat, l'air était doux, et les deux femmes, visiblement émues, recevaient en quelque sorte des encouragements de la nature. La Sauviat s'arrêtait de moments en moments, et faisait reposer sa fille, dont les souffrances furent si poignantes, que Véronique ne put atteindre que vers minuit au sentier qui descendait des bois dans la prairie en pente, où brillait le toit argenté du chalet. La lueur de la lune donnait à la surface des eaux calmes la couleur des perles. Les bruits menus de la nuit, si retentissants dans le silence, formaient une harmonie suave. Véronique se posa sur le banc du chalet, au milieu du beau spectacle de cette nuit étoilée. Le murmure de deux voix, et le bruit produit sur le sable par les pas de deux personnes encore éloignées, furent apportés par l'eau, qui, dans le silence, traduit les sons aussi fidèlement qu'elle reflète les objets dans le calme. Véronique reconnut à sa douceur exquise l'organe du curé, le frôlement de la soutane, et le cri d'une étoffe de soie qui devait être une robe de femme.

– Entrons, dit-elle à sa mère.

La Sauviat et Véronique s'assirent sur une crèche dans la salle basse destinée à être une étable.

– Mon enfant, disait le curé, je ne vous blâme point, vous êtes excusable, mais vous pouvez être la cause d'un malheur irréparable, car elle est l'âme de ce pays.

– Oh ! monsieur, je m'en irai dès ce soir, répondit l'étrangère ; mais je puis vous le dire, quitter encore une fois mon pays, ce sera mourir. Si j'étais restée une journée de plus dans cet horrible New-York et aux États-Unis, où il n'y a ni espérance, ni foi, ni charité, je serais morte sans avoir été malade. L'air que je respirais me faisait mal dans la poitrine, les aliments ne m'y nourrissaient plus, je mourais en paraissant pleine de vie et de santé. Ma souffrance a cessé dès que j'ai eu le pied sur le vaisseau : j'ai cru être en France. Oh ! monsieur, j'ai vu périr de chagrin ma mère et une de mes belles-sœurs. Enfin, mon grand-père Tascheron et ma grand-mère sont morts, morts, mon cher monsieur Bonnet, malgré les prospérités inouïes de Tascheronville. Oui, mon père a fondé un village dans l'État de l'Ohio. Ce village est devenu presque une ville, et le tiers des terres qui en dépendent sont cultivées par notre famille, que Dieu a constamment protégée : nos cultures ont réussi, nos produits sont magnifiques, et nous sommes riches. Aussi avons-nous pu bâtir une église catholique, la ville est catholique, nous n'y souffrons point d'autres cultes, et nous espérons convertir par notre exemple les mille sectes qui nous entourent. La vraie religion est en minorité dans ce triste pays d'argent et d'intérêts où l'âme a froid. Néanmoins, j'y retournerai mourir plutôt que de faire le moindre tort et causer la plus légère peine à la mère de notre cher Francis. Seulement, monsieur Bonnet, conduisez-moi pendant cette nuit au presbytère, et que je puisse prier sur sa tombe, qui m'a seule attirée ici ; car à mesure que je me rapprochais de l'endroit où *il* est, je me sentais toute autre. Non, je ne croyais pas être si heureuse ici !...

– Eh ! bien, dit le curé, partons, venez. Si quelque jour vous pouviez revenir sans inconvénients, je vous écrirai, Denise ; mais peut-être cette visite à votre pays vous permettra-t-elle de demeurer là-bas sans souffrir...

– Quitter ce pays, qui maintenant est si beau ! Voyez donc ce que madame Graslin a fait du Gabou ? dit-elle en montrant le lac éclairé par la lune. Enfin, tous ces domaines seront à notre cher Francis !

– Vous ne partirez pas, Denise, dit madame Graslin en se montrant à la porte de l'étable.

La sœur de Jean-François Tascheron joignit les mains à l'aspect du spectre qui lui parlait. En ce moment, la pâle Véronique, éclairée par la lune, eut l'air d'une ombre en se dessinant sur les ténèbres de la porte ouverte de l'étable. Ses yeux brillaient comme deux étoiles.

– Non, ma fille, vous ne quitterez pas le pays que vous êtes venue revoir de si loin, et vous y serez heureuse ; ou Dieu refuserait de seconder mes œuvres, et c'est lui qui sans doute vous envoie !

Elle prit par la main Denise étonnée, et l'emmena par un sentier vers l'autre rive du lac, en laissant sa mère et le curé qui s'assirent sur le banc.

– Laissons-lui faire ce qu'elle veut, dit la Sauviat.

Quelques instants après, Véronique revint seule, et fut reconduite au château par sa mère et par le curé. Sans doute elle avait conçu quelque projet qui voulait le mystère, car personne dans le pays ne vit Denise et n'entendit parler d'elle. En reprenant le lit, madame Graslin ne le quitta plus ; elle alla chaque jour plus mal, et parut contrariée de ne pouvoir se lever, en essayant à plusieurs reprises, mais en vain, de se promener dans le parc. Cependant, quelques jours après cette scène, au commencement du mois de juin, elle fit dans la matinée un effort violent sur elle-même, se leva, voulut s'habiller et se parer comme pour un jour de fête ; elle pria Gérard de lui donner le bras, car ses amis venaient tous les jours savoir de ses nouvelles ; et quand Aline dit que sa maîtresse voulait se promener, tous accoururent au château. Madame Graslin, qui avait réuni toutes ses forces, les épuisa pour faire cette promenade. Elle accomplit son projet dans un paroxysme de volonté qui devait avoir une funeste réaction.

– Allons au chalet, et seuls, dit-elle à Gérard d'une voix douce et en le regardant avec une sorte de coquetterie. Voici ma dernière escapade, car j'ai rêvé cette nuit que les médecins arrivaient.

– Vous voulez voir vos bois ? dit Gérard.

– Pour la dernière fois, reprit-elle ; mais j'ai, lui dit-elle d'une voix insinuante, à vous y faire de singulières propositions.

Elle força Gérard à s'embarquer avec elle sur le second lac, où elle se rendit à pied. Quand l'ingénieur, surpris de lui voir faire un pareil trajet, fit mouvoir les rames, elle lui indiqua la Chartreuse comme but du voyage.

– Mon ami, lui dit-elle après une longue pause pendant laquelle elle avait contemplé le ciel, l'eau, les collines, les bords, j'ai la plus étrange demande à vous faire ; mais je vous crois homme à m'obéir.

– En tout, sûr que vous ne pouvez rien vouloir que de bien, s'écria-t-il.

– Je veux vous marier, répondit-elle, et vous accomplirez le vœu d'une mourante certaine de faire votre bonheur.

– Je suis trop laid, dit l'ingénieur.

– La personne est jolie, elle est jeune, elle veut vivre à Montégnac, et si vous l'épousez, vous contribuerez à me rendre doux mes derniers moments. Qu'il ne soit pas entre nous question de ses qualités, je vous la donne pour une créature d'élite ; et, comme en fait de grâces, de jeunesse, de beauté, la première vue suffit, nous l'allons voir à la Chartreuse. Au retour, vous me direz un *non* ou un *oui* sérieux.

Après cette confidence, l'ingénieur accéléra le mouvement des rames, ce qui fit sourire madame Graslin. Denise, qui vivait cachée à tous les regards dans la Chartreuse, reconnut madame Graslin et s'empressa d'ouvrir. Véronique et Gérard entrèrent. La pauvre fille ne put s'empêcher de rougir en rencontrant le regard de l'ingénieur, qui fut agréablement surpris par la beauté de Denise.

– La Curieux ne vous a laissé manquer de rien ? lui demanda Véronique.

– Voyez, madame, dit-elle en lui montrant le déjeuner.

– Voici monsieur Gérard de qui je vous ai parlé, reprit Véronique, il sera le tuteur de mon fils, et, après ma mort, vous demeurerez ensemble au château jusqu'à sa majorité.

– Oh ! madame, ne parlez pas ainsi.

– Mais regardez-moi, mon enfant, dit-elle à Denise, à qui elle vit aussitôt des larmes dans les yeux. – Elle vient de New-York, dit-elle à Gérard.

Ce fut une manière de mettre le couple en rapport. Gérard fit des questions à Denise, et Véronique les laissa causer en allant regarder le dernier lac du Gabou. Vers six heures, Gérard et Véronique revenaient en bateau vers le chalet.

– Eh ! bien ? dit-elle en regardant son ami.

– Vous avez ma parole.

– Quoique vous soyez sans préjugés, reprit-elle, vous ne devez pas ignorer la circonstance cruelle qui a fait quitter le pays à cette pauvre enfant, ramenée ici par la nostalgie.

– Une faute ?

– Oh ! non, dit Véronique, vous la présenterais-je ? Elle est la sœur d'un ouvrier qui a péri sur l'échafaud...

– Ah ! Tascheron, reprit-il, l'assassin du père Pingret...

– Oui, elle est la sœur d'un assassin, répéta madame Graslin avec une profonde ironie, vous pouvez reprendre votre parole.

Elle n'acheva pas, Gérard fut obligé de la porter sur le banc du chalet où elle resta sans connaissance pendant quelques instants. Elle trouva Gérard à ses genoux qui lui dit quand elle rouvrit les yeux : – J'épouserai Denise !

Madame Graslin releva Gérard, lui prit la tête, le baisa sur le front ; et, en le voyant étonné de ce remerciement, Véronique lui serra la main et lui dit : – Vous saurez bientôt le mot de cette énigme. Tâchons de regagner la terrasse où nous retrouverons nos amis ; il est bien tard, je suis bien faible, et néanmoins je veux faire de loin mes adieux à cette chère plaine !

Quoique la journée eût été d'une insupportable chaleur, les orages qui pendant cette année dévastèrent une partie de l'Europe et de la France, mais qui respectèrent le Limousin, avaient eu lieu dans le bassin de la Loire, et l'air commençait à fraîchir. Le ciel était alors si pur que l'œil saisissait les moindres détails à l'horizon. Quelle parole peut peindre le délicieux concert que produisaient les bruits étouffés du bourg animé par les travailleurs à leur retour des champs ? Cette scène, pour être bien rendue, exige à la fois un grand paysagiste et un peintre de la figure humaine. N'y a-t-il pas en effet dans la lassitude de la nature et dans celle de l'homme une entente curieuse et difficile à rendre ? La chaleur attiédie d'un jour caniculaire et la raréfaction de l'air donnent alors au moindre bruit fait par les êtres toute sa signification. Les femmes assises à leurs portes en attendant leurs hommes qui souvent ramènent les enfants, babillent entre elles et travaillent encore. Les toits laissent échapper des fumées qui annoncent le dernier repas du jour, le plus gai pour les paysans : après, ils dormiront. Le mouvement exprime alors les pensées heureuses et tranquilles de ceux qui ont achevé leur journée. On entend des chants dont le caractère est bien certainement différent de ceux du matin. En ceci, les villageois imitent les oiseaux, dont les gazouillements, le soir, ne ressemblent en rien à leurs cris vers l'aube. La nature entière chante un hymne au repos, comme elle chante au lever du soleil un hymne d'allégresse. Les moindres actions des êtres animés semblent se teindre alors des douces et harmonieuses couleurs que le couchant jette sur les campagnes et qui prêtent au sable des chemins un caractère placide. Si quelqu'un osait nier l'influence de cette heure, la plus belle du jour, les fleurs le démentiraient en l'enivrant de leurs plus pénétrants parfums, qu'elles exhalent alors et mêlent aux cris les plus tendres des insectes, aux amoureux murmures des oiseaux. Les traînes qui sillonnent la plaine au-delà du bourg s'étaient voilées de vapeurs fines et légères. Dans les grandes prairies que partage le chemin départemental, alors ombragé de peupliers, d'acacias et de vernis du Japon, également entremêlés, tous si bien venus qu'ils donnaient déjà de l'ombrage, on apercevait les immenses et célèbres troupeaux de haut bétail, parsemés, groupés, les uns ruminant, les autres paissant encore. Les hommes, les femmes, les enfants achevaient les plus jolis travaux de la campagne, ceux de la fenaison. L'air du soir, animé par la subite fraîcheur des orages, apportait les nourrissantes senteurs des herbes coupées et des bottes de foin faites. Les moindres accidents de ce beau panorama se voyaient parfaitement : et ceux, qui craignant l'orage, achevaient en toute hâte des meules autour desquelles les faneuses accouraient avec des fourches chargées, et ceux qui remplissaient les charrettes au milieu des botteleurs, et ceux qui, dans le lointain, fauchaient encore, et celles qui retournaient les longues lignes d'herbes abattues comme des hachures sur les prés pour les faner, et celles qui se pressaient de les mettre en maquets. On entendait les rires de ceux qui jouaient, mêlés aux cris des enfants qui se poussaient sur les tas de foin. On distinguait les jupes roses, ou rouges, ou bleues, les fichus, les jambes nues, les bras des femmes parées toutes de ces chapeaux de paille commune à grands bords, et les chemises des hommes, presque tous en pantalons blancs. Les derniers rayons du soleil poudroyaient à travers les longues lignes des peupliers plantés le long des rigoles qui divisent la plaine en prairies inégales, et caressaient les groupes composés de chevaux, de charrettes, d'hommes, de femmes, d'enfants et de bestiaux. Les gardeurs de bœufs, les bergères commençaient à réunir leurs troupeaux en les appelant au son de cornets rustiques. Cette scène était à la fois bruyante et silencieuse, singulière antithèse qui n'étonnera que les gens à qui les splendeurs de la campagne sont inconnues. Soit d'un côté du bourg, soit de l'autre, des convois de vert fourrage se succédaient. Ce spectacle avait je ne sais quoi d'engourdissant. Aussi Véronique allait-elle silencieuse, entre Gérard et le curé. Quand une brèche faite par une rue champêtre entre les maisons étagées au-dessous de cette terrasse, du presbytère et de l'église, permettait au regard de plonger dans la grande rue de Montégnac, Gérard et monsieur Bonnet apercevaient les yeux des femmes, des hommes, des enfants, enfin tous les groupes tournés vers eux, et suivant, plus particulièrement sans doute, madame Graslin. Combien de tendresses, de reconnaissances exprimées par les attitudes ! De quelles bénédictions Véronique n'était-elle pas chargée ! Avec quelle religieuse attention ces trois bienfaiteurs de tout un pays n'étaient-ils pas contemplés ! L'homme ajoutait donc un hymne de reconnaissance à tous les chants du soir. Mais si madame Graslin marchait les yeux attachés sur ces longues et magnifiques nappes vertes, sa création la plus chérie, le prêtre et le maire ne cessaient de regarder les groupes d'en bas, il était impossible de se méprendre à l'expression : la douleur, la mélancolie, les regrets mêlés d'espérances s'y peignaient. Personne à Montégnac n'ignorait que monsieur Roubaud était allé chercher des gens de science à Paris, et que la bienfaitrice de ce canton atteignait au terme d'une maladie mortelle. Dans tous les marchés, à dix lieues à la ronde, les paysans demandaient à ceux de Montégnac : – « Comment va votre bourgeoise ? » Ainsi la grande idée de la mort planait sur ce pays, au milieu de ce tableau champêtre. De loin, dans la prairie, plus d'un faucheur en repassant sa faux, plus d'une jeune fille, le bras posé sur sa fourche, plus d'un fermier du haut de sa meule, en apercevant madame Graslin, restait pensif, examinant cette grande femme, la gloire de la Corrèze, et cherchant dans ce qu'il pouvait voir un indice de favorable augure, ou regardant pour l'admirer, poussé par un sentiment qui l'emportait sur le travail. « – Elle se promène, elle va donc mieux ! » Ce mot si simple était sur toutes les lèvres. La mère de madame Graslin, assise sur le banc en fer creux que Véronique avait fait mettre au bout de sa terrasse, à l'angle d'où la vue plongeait sur le cimetière à travers la balustrade, étudiait les mouvements de sa fille ; elle la regardait marchant, et quelques larmes roulaient dans ses yeux. Initiée aux efforts de ce courage surhumain, elle savait que Véronique en ce moment souffrait déjà les douleurs d'une horrible agonie, et se tenait ainsi debout par une héroïque volonté. Ces larmes, presque rouges, qui firent leur chemin sur ce visage septuagénaire, hâlé, ridé, dont le parchemin ne paraissait devoir plier sous aucune émotion, excitèrent celles du jeune Graslin, que monsieur Ruffin tenait entre ses jambes.

– Qu'as-tu, mon enfant ? lui dit vivement son précepteur.

– Ma grand-mère pleure, répondit-il.

Monsieur Ruffin, dont les yeux étaient arrêtés sur madame Graslin qui venait à eux, regarda la mère Sauviat, et reçut une vive atteinte à l'aspect de cette vieille tête de matrone romaine pétrifiée par la douleur et humectée de larmes.

– Madame, pourquoi ne l'avez-vous pas empêchée de sortir ? dit le précepteur à cette vieille mère que sa douleur muette rendait auguste et sacrée.

Pendant que Véronique venait d'un pas majestueux par une démarche d'une admirable élégance, la Sauviat, poussée par le désespoir de survivre à sa fille, laissa échapper le secret de bien des choses qui excitaient la curiosité.

– Marcher, s'écria-t-elle, et porter un affreux cilice de crin qui lui fait de continuelles piqûres sur la peau !

Cette parole glaça le jeune homme, qui n'avait pu demeurer insensible à la grâce exquise des mouvements de Véronique, et qui frémit en pensant à l'horrible et constant empire que l'âme avait dû conquérir sur le corps. La Parisienne la plus renommée pour l'aisance de sa tournure, pour son maintien et sa démarche, eût été vaincue peut-être en ce moment par Véronique.

– Elle le porte depuis treize ans, elle l'a mis après avoir achevé la nourriture du petit, dit la vieille en montrant le jeune Graslin. Elle a fait des miracles ici ; mais si l'on connaissait sa vie, elle pourrait être canonisée. Depuis qu'elle est ici, personne ne l'a vue mangeant, savez-vous pourquoi ? Aline lui apporte trois fois par jour un morceau de pain sec sur une grande terrine de cendre et des légumes cuits à l'eau, sans sel, dans un plat de terre rouge, semblable à ceux qui servent à donner la pâtée aux chiens ! Oui, voilà comment se nourrit celle qui a donné la vie à ce canton. Elle fait ses prières à genoux sur le bord de son cilice. Sans ces austérités, elle ne saurait avoir, dit-elle, l'air riant que vous lui voyez. Je vous dis cela, reprit la vieille à voix basse, pour que vous le répétiez au médecin que monsieur Roubaud est allé quérir à Paris. En empêchant ma fille de continuer ses pénitences, peut-être la sauverait-on encore, quoique la main de la Mort soit déjà sur sa tête. Voyez ! Ah ! il faut que je sois bien forte pour avoir résisté depuis quinze ans à toutes les choses !

Cette vieille femme prit la main de son petit-fils, la leva, se la passa sur le front, sur les joues, comme si cette main enfantine avait le pouvoir d'un baume réparateur ; puis elle y mit un baiser plein d'une affection dont le secret appartient aussi bien aux grand-mères qu'aux mères. Véronique était alors arrivée à quelques pas du banc en compagnie de Clousier, du curé, de Gérard. Éclairée par les lueurs douces du couchant, elle resplendissait d'une horrible beauté. Son front jaune sillonné de longues rides amassées les unes au-dessus des autres, comme des nuages, révélaient une pensée fixe au milieu de troubles intérieurs. Sa figure, dénuée de toute couleur, entièrement blanche de la blancheur mate et olivâtre des plantes sans soleil, offrait alors des lignes maigres sans sécheresse, et portait les traces des grandes souffrances physiques produites par les douleurs morales. Elle combattait l'âme par le corps, et réciproquement. Elle était si complètement détruite, qu'elle ne se ressemblait à elle-même que comme une vieille femme ressemble à son portrait de jeune fille. L'expression ardente de ses yeux annonçait l'empire despotique exercé par une volonté chrétienne sur le corps réduit à ce que la religion veut qu'il soit. Chez cette femme, l'âme entraînait la chair comme l'Achille de la poésie profane avait traîné Hector, elle la roulait victorieusement dans les chemins pierreux de la vie, elle l'avait fait tourner pendant quinze années autour de la Jérusalem céleste où elle espérait entrer, non par supercherie, mais au milieu d'acclamations triomphales. Jamais aucun des solitaires qui vécurent dans les secs et arides déserts africains ne fut plus maître de ses sens que ne l'était Véronique au milieu de ce magnifique château, dans ce pays opulent aux vues molles et voluptueuses, sous le manteau protecteur de cette immense forêt d'où la science, héritière du bâton de Moïse, avait fait jaillir l'abondance, la prospérité, le bonheur pour toute une contrée. Elle contemplait les résultats de douze ans de patience, œuvre qui eût fait l'orgueil d'un homme supérieur, avec la douce modestie que le pinceau du Panormo a mise sur le sublime visage de sa Chasteté chrétienne caressant la céleste licorne. La religieuse châtelaine, dont le silence était respecté par ses deux compagnons en lui voyant les yeux arrêtés sur les immenses plaines autrefois arides et maintenant fécondes, allait les bras croisés, les yeux fixés à l'horizon sur la route.

Tout à coup, elle s'arrêta à deux pas de sa mère, qui la contemplait comme la mère du Christ a dû regarder son fils en croix, elle leva la main, et montra l'embranchement du chemin de Montégnac sur la grande route.

– Voyez-vous, dit-elle en souriant, cette calèche attelée de quatre chevaux de poste ? voilà monsieur Roubaud qui revient. Nous saurons bientôt combien il me reste d'heures à vivre.

– D'heures ! dit Gérard.

– Ne vous ai-je pas dit que je faisais ma dernière promenade ? répliqua-t-elle à Gérard. Ne suis-je pas venue pour contempler une dernière fois ce beau spectacle dans toute sa splendeur ? Elle montra tour à tour le bourg, dont en ce moment la population entière était groupée sur la place de l'église, puis les belles prairies illuminées par les derniers rayons du soleil. – Ah ! reprit-elle, laissez-moi voir une bénédiction de Dieu dans l'étrange disposition atmosphérique à laquelle nous avons dû la conservation de notre récolte. Autour de nous, les tempêtes, les pluies, la grêle, la foudre, ont frappé sans relâche ni pitié. Le peuple pense ainsi, pourquoi ne l'imiterais-je pas ? J'ai tant besoin de trouver en ceci un bon augure pour ce qui m'attend quand j'aurai fermé les yeux ! L'enfant se leva, prit la main de sa mère et la mit sur ses cheveux. Véronique, attendrie par ce mouvement plein d'éloquence, saisit son fils, et avec une force surnaturelle l'enleva, l'assit sur son bras gauche comme s'il eût été encore à la mamelle, l'embrassa et lui dit : – Vois-tu cette terre, mon fils ? continue, quand tu seras homme, les œuvres de ta mère.

– Il est un petit nombre d'êtres forts et privilégiés auxquels il est permis de contempler la mort face à face, d'avoir avec elle un long duel, et d'y déployer un courage, une habileté qui frappent d'admiration ; vous nous offrez ce terrible spectacle, madame, dit le curé d'une voix grave ; mais peut-être manquez-vous de pitié pour nous, laissez-nous au moins espérer que vous vous trompez. Dieu permettra que vous acheviez tout ce que vous avez commencé.

– Je n'ai rien fait que par vous, mes amis, dit-elle. J'ai pu vous être utile, et je ne le suis plus. Tout est vert autour de nous, il n'y a plus rien ici de désolé que mon cœur. Vous le savez, mon cher curé, je ne puis trouver la paix et le pardon que là...

Elle étendit la main sur le cimetière. Elle n'en avait jamais autant dit depuis le jour de son arrivée où elle s'était trouvée mal à cette place. Le curé contempla sa pénitente, et la longue habitude qu'il avait de la pénétrer lui fit comprendre qu'il avait remporté dans cette simple parole un nouveau triomphe. Véronique avait dû prendre horriblement sur elle-même pour rompre après ces douze années le silence par un mot qui disait tant de choses. Aussi le curé joignit-il les mains par un geste plein d'onction qui lui était familier, et regarda-t-il avec une profonde émotion religieuse le groupe que formait cette famille dont tous les secrets avaient passé dans son cœur. Gérard, à qui les mots de paix et de pardon devaient paraître étranges, demeura stupéfait. Monsieur Ruffin, les yeux attachés sur Véronique, était comme stupide. En ce moment la calèche, menée rapidement, fila d'arbre en arbre.

– Ils sont cinq ! dit le curé, qui put voir et compter les voyageurs.

– Cinq ! reprit monsieur Gérard. En sauront-ils plus à cinq qu'à deux ?

– Ah ! s'écria madame Graslin, qui s'appuya sur le bras du curé, le Procureur-général y est ! Que vient-il faire ici ?

– Et papa Grossetête aussi, s'écria le jeune Graslin.

– Madame, dit le curé, qui soutint madame Graslin en l'emmenant à quelques pas, ayez du courage, et soyez digne de vous-même !

– Que veut-il ? répondit-elle en allant s'accoter à la balustrade. Ma mère ? La vieille Sauviat accourut avec une vivacité qui démentait toutes ses années. – Je le reverrai, dit-elle.

– S'il vient avec monsieur Grossetête, dit le curé, sans doute il n'a que de bonnes intentions.

– Ah ! monsieur, ma fille va mourir, s'écria la Sauviat en voyant l'impression que ces paroles produisirent sur la physionomie de sa fille. Son cœur pourra-t-il supporter de si cruelles émotions ? Monsieur Grossetête avait jusqu'à présent empêché cet homme de voir Véronique.

Madame Graslin avait le visage en feu.

– Vous le haïssez donc bien ? demande l'abbé Bonnet à sa pénitente.

– Elle a quitté Limoges pour ne pas mettre tout Limoges dans ses secrets, dit la Sauviat épouvantée du rapide changement qui se faisait dans les traits déjà décomposés de madame Graslin.

– Ne voyez-vous pas qu'il empoisonnera les heures qui me restent, et pendant lesquelles je ne dois penser qu'au ciel ; il me cloue à la terre, cria Véronique.

Le curé reprit le bras de madame Graslin et la contraignit à faire quelques pas avec lui ; quand ils furent seuls, il la contempla en lui jetant un de ces regards angéliques par lesquels il calmait les plus violents mouvements de l'âme.

– S'il en est ainsi, lui dit-il, comme votre confesseur, je vous ordonne de le recevoir, d'être bonne et affectueuse pour lui, de quitter ce vêtement de colère, et de lui pardonner comme Dieu vous pardonnera. Il y a donc encore un reste de passion dans cette âme que je croyais purifiée. Brûlez ce dernier grain d'encens sur l'autel de la pénitence, sinon tout serait mensonge en vous.

– Il y avait encore cet effort à faire, il est fait, répondit-elle en s'essuyant les yeux. Le démon habitait ce dernier pli de mon cœur, et Dieu, sans doute, a mis au cœur de monsieur de Grandville la pensée qui l'envoie ici. Combien de fois Dieu me frappera-t-il donc encore ? s'écria-t-elle.

Elle s'arrêta comme pour faire une prière mentale, elle revint vers la Sauviat, et lui dit à voix basse : – Ma chère mère, soyez douce et bonne pour monsieur le Procureur-général.

La vieille Auvergnate laissa échapper un frisson de fièvre.

– Il n'y a plus d'espoir, dit-elle en saisissant la main du curé.

En ce moment, la calèche annoncée par le fouet du postillon montait la rampe ; la grille était ouverte, la voiture entra dans la cour, et les voyageurs vinrent aussitôt sur la terrasse. C'était l'illustre archevêque Dutheil, venu pour sacrer monseigneur Gabriel de Rastignac ; le Procureur-général, monsieur Grossetête, et monsieur Roubaud qui donnait le bras à l'un des plus célèbres médecins de Paris, Horace Bianchon.

– Soyez les bienvenus, dit Véronique à ses hôtes. Et vous particulièrement, reprit-elle en tendant la main au Procureur-général, qui lui donna une main qu'elle serra.

L'étonnement de monsieur Grossetête, de l'archevêque et de la Sauviat, fut si grand qu'il l'emporta sur la profonde discrétion acquise qui distingue les vieillards. Tous trois s'entre-regardèrent !...

– Je comptais sur l'intervention de monseigneur, répondit monsieur de Grandville, et sur celle de mon ami monsieur Grossetête, pour obtenir de vous un favorable accueil. C'eût été pour toute ma vie un chagrin que de ne pas vous avoir revue.

– Je remercie celui qui vous a conduit ici, répondit-elle en regardant le comte de Grandville pour la première fois depuis quinze ans. Je vous en ai voulu beaucoup pendant longtemps, mais j'ai reconnu l'injustice de mes sentiments à votre égard, et vous saurez pourquoi, si vous demeurez jusqu'après demain à Montégnac. – Monsieur, dit-elle en se tournant vers Horace Bianchon et le saluant, confirmera sans doute mes appréhensions. – C'est Dieu qui vous envoie, monseigneur, dit-elle en s'inclinant devant l'archevêque. Vous ne refuserez pas à notre vieille amitié de m'assister dans mes derniers moments. Par quelle faveur ai-je autour de moi tous les êtres qui m'ont aimée et soutenue dans la vie !

Au mot *aimée*, elle se tourna par une gracieuse attention vers monsieur de Grandville, que cette marque d'affection toucha jusqu'aux larmes. Le silence le plus profond régnait dans cette assemblée. Les deux médecins se demandaient par quel sortilège cette femme se tenait debout en souffrant ce qu'elle devait souffrir. Les trois autres furent si effrayés des changements que la maladie avait produits en elle, qu'ils ne se communiquaient leurs pensées que par les yeux.

– Permettez, dit-elle avec sa grâce habituelle, que j'aille avec ces messieurs, l'affaire est urgente.

Elle salua tous ses hôtes, donna un bras à chaque médecin, se dirigea vers le château, en marchant avec une peine et une lenteur qui révélaient une catastrophe prochaine.

– Monsieur Bonnet, dit l'archevêque en regardant le curé, vous avez opéré des prodiges.

– Non pas moi, mais Dieu, monseigneur ! répondit-il.

– On la disait mourante, s'écria monsieur Grossetête, mais elle est morte, il n'y a plus qu'un esprit...

– Une âme, dit monsieur Gérard.

– Elle est toujours la même, s'écria le Procureur-général.

– Elle est stoïque à la manière des anciens du Portique, dit le précepteur.

Ils allèrent tous en silence le long de la balustrade, regardant le paysage où les feux du soleil couchant jetaient des clartés du plus beau rouge.

– Pour moi qui ai vu ce pays il y a treize ans, dit l'archevêque en montrant les plaines fertiles, la vallée et la montagne de Montégnac, ce miracle est aussi extraordinaire que celui dont je viens d'être témoin ; car comment laissez-vous madame Graslin debout ? elle devrait être couchée.

– Elle l'était, dit la Sauviat. Après dix jours pendant lesquels elle n'a pas quitté le lit, elle a voulu se lever pour voir une dernière fois le pays.

– Je comprends qu'elle ait désiré faire ses adieux à sa création, dit monsieur de Grandville, mais elle risquait d'expirer sur cette terrasse.

– Monsieur Roubaud nous avait recommandé de ne pas la contrarier, dit la Sauviat.

– Quel prodige ! s'écria l'archevêque dont les yeux ne se lassaient pas d'errer sur le paysage. Elle a ensemencé le désert ! Mais nous savons, monsieur, ajouta-t-il en regardant Gérard, que votre science et vos travaux y sont pour beaucoup.

– Nous n'avons été que ses ouvriers, répondit le maire, oui, nous ne sommes que des mains, elle est la pensée !

La Sauviat quitta le groupe pour aller savoir la décision du médecin de Paris.

– Il nous faudra de l'héroïsme, dit le Procureur-général à l'archevêque et au curé, pour être témoins de cette mort.

– Oui, dit monsieur Grossetête ; mais on doit faire de grandes choses pour une telle amie.

Après quelques tours et retours faits par ces personnes toutes en proie aux plus graves pensées, ils virent venir à eux deux fermiers de madame Graslin qui se dirent envoyés par tout le bourg, en proie à une douloureuse impatience de connaître la sentence prononcée par le médecin de Paris.

– On consulte, et nous ne savons rien encore, mes amis, leur répondit l'archevêque.

Monsieur Roubaud accourut alors, et son pas précipité fit hâter celui de chacun.

– Hé ! bien ? lui dit le maire.

– Elle n'a pas quarante-huit heures à vivre, répondit monsieur Roubaud. En mon absence, le mal est arrivé à tout son développement ; monsieur Bianchon ne comprend pas comment elle a pu marcher. Ces phénomènes si rares sont toujours dus à une grande exaltation. Ainsi, messieurs, dit le médecin à l'archevêque et au curé, elle vous appartient, la science est inutile, et mon illustre confrère pense que vous avez à peine le temps nécessaire à vos cérémonies.

– Allons dire les prières de quarante heures, dit le curé à ses paroissiens en se retirant. Sa Grandeur daignera sans doute conférer les derniers sacrements ?

L'archevêque inclina la tête, il ne put rien dire, ses yeux étaient pleins de larmes. Chacun s'assit, s'accouda, s'appuya sur la balustrade, et resta enseveli dans ses pensées. Les cloches de l'église envoyèrent quelques volées tristes. On entendit alors les pas de toute une population qui se précipitait vers le porche. Les lueurs des cierges allumés percèrent à travers les arbres du jardin de monsieur Bonnet, les chants détonnèrent. Il ne régna plus sur les campagnes que les rouges lueurs du crépuscule, tous les chants d'oiseaux avaient cessé. La rainette seule jetait sa note longue, claire et mélancolique.

– Allons faire mon devoir, dit l'archevêque qui marcha d'un pas lent et comme accablé.

La consultation avait eu lieu dans le grand salon du château. Cette immense pièce communiquait avec une chambre d'apparat meublée en damas rouge, où le fastueux Graslin avait déployé la magnificence des financiers. Véronique n'y était pas entrée six fois en quatorze ans, les grands appartements lui étaient complètement inutiles, elle n'y avait jamais reçu ; mais l'effort qu'elle venait de faire pour accomplir sa dernière obligation et pour dompter sa dernière révolte lui avait ôté ses forces, elle ne put monter chez elle. Quand l'illustre médecin eut pris la main à la malade et tâté le pouls, il regarda monsieur Roubaud en lui faisant un signe ; à eux deux, ils la prirent et la portèrent sur le lit de cette chambre. Aline ouvrit brusquement les portes. Comme tous les lits de parade, ce lit n'avait pas de draps, les deux médecins déposèrent madame Graslin sur le couvre-pied de damas rouge et l'y étendirent. Roubaud ouvrit les fenêtres, poussa les persiennes et appela. Les domestiques, la vieille Sauviat accoururent. On alluma les bougies jaunies des candélabres.

– Il est dit, s'écria la mourante en souriant, que ma mort sera ce qu'elle doit être pour une âme chrétienne : une fête ! Pendant la consultation, elle dit encore : – Monsieur le Procureur-général a fait son métier, je m'en allais, il m'a poussée... La vieille mère regarda sa fille en se mettant un doigt sur les lèvres. – Ma mère, je parlerai, lui répondit Véronique. Voyez ! le doigt de Dieu est en tout ceci : je vais expirer dans une chambre rouge.

La Sauviat sortit épouvantée de ce mot : – Aline, dit-elle, elle parle, elle parle !

– Ah ! madame n'a plus son bon sens, s'écria la fidèle femme de chambre qui apportait des draps. Allez chercher monsieur le curé, madame.

– Il faut déshabiller votre maîtresse, dit Bianchon à la femme de chambre quand elle entra.

– Ce sera bien difficile, madame est enveloppée d'un cilice en crin.

– Comment ! au dix-neuvième siècle, s'écria le grand médecin, il se pratique encore de semblables horreurs !

– Madame Graslin ne m'a jamais permis de lui palper l'estomac, dit monsieur Roubaud. Je n'ai rien pu savoir de sa maladie que par l'état du visage, par celui du pouls, et par des renseignements que j'obtenais de sa mère et de sa femme de chambre.

On avait mis Véronique sur un canapé pendant qu'on lui arrangeait le lit de parade placé au fond de cette chambre. Les médecins causaient à voix basse. La Sauviat et Aline firent le lit. Le visage des deux Auvergnates était effrayant à voir, elles avaient le cœur percé par cette idée : Nous faisons son lit pour la dernière fois, elle va mourir là ! La consultation ne fut pas longue. Avant tout, Bianchon exigea qu'Aline et la Sauviat coupassent d'autorité, malgré la malade, le cilice de crin et lui missent une chemise. Les deux médecins allèrent dans le salon pendant cette opération. Quand Aline passa, tenant ce terrible instrument de pénitence enveloppé d'une serviette, elle leur dit : – Le corps de madame n'est qu'une plaie !

Les deux docteurs rentrèrent.

– Votre volonté est plus forte que celle de Napoléon, madame, dit Bianchon après quelques demandes auxquelles Véronique répondit avec clarté, vous conservez votre esprit et vos facultés dans la dernière période de la maladie où l'empereur avait perdu sa rayonnante intelligence. D'après ce que je sais de vous, je dois vous dire la vérité.

– Je vous la demande à mains jointes, dit-elle ; vous avez le pouvoir de mesurer ce qui me reste de forces, et j'ai besoin de toute ma vie pour quelques heures.

– Ne pensez donc maintenant qu'à votre salut, dit Bianchon.

– Si Dieu me fait la grâce de me laisser mourir tout entière, répondit-elle avec un sourire céleste, croyez que cette faveur est utile à la gloire de son Église. Ma présence d'esprit est nécessaire pour accomplir une pensée de Dieu, tandis que Napoléon avait accompli toute sa destinée.

Les deux médecins se regardaient avec étonnement, en écoutant ces paroles prononcées aussi aisément que si madame Graslin eût été dans son salon.

– Ah ! voilà le médecin qui va me guérir, dit-elle en voyant entrer l'archevêque.

Elle rassembla ses forces pour se mettre sur son séant, pour saluer gracieusement monsieur Bianchon, et le prier d'accepter autre chose que de l'argent pour la bonne nouvelle qu'il venait de lui donner ; elle dit quelques mots à l'oreille de sa mère, qui emmena le médecin ; puis elle ajourna l'archevêque jusqu'au moment où le curé viendrait, et manifesta le désir de prendre un peu de repos. Aline veilla sa maîtresse. À minuit, madame Graslin s'éveilla, demanda l'archevêque et le curé, que sa femme de chambre lui montra priant pour elle. Elle fit un signe pour renvoyer sa mère et la servante, et, sur un nouveau signe, les deux prêtres vinrent à son chevet.

– Monseigneur, et vous, monsieur le curé, je ne vous apprendrai rien que vous ne sachiez. Vous le premier, monseigneur, vous avez jeté votre coup d'œil dans ma conscience, vous y avez lu presque tout mon passé, et ce que vous y avez entrevu vous a suffi. Mon confesseur, cet ange que le ciel a mis près de moi, sait quelque chose de plus : j'ai dû lui tout avouer. Vous de qui l'intelligence est éclairée par l'esprit de l'Église, je veux vous consulter sur la manière dont, en vraie chrétienne, je dois quitter la vie. Vous, austères et saints esprits, croyez-vous que si le ciel daigne pardonner au plus entier, au plus profond repentir qui jamais ait agité une âme coupable, pensez-vous que j'aie satisfait à tous mes devoirs ici-bas ?

– Oui, dit l'archevêque, oui ma fille.

– Non, mon père, non, dit-elle en se dressant et jetant des éclairs par les yeux. Il est, à quelques pas d'ici, une tombe où gît un malheureux qui porte le poids d'un horrible crime, il est dans cette somptueuse demeure une femme que couronne une renommée de bienfaisance et de vertu. Cette femme, on la bénit ! Ce pauvre jeune homme, on le maudit ! Le criminel est accablé de réprobation, et je jouis de l'estime générale ; je suis pour la plus grande partie dans le forfait, il est pour beaucoup dans le bien qui me vaut tant de gloire et de reconnaissance ; fourbe que je suis, j'ai les mérites, et, martyr de sa discrétion, il est couvert de honte ! Je mourrai dans quelques heures, voyant tout un canton me pleurer, tout un département célébrer mes bienfaits, ma piété, mes vertus ; tandis qu'il est mort au milieu des injures, à la vue de toute une population accourue en haine des meurtriers ! Vous, mes juges, vous êtes indulgents ; mais j'entends en moi-même une voix impérieuse qui ne me laisse aucun repos. Ah ! la main de Dieu, moins douce que la vôtre, m'a frappée de jour en jour, comme pour m'avertir que tout n'était pas expié. Mes fautes ne seront rachetées que par un aveu public. Il est heureux, lui ! Criminel, il a donné sa vie avec ignominie à la face du ciel et de la terre. Et moi, je trompe encore le monde comme j'ai trompé la justice humaine. Il n'est pas un hommage qui ne m'ait insultée, pas un éloge qui n'ait été brûlant pour mon cœur. Ne voyez-vous pas, dans l'arrivée ici du Procureur-général, un commandement du ciel d'accord avec la voix qui me crie : Avoue !

Les deux prêtres, le prince de l'Église comme l'humble curé, ces deux grandes lumières tenaient les yeux baissés et gardaient le silence. Les juges étaient trop émus par la grandeur et par la résignation du coupable pour pouvoir prononcer un arrêt.

– Mon enfant, dit l'archevêque en relevant sa belle tête macérée par les coutumes de sa pieuse vie, vous allez au-delà des commandements de l'Église. La gloire de l'Église est de faire concorder ses dogmes avec les mœurs de chaque temps : elle est destinée à traverser les siècles des siècles en compagnie de l'Humanité. La confession secrète a, selon ses décisions, remplacé la confession publique. Cette substitution a fait la loi nouvelle. Les souffrances que vous avez endurées suffisent. Mourez en paix : Dieu vous a bien entendue.

– Mais le vœu de la criminelle n'est-il pas conforme aux lois de la première Église qui a enrichi le ciel d'autant de saints, de martyrs et de confesseurs qu'il y a d'étoiles au firmament, reprit-elle avec véhémence. Qui a écrit : *Confessez-vous les uns aux autres ?* n'est-ce pas les disciples immédiats de notre Sauveur ? Laissez-moi confesser publiquement ma honte, à genoux. Ce sera le redressement de mes torts envers le monde, envers une famille proscrite et presque éteinte par ma faute. Le monde doit apprendre que mes bienfaits ne sont pas une offrande, mais une dette. Si plus tard, après moi, quelque indice m'arrachait le voile menteur qui me couvre ?... Ah ! cette idée avance pour moi l'heure suprême.

– Je vois en ceci des calculs, mon enfant, dit gravement l'archevêque. Il y a encore en vous des passions bien fortes, celle que je croyais éteinte est...

– Oh ! je vous le jure, monseigneur, dit-elle en interrompant le prélat et lui montrant des yeux fixes d'horreur, mon cœur est aussi purifié que peut l'être celui d'une femme coupable et repentante : il n'y a plus en tout moi que la pensée de Dieu.

– Laissons, monseigneur, son cours à la justice céleste, dit le curé d'une voix attendrie. Voici quatre ans que je m'oppose à cette pensée, elle est la cause des seuls débats qui se soient élevés entre ma pénitente et moi. J'ai vu jusqu'au fond de cette âme, la terre n'y a plus aucun droit. Si les pleurs, les gémissements, les contritions de quinze années ont porté sur une faute commune à deux êtres, ne croyez pas qu'il y ait eu la moindre volupté dans ces longs et terribles remords. Le souvenir n'a point mêlé ses flammes à celles de la plus ardente pénitence. Oui, tant de larmes ont éteint un si grand feu. Je garantis, dit-il en étendant sa main sur la tête de madame Graslin et en laissant voir des yeux humides, je garantis la pureté de cette âme archangélique. D'ailleurs, j'entrevois dans ce désir la pensée d'une réparation envers une famille absente que Dieu semble avoir représentée ici par un de ces événements où sa Providence éclate.

Véronique prit au curé sa main tremblante et la baisa.

– Vous m'avez été bien souvent rude, cher pasteur, mais en ce moment je découvre où vous renfermiez votre douceur apostolique ! Vous, dit-elle en regardant l'archevêque, vous, le chef suprême de ce coin du royaume de Dieu, soyez en ce moment d'ignominie mon soutien. Je m'inclinerai la dernière des femmes, vous me relèverez pardonnée, et, peut-être, l'égale de celles qui n'ont point failli.

L'archevêque demeura silencieux, occupé sans doute à peser toutes les considérations que son œil d'aigle apercevait.

– Monseigneur, dit alors le curé, la religion a reçu de fortes atteintes. Ce retour aux anciens usages, nécessité par la grandeur de la faute et du repentir, ne sera-t-il pas un triomphe dont il nous sera tenu compte ?

– On dira que nous sommes des fanatiques ! On dira que nous avons exigé cette cruelle scène. Et il retomba dans ses méditations.

En ce moment, Horace Bianchon et Roubaud entrèrent après

avoir frappé. Quand la porte s'ouvrit, Véronique aperçut sa mère, son fils et tous les gens de sa maison en prières. Les curés de deux paroisses voisines étaient venus assister monsieur Bonnet, et peut-être aussi saluer le grand prélat, que le clergé français portait unanimement aux honneurs du cardinalat, en espérant que la lumière de son intelligence, vraiment gallicane, éclairerait le sacré collège. Horace Bianchon repartait pour Paris ; il venait dire adieu à la mourante, et la remercier de sa munificence. Il vint à pas lents, devinant, à l'attitude des deux prêtres, qu'il s'agissait de la plaie du cœur qui avait déterminé celle du corps. Il prit la main de Véronique, la posa sur le lit et lui tâta le pouls. Ce fut une scène que le silence le plus profond, celui d'une nuit d'été dans la campagne rendit solennelle. Le grand salon, dont la porte à deux battants restait ouverte, était illuminé pour éclairer la petite assemblée des gens qui priaient, tous à genoux, moins les deux prêtres assis et lisant leur bréviaire. De chaque côté de ce magnifique lit de parade, étaient le prélat dans son costume violet, le curé, puis les deux hommes de la Science.

– Elle est agitée jusque dans la mort ! dit Horace Bianchon qui semblable à tous les hommes d'un immense talent, avait la parole souvent aussi grande que l'étaient les choses auxquelles il assistait.

L'archevêque se leva, comme poussé par un élan intérieur ; il appela monsieur Bonnet en se dirigeant vers la porte, ils traversèrent la chambre, le salon, et sortirent sur la terrasse, où ils se promenèrent pendant quelques instants. Au moment où ils revinrent après avoir discuté ce cas de discipline ecclésiastique, Roubaud venait à leur rencontre.

– Monsieur Bianchon m'envoie vous dire de vous presser, madame Graslin se meurt dans une agitation étrangère aux douleurs excessives de la maladie.

L'archevêque hâta le pas et dit en entrant à madame Graslin, qui le regardait avec anxiété : – Vous serez satisfaite !

Bianchon tenait toujours le pouls de la malade, il laissa échapper un mouvement de surprise, et jeta un coup d'œil sur Roubaud et sur les deux prêtres.

– Monseigneur, ce corps n'est plus de notre domaine, votre parole a mis la vie là où il y avait la mort. Vous feriez croire à un miracle.

– Il y a longtemps que madame est tout âme ! dit Roubaud que Véronique remercia par un regard.

En ce moment un sourire où se peignait le bonheur que lui causait la pensée d'une expiation complète rendit à sa figure l'air d'innocence qu'elle eut à dix-huit ans. Toutes les agitations inscrites en rides effrayantes, les couleurs sombres, les marques livides, tous les détails qui rendaient cette tête si horriblement belle naguère, quand elle exprimait seulement la douleur, enfin les altérations de tout genre disparurent ; il semblait à tous que jusqu'alors Véronique avait porté un masque, et que ce masque tombait. Pour la dernière fois s'accomplissait l'admirable phénomène par lequel le visage de cette créature en expliquait la vie et les sentiments. Tout en elle se purifia, s'éclaircit, et il y eut sur son visage comme un reflet des flamboyantes épées des anges gardiens qui l'entouraient. Elle fut ce qu'elle était quand Limoges l'appelait la *belle madame Graslin*. L'amour de Dieu se montrait plus puissant encore que ne l'avait été l'amour coupable, l'un mit jadis en relief les forces de la vie, l'autre écartait toutes les défaillances de la mort. On entendit un cri étouffé ; la Sauviat se montra, elle bondit jusqu'au lit, en disant : – « Je revois donc enfin mon enfant ! » L'expression de cette vieille femme en prononçant ces deux mots *mon enfant*, rappela si vivement la première innocence des enfants, que les spectateurs de cette belle mort détournèrent tous la tête pour cacher leur émotion. L'illustre médecin prit la main de madame Graslin, la baisa, puis il partit. Le bruit de sa voiture retentit au milieu du silence de la campagne, en disant qu'il n'y avait aucune espérance de conserver l'âme de ce pays. L'archevêque, le curé, le médecin, tous ceux qui se sentirent fatigués allèrent prendre un peu de repos, quand madame Graslin s'endormit elle-même pour quelques heures. Car elle s'éveilla dès l'aube en demandant qu'on ouvrît ses fenêtres, Elle voulait voir le lever de son dernier soleil.

À dix heures du matin, l'archevêque, revêtu de ses habits pontificaux, vint dans la chambre de madame Graslin. Le prélat eut, ainsi que monsieur Bonnet, une si grande confiance en cette femme, qu'ils ne lui firent aucune recommandation sur les limites entre lesquelles elle devait renfermer ses aveux. Véronique aperçut alors un clergé plus nombreux que ne le comportait l'église de Montégnac, car celui des communes voisines s'y était joint. Monseigneur allait être assisté par quatre curés. Les magnifiques ornements, offerts par madame Graslin à sa chère paroisse, donnaient un grand éclat à cette cérémonie. Huit enfants de chœur, dans leur costume rouge et blanc, se rangèrent sur deux files, à partir du lit jusque dans le salon, tenant tous un de ces énormes flambeaux de bronze doré que Véronique avait fait venir de Paris. La croix et la bannière de l'église étaient tenues de chaque côté de l'estrade par deux sacristains en cheveux blancs. Grâce au dévouement des gens, on avait placé près de la porte du salon l'autel en bois pris dans la sacristie, orné, préparé pour que monseigneur pût y dire la messe. Madame Graslin fut touchée de ces soins que l'Église accorde seulement aux personnes royales. Les deux battants de la porte qui donnait sur la salle à manger étaient ouverts, elle put voir le rez-de-chaussée de son château rempli par une grande partie de la population. Les amis de cette femme avaient pourvu à tout, car le salon était exclusivement occupé par les gens de sa maison. En avant et groupés devant la porte de sa chambre, se trouvaient les amis et les personnes sur la discrétion desquelles on pouvait compter. Messieurs Grossetête, de Grandville, Roubaud, Gérard, Clousier, Ruffin, se placèrent au premier rang. Tous devaient se lever et se tenir debout pour empêcher ainsi la voix de la pénitente d'être écoutée par d'autres que par eux. Il y eut d'ailleurs une circonstance heureuse pour la mourante : les pleurs de ses amis étouffèrent ses aveux. En tête de tous, deux personnes offraient un horrible spectacle. La première était Denise Tascheron ; ses vêtements étrangers, d'une simplicité quakerienne, la rendaient méconnaissable à ceux du village qui la pouvaient apercevoir ; mais elle était, pour l'autre personne, une connaissance difficile à oublier, et son apparition fut un horrible trait de lumière. Le Procureur-général entrevit la vérité ; le rôle qu'il avait joué auprès de madame Graslin, il le devina dans toute son étendue. Moins dominé que les autres par la question religieuse, en sa qualité d'enfant du dix-neuvième siècle, le magistrat eut au cœur une féroce épouvante, car il put alors contempler le drame de la vie intérieure de Véronique à l'hôtel Graslin, pendant le procès Tascheron. Cette tragique époque reparut tout entière à son souvenir, éclairée par les deux yeux de la vieille Sauviat, qui, allumés par la haine, tombaient sur lui comme deux jets de plomb fondu ; cette vieille, debout à dix pas de lui, ne lui pardonnait rien. Cet homme, qui représentait la Justice humaine, éprouva des frissons. Pâle, atteint dans son cœur, il n'osa jeter les yeux sur le lit où la femme qu'il avait tant aimée, livide sous la main de la Mort, tirait sa force, pour dompter l'agonie, de la grandeur même de sa faute ; et le sec profil de Véronique, nettement dessiné en blanc sur le damas rouge, lui donna le vertige. À onze heures la messe commença. Quand l'épître eut été lue par le curé de Vizay, l'archevêque quitta sa dalmatique et se plaça au seuil de la porte.

– Chrétiens rassemblés ici pour assister à la cérémonie de l'Extrême-Onction que nous allons conférer à la maîtresse de cette maison, dit-il, vous qui joignez vos prières à celles de l'Église afin d'intercéder pour elle auprès de Dieu et obtenir son salut éternel, apprenez qu'elle ne s'est pas trouvée digne, à cette heure suprême, de recevoir le saint-viatique sans avoir fait, pour l'édification de son prochain, la confession publique de la plus grande de ses fautes. Nous avons résisté à son pieux désir, quoique cet acte de contrition ait été pendant longtemps en usage dans les premiers jours du christianisme ; mais comme cette pauvre femme nous a dit qu'il s'agissait en ceci de la réhabilitation d'un malheureux enfant de cette paroisse, nous la laissons libre de suivre les inspirations de son repentir.

Après ces paroles dites avec une onctueuse dignité pastorale, l'archevêque se retourna pour faire place à Véronique. La mourante apparut soutenue par sa vieille mère et par le curé, deux grandes et vénérables images : ne tenait-elle pas son corps de la Maternité, son âme de sa mère spirituelle, l'Église ? Elle se mit à genoux sur un coussin, joignit les mains, et se recueillit pendant quelques instants pour puiser en elle-même à quelque source épanchée du ciel la force de parler. En ce moment, le silence eut je ne sais quoi d'effrayant. Nul n'osait regarder son voisin. Tous les yeux étaient baissés. Cependant le regard de Véronique, quand elle leva les yeux, rencontra celui du Procureur-général, et l'expression de ce visage devenu blanc la fit rougir.

– Je ne serais pas morte en paix, dit Véronique d'une voix altérée, si j'avais laissé de moi la fausse image que chacun de vous qui m'écoutez a pu s'en faire. Vous voyez en moi une grande criminelle qui se recommande à vos prières, et qui cherche à se rendre digne de pardon par l'aveu public de sa faute. Cette faute fut si grave, elle eut des suites si fatales qu'aucune pénitence ne la rachètera peut-être. Mais plus j'aurai subi d'humiliations sur cette terre, moins j'aurai sans doute à redouter de colère dans le royaume céleste où j'aspire. Mon père, qui avait tant de confiance en moi, recommanda, voici bientôt vingt ans, à mes soins un enfant de cette paroisse, chez lequel il avait reconnu l'envie de se bien conduire, une aptitude à l'instruction et d'excellentes qualités. Cet enfant est le malheureux Jean-François Tascheron, qui s'attacha dès lors à moi comme à sa bienfaitrice. Comment l'affection que je lui portais devint-elle coupable ? C'est ce que je crois être dispensée d'expliquer. Peut-être verrait-on les sentiments les plus purs qui nous font agir ici-bas détournés insensiblement de leur pente par des sacrifices inouïs, par des raisons tirées de notre fragilité, par une foule de causes qui paraîtraient diminuer l'étendue de ma faute. Que les plus nobles affections aient été mes complices, en suis-je moins coupable ? J'aime mieux avouer que, moi qui par l'éducation, par ma situation dans le monde, pouvais me croire supérieure à l'enfant que me confiait mon père, et de qui je me trouvais séparée par la délicatesse naturelle à notre sexe, j'ai fatalement écouté la voix du démon. Je me suis bientôt trouvée beaucoup trop la mère de ce jeune homme pour être insensible à sa muette et délicate admiration. Lui seul, le premier, m'appréciait à ma valeur. Peut-être ai-je moi-même été séduite par d'horribles calculs : j'ai songé combien serait discret un enfant qui me devait tout, et que le hasard avait placé si loin de moi, quoique nous fussions égaux par notre naissance. Enfin, j'ai trouvé dans ma renommée de bienfaisance et dans mes pieuses occupations un manteau pour protéger ma conduite. Hélas ! et ceci sans doute est l'une de mes plus grandes fautes, j'ai caché ma passion à l'ombre des autels. Les plus vertueuses actions, l'amour que j'ai pour ma mère, les actes d'une dévotion véritable et sincère au milieu de tant d'égarements, j'ai tout fait servir au misérable triomphe d'une passion insensée, et ce fut autant de liens qui m'enchaînèrent. Ma pauvre mère adorée, qui m'entend, a été, sans en rien savoir pendant longtemps, l'innocente complice du mal. Quand elle a ouvert les yeux, il y avait trop de faits dangereux accomplis pour qu'elle ne cherchât pas dans son cœur de mère la force de se taire. Chez elle, le silence est ainsi devenu la plus haute des vertus. Son amour pour sa fille a triomphé de son amour pour Dieu. Ah ! je la décharge solennellement du voile pesant qu'elle a porté. Elle achèvera ses derniers jours sans faire mentir ni ses yeux ni son front. Que sa maternité soit pure de blâme, que cette noble et sainte vieillesse, couronnée de vertus, brille de tout son éclat, et soit dégagée de cet anneau par lequel elle touchait indirectement à tant d'infamie !...

Ici, les pleurs coupèrent pendant un moment la parole à Véronique ; Aline lui fit respirer des sels.

– Il n'y a pas jusqu'à la dévouée servante qui me rend ce dernier service qui n'ait été meilleure pour moi que je ne le méritais, et qui du moins a feint d'ignorer ce qu'elle savait ; mais elle a été dans le secret des austérités par lesquelles j'ai brisé cette chair qui avait failli. Je demande donc pardon au monde de l'avoir trompé, entraînée par la terrible logique du monde. Jean-François Tascheron n'est pas aussi coupable que la société a pu le croire. Ah ! vous tous qui m'écoutez, je vous en supplie ! tenez compte de sa jeunesse et d'une ivresse excitée autant par les remords qui m'ont saisie que par d'involontaires séductions. Bien plus ! ce fut la probité, mais une probité mal entendue, qui causa le plus grand de tous les malheurs. Nous ne supportâmes ni l'un ni l'autre ces tromperies continuelles. Il en appelait, l'infortuné, à ma propre grandeur, et voulait rendre le moins blessant possible pour autrui ce fatal amour. J'ai donc été la cause de son crime. Poussé par la nécessité, le malheureux, coupable de trop de dévouement pour une idole, avait choisi dans tous les actes répréhensibles celui dont les dommages étaient réparables. Je n'ai rien su qu'au moment même. À l'exécution, la main de Dieu a renversé tout cet échafaudage de combinaisons fausses. Je suis rentrée ayant entendu des cris qui retentissent encore à mes oreilles, ayant deviné des luttes sanglantes qu'il n'a pas été en mon pouvoir d'arrêter, moi l'objet de cette folie. Tascheron était devenu fou, je vous l'atteste.

Ici, Véronique regarda le Procureur-général, et l'on entendit un profond soupir sorti de la poitrine de Denise.

– Il n'avait plus sa raison en voyant ce qu'il croyait être son bonheur détruit par des circonstances imprévues. Ce malheureux, égaré par son cœur, a marché fatalement d'un délit dans un crime, et d'un crime dans un double meurtre. Certes, il est parti de chez ma mère innocent, il y est revenu coupable. Moi seule au monde savais qu'il n'y eut ni préméditation, ni aucune des circonstances aggravantes qui lui ont valu son arrêt de mort. Cent fois j'ai voulu me livrer pour le sauver, et cent fois un horrible héroïsme, nécessaire et supérieur, a fait expirer la parole sur mes lèvres. Certes, ma présence à quelques pas a contribué peut-être à lui donner l'odieux, l'infâme, l'ignoble courage des assassins. Seul, il aurait fui. J'avais formé cette âme, élevé cet esprit, agrandi ce cœur, je le connaissais, il était incapable de lâcheté ni de bassesse. Rendez justice à ce bras innocent, rendez justice à celui que Dieu dans sa clémence laisse dormir en paix dans le tombeau que vous avez arrosé de vos larmes, devinant sans doute la vérité ! Punissez, maudissez la coupable que voici ! Épouvantée du crime, une fois commis, j'ai tout fait pour le cacher. J'avais été chargée par mon père, moi privée d'enfant, d'en conduire un à Dieu, je l'ai conduit à l'échafaud ; ah ! versez sur moi tous les reproches, accablez-moi, voici l'heure !

En disant ces paroles, ses yeux étincelaient d'une fierté sauvage, l'archevêque debout derrière elle, et qui la protégeait de sa crosse pastorale, quitta son attitude impassible, il voila ses yeux de sa main droite. Un cri sourd se fit entendre, comme si quelqu'un se mourait. Deux personnes, Gérard et Roubaud, reçurent dans leurs bras et emportèrent Denise Tascheron complètement évanouie. Ce spectacle éteignit un peu le feu des yeux de Véronique, elle fut inquiète ; mais sa sérénité de martyre reparut bientôt.

– Vous le savez maintenant, reprit-elle, je ne mérite ni louanges ni bénédictions pour ma conduite ici. J'ai mené pour le ciel une vie secrète de pénitences aiguës que le ciel appréciera ! Ma vie connue a été une immense réparation des maux que j'ai causés : j'ai marqué mon repentir en traits ineffaçables sur cette terre, il subsistera presque éternellement. Il est écrit dans les champs fertilisés, dans le bourg agrandi, dans les ruisseaux dirigés de la montagne dans cette plaine, autrefois inculte et sauvage, maintenant verte et productive. Il ne se coupera pas un arbre d'ici à cent ans, que les gens de ce pays ne se disent à quels remords il a dû son ombrage, reprit-elle. Cette âme repentante et qui aurait animé une longue vie utile à ce pays, respirera donc longtemps parmi vous. Ce que vous auriez dû à ses talents, à une fortune dignement acquise, est accompli par l'héritière de son repentir, par celle qui causa le crime. Tout a été réparé de ce qui revient à la société, moi seule suis chargée de cette vie arrêtée dans sa fleur, qui m'avait été confiée, et dont il va m'être demandé compte !...

Là, les larmes éteignirent le feu de ses yeux. Elle fit une pause.

– Il est enfin parmi vous un homme qui, pour avoir strictement accompli son devoir, a été pour moi l'objet d'une haine que je croyais devoir être éternelle, reprit-elle. Il a été le premier instrument de mon supplice. J'étais trop près du fait, j'avais encore les pieds trop avant dans le sang, pour ne pas haïr la Justice. Tant que ce grain de colère troublerait mon cœur, j'ai compris qu'il y aurait un reste de passion condamnable ; je n'ai rien eu à pardonner, j'ai seulement purifié ce coin où le Mauvais se cachait. Quelque pénible qu'ait été cette victoire, elle est complète.

Le Procureur-général laissa voir à Véronique un visage plein de larmes.

La Justice humaine semblait avoir des remords. Quand la pénitente détourna la tête pour pouvoir continuer, elle rencontra la figure baignée de larmes d'un vieillard, de Grossetête, qui lui tendait des mains suppliantes, comme pour dire : – Assez ! En ce moment, cette femme sublime entendit un tel concert de larmes, qu'émue par tant de sympathies, et ne soutenant pas le baume de ce pardon général, elle fut prise d'une faiblesse ; en la voyant atteinte dans les sources de sa force, sa vieille mère retrouva les bras de la jeunesse pour l'emporter.

– Chrétiens, dit l'archevêque, vous avez entendu la confession de cette pénitente ; elle confirme l'arrêt de la Justice humaine, et peut en calmer les scrupules ou les inquiétudes. Vous devez avoir trouvé en ceci de nouveaux motifs pour joindre vos prières à celles de l'Église, qui offre à Dieu le saint sacrifice de la messe, afin d'implorer sa miséricorde en faveur d'un si grand repentir.

L'office continua, Véronique le suivit d'un air qui peignait un tel contentement intérieur, qu'elle ne parut plus être la même femme à tous les yeux. Il y eut sur son visage une expression candide, digne de la jeune fille naïve et pure qu'elle avait été dans la vieille maison paternelle. L'aube de l'éternité blanchissait déjà son front, et dorait son visage de teintes célestes.

Elle entendait sans doute de mystiques harmonies, et puisait la force de vivre dans son désir de s'unir une dernière fois à Dieu ; le curé Bonnet vint auprès du lit et lui donna l'absolution ; l'archevêque lui administra les saintes huiles avec un sentiment paternel qui montrait à tous les assistants combien cette brebis égarée, mais revenue, lui était chère. Le prélat ferma aux choses de la terre, par une sainte onction, ces yeux qui avaient causé tant de mal, et mit le cachet de l'Église sur ces lèvres trop éloquentes. Les oreilles, par où les mauvaises inspirations avaient pénétré, furent à jamais closes. Tous les sens, amortis par la pénitence, furent ainsi sanctifiés, et l'esprit du mal dut être sans pouvoir sur cette âme. Jamais assistance ne comprit mieux la grandeur et la profondeur d'un sacrement, que ceux qui voyaient les soins de l'Église justifiés par les aveux de cette femme mourante. Ainsi préparée, Véronique reçut le corps de Jésus-Christ avec une expression d'espérance et de joie qui fondit les glaces de l'incrédulité contre laquelle le curé s'était tant de fois heurté. Roubaud confondu devint catholique en un moment ! Ce spectacle fut touchant et terrible à la fois ; mais il fut solennel par la disposition des choses, à un tel point que la peinture y aurait trouvé peut-être le sujet d'un de ses chefs-d'œuvre. Quand, après ce funèbre épisode, la mourante entendit commencer l'évangile de saint Jean, elle fit signe à sa mère de lui ramener son fils, qui avait été emmené par le précepteur.

Quand elle vit Francis agenouillé sur l'estrade, la mère pardonnée se crut le droit d'imposer ses mains à cette tête pour la bénir, et rendit le dernier soupir. La vieille Sauviat était là, debout, toujours à son poste, comme depuis vingt années. Cette femme, héroïque à sa manière, ferma les yeux de sa fille qui avait tant souffert, et les baisa l'un après l'autre. Tous les prêtres, suivis du clergé, entourèrent alors le lit. Aux clartés flamboyantes des cierges, ils entonnèrent le terrible chant du *De profundis*, dont les clameurs apprirent à toute la population agenouillée devant le château, aux amis qui priaient dans les salles et à tous les serviteurs, que la mère de ce Canton venait de mourir. Cette hymne fut accompagnée de gémissements et de pleurs unanimes. La confession de cette grande femme n'avait pas dépassé le seuil du salon, et n'avait eu que des oreilles amies pour auditoire.

Quand les paysans des environs, mêlés à ceux de Montégnac, vinrent un à un jeter à leur bienfaitrice, avec un rameau vert, un adieu suprême mêlé de prières et de larmes, ils virent un homme de la Justice, accablé de douleur, qui tenait froide la main de la femme que, sans le vouloir, il avait si cruellement, mais si justement frappée.

Deux jours après, le Procureur-général, Grossetête, l'archevêque et le maire, tenant les coins du drap noir, conduisaient le corps de madame Graslin à sa dernière demeure.

Il fut posé dans sa fosse au milieu d'un profond silence. Il ne fut pas dit une parole, personne ne se trouvait la force de parler, tous les yeux étaient pleins de larmes. « – C'est une sainte ! » fut un mot dit par tous en s'en allant par les chemins faits dans le Canton qu'elle avait enrichi, un mot dit à ses créations champêtres comme pour les animer. Personne ne trouva étrange que madame Graslin fût ensevelie auprès du corps de Jean-François Tascheron ; elle ne l'avait pas demandé ; mais la vieille mère, par un reste de tendre pitié, avait recommandé au sacristain de mettre ensemble ceux que la terre avait si violemment séparés, et qu'un même repentir réunissait. Le testament de madame Graslin réalisa tout ce qu'on en attendait ; elle fondait à Limoges des bourses au collège et des lits à l'hospice, uniquement destinés aux ouvriers ; elle assignait une somme considérable, trois cent mille francs en six ans, pour l'acquisition de la partie du village appelée les Tascherons, où elle ordonnait de construire un hospice.

Cet hospice, destiné aux vieillards indigents du canton, à ses malades, aux femmes dénuées au moment de leurs couches et aux enfants trouvés, devait porter le nom d'hospice des Tascherons ; Véronique le voulait desservi par des Sœurs-Grises, et fixait à quatre mille francs les traitements du chirurgien et du médecin. Madame Graslin priait Roubaud d'être le premier médecin de cet hospice, en le chargeant de choisir le chirurgien et de surveiller l'exécution, sous le rapport sanitaire, conjointement avec Gérard, qui serait l'architecte.

Elle donnait en outre à la Commune de Montégnac une étendue de prairies suffi-sante à en payer les contributions. L'église, dotée d'un fonds de secours dont l'emploi était déterminé pour certains cas excep-tionnels, devait surveiller les jeunes gens, et rechercher le cas où un enfant de Montégnac manifesterait des dispositions pour les arts, pour les sciences ou pour l'industrie.

La bienfaisance intelligente de la testatrice indiquait alors la somme à prendre sur ce fonds pour les encouragements. La nouvelle de cette mort, reçue en tous lieux comme une calamité, ne fut accompagnée d'aucun bruit injurieux pour la mémoire de cette femme. Cette discrétion fut un hommage rendu à tant de vertus par cette population catholique et travailleuse qui recommence dans ce coin de la France les miracles des Lettres Édifiantes.

Gérard, nommé tuteur de Francis Graslin, et obligé par le testament d'habiter le château, y vint ; mais il n'épousa que trois mois après la mort de Véronique, Denise Tascheron, en qui Francis trouva comme une seconde mère.

Paris, janvier 1837 – mars 1845.

Milton Keynes UK
Ingram Content Group UK Ltd.
UKHW031818131023
430526UK00009B/365